40

Mes secrets de cuisine

Françoise Bernard

Mes secrets de cuisine

HACHETTE

Sommaire

La cuisine est un Art. C'est vrai.

Et la base de tout art est la technique. Ainsi la technique culinaire demande, aux apprentis cuisiniers, des années de travail assidu, souvent pénible dans des cuisines de restaurant, sous l'autorité de Chefs compétents et sévères.

Mais votre ambition, à vous, n'est pas de devenir un Raymond Oliver ou un Bocuse ; plutôt un Cordon-Bleu qui réussit tout — ou presque — ce qu'il entreprend. Alors, brûlons ensemble les étapes.

La préparation d'une recette, vous l'avez remarqué, comporte souvent un instant critique auquel il faut prêter attention. Encore faut-il le découvrir, ce moment, ce piège... et la parade pour le déjouer. Qui n'a cherché à obtenir, à coup sûr, une « sauce à la crème qui ne tourne pas », des « meringues qui ne se ratatinent pas » ou une « omelette qui n'attache jamais » ?

Rassurez-vous, pas besoin d'un long apprentissage pour cela. La lecture d'un judicieux conseil, arrivant à point nommé, suffit à éviter les tâtonnements et les expériences décevantes. Et c'est ici que je puis vous aider, car chacun de mes secrets n'est rien d'autre qu'une astuce technique appliquée à une recette particulière, vous en assurant la réussite.

Les recettes réunies dans mon livre sont, comme toujours, toutes expérimentées. Mais en plus, j'ai mis l'accent sur des tours de main permettant de montrer clairement un geste ou d'insister sur le « moment crucial » de la préparation. Le « secret » au bas de la plupart des recettes, ou les petites astuces de présentation, d'organisation, de rapidité, d'économie, sont autant de clefs pour le succès.

Chaque chapitre a pour sujet un aliment, ou une famille d'aliments, avec des notions de base (choix, achat, préparations simples) suivies du « plat de résistance », les recettes.

Vous les trouverez très simples, ces recettes ! Faciles à lire, à comprendre, à réaliser car TOUT a été fait en pensant A VOUS. Pas de jargon culinaire. Des précisions près du titre : temps de cuisson, genre, prix, facilité. De gros caractères. Vous aurez rarement à tourner la page en cours de lecture d'une recette, car elles figurent le plus souvent sur une seule page ou sur deux pages côte à côte. Enfin, vous disposerez pour vous guider dans votre choix :

En début d'ouvrage d'un **sommaire** ;

A la fin de l'**index général des recettes par catégories de plats** et de l'**index général des recettes par ordre alphabétique**.

Vous voici bien informée maintenant. Faites donc vôtres mes « secrets de cuisine » réunis au cours d'une longue carrière de Spécialiste Culinaire. Je vous promets la réussite. Vous serez bientôt en mesure, à votre tour, de révéler vos « secrets de cuisine ».

Recettes

Les œufs

Quel est le plat de résistance, de bonne qualité, qui ne coûte guère plus de 1 franc par personne ? L'omelette, bien sûr. Et toutes les autres préparations de l'œuf. Une bonne omelette remplace avantageusement un bifteck. De même que des œufs pochés avec une sauce Mornay. C'est tout avantage pour le budget.

L'œuf n'est pas bon pour le foie ! Voilà un préjugé bien français. Les Anglais ne se plaignent pas souvent du foie et pourtant ils mangent presque deux fois plus d'œufs que nous. Il est vrai qu'ils consomment beaucoup moins de bons vins et assez peu de bonnes sauces ! En réalité, l'œuf frais ne fait pas mal au foie des personnes bien portantes, qui sont la majorité.

Les œufs
Choisissez-les :

Conditionnés

De plus en plus, les œufs sont vendus conditionnés. Il est facile de s'assurer de leur fraîcheur car la date d'emballage est généralement imprimée sur la boîte.

Deux appellations seulement sont admises pour les œufs du commerce :
— frais-extra,
— frais.

Les œufs *frais-extra,* emballés aussitôt pondus, sont déclassés après une semaine de conditionnement. Le mot « extra » étant imprimé sur une bande rouge scellant la boîte, cette bande doit être décollée au bout d'une semaine par le commerçant.

Les œufs *frais* portent la date d'emballage ou le numéro de la semaine imprimé sur la boîte. Mais ces œufs peuvent être pondus depuis plus longtemps.

Quant à l'appellation *œuf-coque* tout à fait fantaisiste, elle ne répond à aucun critère de qualité ou de fraîcheur. Elle n'offre donc aucune garantie.

Ou en vrac

Pour vérifier leur fraîcheur, secouez-les, rien ne bouge. Plongez-les dans l'eau, ils tombent au fond. Cassez-les, le jaune est bombé, ne s'étale pas ; le blanc est épais, visqueux et difficile à séparer du jaune.

Préparez les œufs

	Temps de cuisson	Mode de cuisson
Brouillés	12 à 15 mn	bain-marie sur feu doux
Cocotte	6 à 8 mn	bain-marie à four très chaud (th. 8-9)
A la coque	3 mn	à l'eau bouillante, ou à l'eau froide portée juste à ébullition
Durs	8 mn	à partir de l'ébullition
Mollets	4 à 6 mn	à partir de l'ébullition
En omelette ...	2 à 3 mn	sur feu vif
Sur le plat	2 mn	sur feu moyen
Pochés	3 mn	à l'eau frémissante vinaigrée

Bouillabaisse d'œufs pochés

Facile / bon marché
Toutes saisons

Préparation et cuisson : 30 mn

Pour 4, il faut :
4 œufs,
25 g de beurre ou de margarine,
2 tranches de pain de mie.

Sauce :
1 soupe de poisson en sachet,
15 g de beurre,
10 g de farine,
1/2 litre d'eau,
sel, poivre.

1. Passez le sachet de soupe à travers une passoire pour en retirer le vermicelle. Délayez ce qui reste avec 1/2 litre d'eau seulement.

2. Sauce : mélangez, sur feu doux, 15 g de beurre ou de margarine et la farine jusqu'à ce que la préparation soit mousseuse. Ajoutez le potage, sel et poivre. Fouettez jusqu'à ébullition. Laissez mijoter 15 mn.

3. Coupez les tranches de pain en triangle. Faites dorer à la poêle avec 25 g de beurre ou de margarine. Disposez dans un plat creux tenu au chaud. Faites pocher des œufs à part (voir p. 31). Déposez-les sur les croûtons. Recouvrez de sauce et servez.

Raffinement : *Vous pouvez corser la sauce en y ajoutant 2 ou 3 pincées de safran et un peu de cayenne.*

Variante : *Les œufs peuvent être cuits durs. Le plat perdra un peu en saveur, mais gagnera en facilité.*

Crème renversée au caramel

Facile / bon marché / petites réceptions
Toutes saisons

Préparation et cuisson : 45 mn + 2 h au froid

Pour 4, il faut :
1/2 litre de lait,
3 ou 4 œufs,
6 cuil. à soupe de sucre,
1 sachet de sucre vanillé (ou 1 gousse),
1 pincée de sel.

Caramel :
3 cuil. à soupe de sucre,
2 cuil. à soupe d'eau,
citron.

1. Caramel : faites bouillir dans un moule haut 3 cuil. à soupe de sucre, 2 cuil. à soupe d'eau et quelques gouttes de citron. Quand le caramel commence à brunir, retirez le moule du feu. Saisissez-le avec deux « mouflettes » pour faire voyager le caramel liquide à l'intérieur du moule. Laissez refroidir.

2. Crème : mettez à bouillir le lait avec 1 pincée de sel, sucre et vanille. Retirez du feu. Incorporez un peu de ce lait bouillant aux œufs battus. Puis, faites l'inverse, en fouettant sans arrêt. Versez ce mélange à travers une passoire fine, dans le moule caramélisé. Déposez-le sur la plaque creuse du four emplie d'eau froide (bain-marie). Mettez à four chaud (th. 7-8) de 25 à 30 mn. Laissez refroidir complètement avant de démouler.

Le secret *de la crème renversée parfaitement homogène :* Avant la cuisson, les œufs battus avec le lait bouillant ont été passés au tamis. La grille fine du tamis retient les germes des œufs qui, à la cuisson, coaguleraient en petites boules et nuiraient à l'homogénéité de la crème.

Meringue « qu'on-ne-rate-jamais »

Très facile / bon marché
Toutes saisons

Préparation et cuisson : 1 h 15

Pour 4, il faut :
2 blancs d'œufs,
8 cuil. à soupe de sucre,
1 cuil. à soupe de jus de citron,
un peu de farine,
1 pincée de sel.

1. Dans un saladier, mettez : les blancs d'œufs, sucre, sel, jus de citron. Battez avec un fouet électrique jusqu'à ce que vous obteniez une crème très lisse et brillante qui tient aux branches du fouet.

2. Saupoudrez de farine la plaque du four (ou une tourtière). Déposez dessus, en les espaçant, des noix de meringue à l'aide d'une cuiller à café. Faites cuire (ou plutôt dessécher) à four extrêmement doux (th. 1 ou 2) 1 h environ jusqu'à ce qu'elles soient légèrement dorées et sèches.

Le secret *des meringues réussies :* Il réside surtout dans leur cuisson. La meringue dore vite et vous la croyez cuite. Mais au sortir du four, elle s'effondre car l'intérieur est encore mou.
Rappelez-vous donc que les meringues doivent dessécher plutôt que cuire. Les pâtissiers les oublient (volontairement) la nuit entière dans l'étuve tiède de leur four.

Meringue à l'Italienne à la crème

Facile / bon marché / petites réceptions
Toutes saisons

Préparation et cuisson : 1 h 15

Pour 4, il faut :
2 blancs d'œufs,
6 cuil. à soupe très pleines de sucre,
quelques gouttes de jus de citron,
un peu de farine,
1 pincée de sel.

Crème Chantilly :
recette page 485.

1. Dans une casserole épaisse (fonte émaillée ou Pyrex), versez les blancs d'œufs, sucre, sel et jus de citron.

2. Sur feu très doux (ou au bain-marie), battez avec un fouet électrique jusqu'à ce que le mélange s'affermisse au point de tenir aux branches du fouet. Tâtez le récipient de temps en temps : il ne doit jamais être assez chaud pour brûler la main.

3. Disposez par petites cuillerées sur une plaque légèrement farinée. Faites cuire comme les meringues « qu'on-ne-rate-jamais ».

4. Collez les meringues 2 par 2 avec un peu de crème Chantilly.

Solution express : *La « bombe » de crème Chantilly, vendue chez le crémier.*

Organisation : *Cette préparation de meringue à l'Italienne peut attendre au froid, plusieurs heures avant d'être cuite. Elle peut également servir à napper le dessus d'une tarte aux fruits (citron, oranges, ananas, cerises, etc.), mais n'y est mise qu'en fin de cuisson.*

Œufs brouillés

Difficile / bon marché / petites réceptions
Toutes saisons

Préparation et cuisson : 15 mn

Par personne, il faut :

2 ou 3 œufs,
1 noix de beurre ou de margarine,
crème fraîche (facultatif),
sel, poivre.

1. Battez légèrement les œufs dans une casserole moyenne, à fond épais et arrondi. Salez, poivrez.

2. Faites cuire au bain-marie — ou directement sur le feu très doux — sans cesser de remuer avec une cuiller en bois. Les œufs deviennent légèrement crémeux. Mélangez encore, sur le feu, en incorporant des noisettes de beurre ou de la crème fraîche. Les œufs brouillés à point se présentent comme une crème granuleuse. Retirez-les alors du feu sans tarder et servez-les sur des toasts grillés ou des assiettes chaudes.

Les secrets *pour réussir les œufs brouillés :* Faites-les cuire au bain-marie (tant que vous ne possédez pas le tour de main en tout cas).
Utilisez, à tout prix : un poêlon épais (fonte émaillée, Pyrex ou porcelaine à feu).
Et mélangez avec une cuiller en bois, et rien d'autre.

Le secret *pour les rattraper :* S'ils commencent à prendre trop rapidement, mettez vite une cuillerée d'eau froide dans la casserole. Ou plongez le fond de la casserole directement dans l'eau froide pour arrêter net la cuisson.

Œufs cocotte

Très facile / bon marché
Toutes saisons

Préparation et cuisson : 6 à 8 mn

Par personne, il faut :

1 ou 2 œufs,
1 noix de beurre ou de margarine,
crème fraîche (facultatif),
sel, poivre,
1 ramequin.

1. Beurrez l'intérieur du moule. Salez et poivrez légèrement. Cassez un ou deux œufs dedans. Arrosez d'un peu de crème fraîche assaisonnée ou d'un reste de jus de viande.

2. Déposez dans un plat à feu contenant un peu d'eau chaude (bain-marie). Faites cuire à four très chaud (th. 8-9) jusqu'à ce que le blanc soit pris (de 6 à 8 mn).

Variantes : *L'œuf cocotte étant un simple œuf à la coque cuit hors de sa coquille, il peut être mis dans n'importe quel récipient pouvant tenir lieu de « cocotte » : ramequin en porcelaine, simple verre ou petit moule à gâteaux.*
Il peut aussi être cassé dans une brioche, une tomate crue, une pomme de terre cuite, préalablement creusées, ou dans un petit puits de purée ou de riz. Glissez dans le four ces œufs cocotte de fantaisie pour les cuire.

Pratique : *Les œufs cocotte peuvent également cuire sur le feu, mais dans un bain-marie. N'oubliez pas de les couvrir pour qu'ils cuisent sur le dessus. Sachez aussi que le temps de cuisson sera un peu plus long que dans le four. Comptez une dizaine de minutes.*

Œufs à la coque

Très facile / bon marché
Toutes saisons

Préparation et cuisson : 3 mn

Par personne, il faut :
2 œufs,
sel.

Façon Françoise Bernard :

1. Mettez les œufs à l'eau froide salée (avec le sel la coquille se fêle moins facilement), sur le feu moyen.

2. Aussitôt que l'eau bout à gros bouillons, retirez du feu. Apportez le tout à table. Ceux qui aiment que le blanc soit encore laiteux les trouveront à point. Ceux qui préfèrent le blanc entièrement pris attendront une minute avant de retirer leurs œufs de l'eau de cuisson.

Au chronomètre :

1. Faites chauffer de l'eau salée. Quand elle bout, plongez les œufs dedans délicatement car ils risquent de se fêler. Comptez exactement le temps d'ébullition franche :

2 mn 1/2 blanc laiteux,
3 mn blanc bien pris.

2. Égouttez et consommez aussitôt car l'œuf continue de cuire coquille fermée.

Œufs durs

Très facile / bon marché
Toutes saisons

Préparation et cuisson : 10 mn

Par personne, il faut :

2 œufs,
sel.

Mettez les œufs à l'eau froide salée. Portez à ébullition. Laissez bouillir 10 mn. Égouttez et rafraîchissez aussitôt.

Variante : *Les œufs mollets : laissez-les bouillir 4 à 6 mn seulement.*

Le secret *des œufs durs au jaune parfait :* Ils cuisent juste le temps de cuisson indiqué (8 à 10 mn) car des œufs durs cuits trop longtemps laissent apparaître une pellicule grisâtre autour du jaune.
Le même résultat se produit s'ils sont cuits trop longtemps d'avance, la veille par exemple.
Cette pellicule grisâtre n'est pas nocive, mais elle est peu appétissante.
— *qui ne se fêlent pas en cuisant :* Sortez-les du réfrigérateur 1/2 h environ avant cuisson ou placez-les quelques minutes dans de l'eau chaude avant de les cuire pour qu'ils se réchauffent progressivement.
Ou cuisez-les à l'eau bien salée pour consolider la coquille.
Ou percez les deux bouts avec une épingle.
— *qui se décoquillent facilement :* Brisez les coquilles au sortir de l'eau bouillante et plongez-les aussitôt dans de l'eau froide. Celle-ci s'infiltre par les fêlures entre l'œuf et la fine peau sous la coquille qui se détache, quelques secondes plus tard, sans difficulté.

Farces pour œufs durs

Très facile / bon marché / petites réceptions
Toutes saisons

Préparation : 15 mn

Moutarde :
6 œufs durs,
50 g de beurre,
1 cuil. à soupe de moutarde forte,
2 ou 3 cornichons,
1 citron,
sel, poivre,
laitue.

Mélangez les jaunes écrasés avec moutarde, cornichons finement hachés, beurre assez mou, sel, poivre et jus de citron. Emplissez généreusement les demi-blancs d'œufs avec cette farce de façon à la faire bomber. Servez sur des feuilles de laitue.

Ciboulette :
6 œufs durs,
50 g de beurre,
2 cuil. à soupe de ciboulette,
sel, poivre,
poivre de Cayenne,
laitue, 12 radis.

Incorporez le beurre un peu mou, ciboulette, sel, poivre et 1 pincée de cayenne aux jaunes d'œufs durs. Garnissez les demi-blancs d'œufs avec cette farce. Déposez un radis sur chacun. Présentez sur un lit de feuilles de laitue.

Niçoise :
6 œufs durs,
1 cuil. à soupe de moutarde forte,
1 cuil. à soupe de crème d'anchois,
50 g de beurre,
10 olives,
24 filets d'anchois,
persil, sel, poivre,
salade, tomates,
crudités variées.

Hachez finement olives et persil. Mélangez avec les jaunes d'œufs durs, crème d'anchois, beurre, moutarde, sel et poivre. Emplissez les demi-blancs d'œufs pour obtenir une forme bombée. Déposez sur chacun 2 filets d'anchois en croix. Présentez sur des feuilles de salade, avec quartiers de tomates et crudités diverses.

Les œufs

Présentation d'œufs durs pour petites réceptions :

L'œuf en fleur :

1. Tranchez la base de l'œuf dur, l'asseoir.

2. Un couteau bout arrondi. Enfoncez-le jusqu'au jaune (qui offre une résistance).

3. Détachez les deux moitiés. Le jaune reste entier.
Farcissez le blanc creux avec une des préparations ci-dessus. Laissez l'autre tel quel garni du jaune d'œuf dur entier.

Œufs écossais

Facile / bon marché
Toutes saisons

Préparation et cuisson : 25 mn

Pour 4, il faut :
4 œufs durs,
250 g de chair à saucisse (mi-veau, mi-porc) hachée très finement,
farine,
1 œuf cru,
chapelure,
sel, poivre,
Bain de friture.

1. Faites durcir les œufs. Écalez-les. Salez et poivrez la chair à saucisse.

2. Farinez légèrement les œufs durs. Puis enrobez-les d'une fine couche de chair à saucisse, complètement et très régulièrement. Le blanc d'œuf ne doit pas se laisser deviner.

3. Roulez les œufs durs ainsi « habillés » dans une assiette contenant l'œuf cru battu, salé et poivré, puis dans la chapelure. Il faut qu'ils soient enduits très uniformément de chapelure.

4. Cuisson : plongez-les dans la friture chaude de 3 à 5 mn. Égouttez sur un papier absorbant. Servez chaud avec une sauce tomate, ou froid, avec Ketchup et cresson.

Le secret *de la panure qui tient à la cuisson :* L'aliment soigneusement enrobé de chapelure est mis au réfrigérateur 1 h au moins avant cuisson. C'est une précaution très utile.

Œufs aux épinards Marius

Très facile / raisonnable
Toutes saisons

Préparation et cuisson : 1 h 30

Pour 4, il faut :
1,500 kg d'épinards,
50 g de beurre ou de margarine,
2 oignons,
2 gousses d'ail,
800 g de pommes de terre,
1/2 g de safran,
4 œufs,
4 fines tranches de pain,
sel, poivre.

1. Nettoyez les épinards et faites-les cuire 10 mn à l'eau bouillante salée. Égouttez-les le plus possible et hachez-les.

2. Faites dorer les oignons hachés dans un poêlon avec 30 g de beurre ou de margarine. Coupez les pommes de terre en rondelles. Ajoutez-les aux oignons ainsi que les épinards, l'ail haché, 1 verre 1/2 d'eau, safran, sel, poivre. Couvrez et laissez cuire 40 mn. Mélangez de temps en temps.

3. En fin de cuisson, ménagez 4 alvéoles à la surface. Cassez 1 œuf dans chacun. Couvrez et laissez cuire encore 10 mn.

4. Faites dorer le pain à la poêle avec 20 g de beurre ou de margarine. Présentez à table le poêlon garni des croûtons dorés.

Solution express : *Les épinards surgelés vous feront gagner du temps les jours où vous êtes pressée. Inutile de les faire dégeler avant de les mettre à cuire, mais ajoutez un peu moins d'eau qu'il n'est indiqué dans le § 2 de la recette. Le temps de cuisson est le même.*

Œufs frits à l'Américaine

Facile / bon marché
Toutes saisons

Préparation et cuisson : 3 mn

Pour 4, il faut :
8 œufs,
1/2 verre d'huile,
sel, poivre.

1. Faites modérément chauffer, dans une petite poêle, un demi-verre d'huile. Faites glisser dedans un œuf préalablement cassé dans une tasse (assurance de fraîcheur). Réduisez la chaleur aussitôt.

2. Laissez cuire doucement (de 1 à 2 mn) en arrosant constamment l'œuf avec l'huile chaude pour cuire légèrement le dessus. L'œuf est à point quand le jaune est masqué d'une fine pellicule blanchâtre.

Le secret *des œufs frits qui ne s'effilochent pas :* Une poêle pas trop grande et profonde (genre skillet ou sauteuse), afin de frire les œufs dans une couche d'huile suffisamment épaisse. Au besoin, penchez légèrement la poêle.

Œufs en matelote

Difficile / raisonnable
Toutes saisons

Préparation et cuisson : 1 h 15

Pour 4, il faut :
4 œufs,
30 g de beurre ou de margarine,
100 g de petits oignons,
200 g de champignons,
1 cuil. à soupe rase de farine,
1 verre de vin rouge,
1 verre d'eau,
1 échalote,
1 gousse d'ail,
bouquet garni,
1 clou de girofle,
sel, poivre.

Pour décorer :
2 ou 3 tranches de pain de mie,
30 g de beurre.

1. Faites dorer les oignons dans une petite casserole avec 1 noix de beurre ou de margarine. Égouttez. Remettez le reste de beurre ou de margarine dans la casserole. Lorsqu'il est fondu, ajoutez la cuillerée de farine. Délayez jusqu'à ce que la préparation soit mousseuse. Mouillez avec 1 verre de vin rouge et 1 verre d'eau. Remuez jusqu'à ébullition. Ajoutez échalote et ail hachés, les oignons dorés, les champignons en quartiers, bouquet garni, clou de girofle, sel, poivre. Laissez mijoter, sans couvrir, 30 mn.

2. Décor : faites dorer les tranches de pain, coupées en croûtons, avec 30 g de beurre.

3. Œufs mollets : faites-les bouillir 4 à 6 mn seulement. Égouttez-les aussitôt cuits et écalez-les délicatement.

4. Retirez la sauce du feu. Otez-en le bouquet garni et girofle. Mettez les œufs dedans. Présentez-les dans un plat creux, noyés de sauce et entourés de croûtons.

Organisation : *La sauce et les œufs mollets peuvent être cuits à l'avance. Dès que les œufs sont cuits, brisez délicatement leur coquille et plongez-les dans l'eau froide quelques instants. Ils seront moins difficiles à écaler. Ils réchaufferont lorsque vous les plongerez dans la sauce très chaude.*

Œufs à la neige

Difficile / raisonnable / petites réceptions
Toutes saisons

Préparation et cuisson : 45 mn + temps de refroidissement

Pour 4, il faut :
4 œufs,
1/2 litre de lait,
4 ou 5 cuil. à soupe de sucre,
1 gousse de vanille ou sucre vanillé,
sel.

1. Crème anglaise : mettez à bouillir le lait avec sucre, 1 pincée de sel, vanille ou sucre vanillé. Séparez le blanc des jaunes d'œufs. Versez un peu de lait bouillant sur ces derniers, en mélangeant vigoureusement. Reversez le tout dans la casserole. Mélangez sans arrêt, sur feu doux, jusqu'à ce que la crème prenne une consistance onctueuse. Ne laissez surtout pas bouillir. Mettez ensuite à refroidir.

2. Cuisson des blancs en neige : mettez une grande casserole d'eau à bouillir. Battez les blancs en neige très ferme. Quand l'eau est sur le point de bouillir (quand elle frémit), déposez-y des boules de blancs en neige, à l'aide d'une cuiller à soupe, 4 ou 5 au plus. Laissez cuire quelques secondes seulement et retournez sans tarder avec la cuiller. Égouttez-les au bout de quelques instants, quand elles sont bien gonflées. Procédez de la même façon pour cuire le reste des blancs.

3. Au moment de servir, déposez ces « blancs-neige » sur la crème très froide.

Les secrets : *pour obtenir des œufs à la neige parfaits :* Pour des « blancs-neige » légers, mousseux et bien blancs, faites-les cuire très rapidement dans de l'eau et non dans du lait qui noircit les blancs et déborde si facilement de la casserole.

Œufs sur le plat

Très facile / bon marché
Toutes saisons

Préparation et cuisson : 5 mn

Par personne, il faut :

2 œufs,
1 noix de beurre ou de margarine,
sel, poivre.

Mettez à fondre un peu de beurre ou de margarine dans le plat (ou la poêle). Salez et poivrez. Cassez ensuite les œufs dedans, en les approchant très près pour ne pas briser le jaune. Laissez cuire sur feu moyen jusqu'à ce que le blanc soit pris.

Variante : *Pour obtenir un œuf miroir, passez l'œuf plat quelques instants sous le grilloir pour faire coaguler légèrement la pellicule de blanc qui enrobe le jaune à sa surface.*

Le secret *des œufs sur le plat parfaits :* Utilisez des œufs extrêmement frais et approchez la coquille très près du fond du plat pour y déposer l'œuf. Ainsi le jaune ne crèvera pas. Cuisez-les à feu moyen-doux pour laisser au jaune le temps de chauffer avant que le blanc ne « croûte » sur le bord.
Salez le blanc seulement, pas le jaune car le sel produirait de vilaines petites taches blanches en fondant sur le jaune d'œuf.

Œuf au plat roquefortaise

Très facile / raisonnable
Toutes saisons

Préparation et cuisson : 10 mn

Pour 1 personne, il faut :

1 ou 2 œufs,
30 g de roquefort,
1 fine tranche de pain de mie,
20 g de beurre,
1 cuil. à soupe de crème fraîche,
poivre.

1 plat à œuf.

1. Dans un bol, malaxez à la fourchette le roquefort avec la crème fraîche. Poivrez mais ne salez pas, car le fromage est déjà bien salé.

2. Faites blondir la tranche de pain dans le plat à œuf, des 2 côtés, avec du beurre.

3. Versez le mélange roquefort-crème sur le pain doré, très chaud. Laissez bouillir un instant. Cassez l'œuf dessus. Dès que le blanc est pris, retirez du feu et servez.

Organisation : *Cette recette doit obligatoirement être préparée dans un plat à œuf individuel. Je l'ai donc établie pour une seule personne. Augmentez la quantité de plats (et d'œufs), suivant le nombre de convives.*

Œufs pochés

Difficile / bon marché
Toutes saisons

Préparation et cuisson : 10 mn

Par personne, il faut :
2 œufs,
1 verre de vinaigre pour 2 litres d'eau.

1. Dans une casserole, mettez à chauffer de l'eau vinaigrée (qui a pour effet d'activer la coagulation du blanc d'œuf). Pas de sel.

2. Cassez un œuf dans une tasse, approchez-la très près de l'eau sur le point de bouillir. Versez. Ajoutez les autres œufs, mais n'en cuisez pas plus de 4 à la fois. Laissez cuire dans l'eau frémissant légèrement en surface (moment précédant l'ébullition).

3. Au bout de 2 mn 1/2 à 3 mn, retirez délicatement les œufs de l'eau, avec une écumoire. Déposez-les sur une grille ou un torchon pour les éponger parfaitement.

Organisation : *Si vous avez des invités, faites pocher vos œufs quelques heures d'avance. Conservez-les dans l'eau froide au réfrigérateur. Au moment du repas, plongez-les dans de l'eau chaude, à moins de 60°, au-dessus les œufs risqueraient de cuire.*

Le secret *des œufs pochés parfaits :* Choisissez des œufs très frais. Faites-les basculer très près de la surface de l'eau agitée d'un faible bouillonnement. Et pour les en retirer, utilisez une écumoire plutôt qu'une fourchette.
L'eau de cuisson doit être frémissante : ni trop, le blanc s'effilocherait ; ni trop peu : l'œuf collerait au fond. Le récipient de cuisson sera suffisamment large sinon les œufs se bousculant, le blanc partirait en charpie.

Œufs pochés Bohémienne

Difficile / bon marché / petites réceptions
Toutes saisons

Préparation et cuisson : 45 mn

Pour 4, il faut :

5 œufs (dont 1 pour garniture),
25 g de beurre,
1 tranche de jambon cuit,
4 tranches de pain de mie,
vinaigre.

Sauce Mornay :

1 cuil. à soupe bombée de farine,
30 g de beurre ou de margarine,
1/2 litre de lait,
1 jaune d'œuf,
50 g de gruyère râpé, sel, poivre.

1. Sauce Mornay : sur feu doux, faites chauffer 30 g de beurre ou de margarine. Mélangez-y la farine. Ajoutez-y le lait froid. Remuez jusqu'à ébullition. Salez, poivrez. Laissez mijoter 15 mn. Hors du feu, ajoutez le gruyère râpé et un jaune d'œuf dans la sauce très chaude.

2. Faites durcir 1 œuf. Hachez séparément le jaune et le blanc. Coupez menu la tranche de jambon.

3. Dans une poêle, faites fondre 25 g de beurre. Mettez le pain de mie à dorer des deux côtés.

4. Dans une casserole d'eau vinaigrée (1 verre de vinaigre pour 2 litres d'eau) non salée, et que vous laissez frémir sur le feu, cassez les 4 œufs, un par un, avec précaution très près de l'eau. Retirez-les avec une écumoire au bout de 3 mn. Posez-les sur un torchon pour les égoutter. Disposez-les ensuite sur chaque croûton. Nappez de sauce Mornay. Décorez avec les hachis de jambon, de jaune et de blanc d'œuf dur. Présentez sur le plat de service.

Raffinement : *Égalisez le tour de l'œuf poché en coupant avec un emporte-pièce assez large, ou plus simplement avec un couteau. Tous les « Chefs » font cela.*

Œufs pochés Nivernaise

Difficile / bon marché / petites réceptions
Toutes saisons

Préparation et cuisson : 45 mn

Pour 4, il faut :
4 œufs,
20 g de beurre ou de margarine,
2 gousses d'ail,
1 cuil à soupe rase de farine,
4 tranches de pain de mie.

Court-bouillon :
1 oignon,
1 gousse d'ail,
1/4 de litre de vin rouge,
bouquet garni,
sel, poivre.

1. Court-bouillon : mettez à revenir légèrement l'oignon haché avec une noix de beurre ou de margarine. Ajoutez : 1/4 de litre de vin rouge, 1/4 de litre d'eau, 2 gousses d'ail, sel, poivre, bouquet garni. Laissez mijoter 15 mn sans couvrir.

2. Faites griller les tranches de pain. Frottez-les d'ail des 2 côtés.

3. Retirez le bouquet garni du court-bouillon. Faites pocher les œufs dedans. Laissez cuire 3 mn. Egouttez et déposez-les sur les tranches de pain disposées dans le plat tenu au chaud.

4. Passez le court-bouillon à travers une passoire. Reportez sur feu moyen. Malaxez à la fourchette 1 cuil. à soupe de farine avec même volume de beurre ou de margarine. Incorporez par petits morceaux à la sauce. Remuez jusqu'à ébullition. Laissez cuire 2 mn. Versez sur les œufs et servez.

Pratique : *Les œufs peuvent être pochés à part dans une casserole d'eau, plutôt que dans le court-bouillon au vin. C'est plus prudent si vous n'êtes pas sûre de vous.*

Omelette

Facile / raisonnable
Toutes saisons

Préparation et cuisson : 10 mn

Pour 4, il faut :
8 ou 10 œufs,
40 g de beurre ou de margarine, ou 2 cuil. à soupe d'huile,
sel, poivre.

1. Faites chauffer légèrement la matière grasse (beurre, huile ou margarine) dans une grande poêle épaisse. Versez-la dans les œufs préalablement battus. Salez, poivrez. Battez encore pour incorporer.

2. Remettez la poêle sur le feu vif. Quand elle est très chaude, versez les œufs dedans, laissez prendre sur feu vif, en secouant vigoureusement la poêle et en mélangeant avec la fourchette. Dès que l'omelette est un peu sèche sur le bord, encore baveuse au centre, repliez-la sur elle-même et retournez-la sur le plat de service.

Le secret *de l'omelette qui n'attache jamais :* Ajoutez de la margarine ou du beurre juste fondu dans les œufs battus.
Pour la cuire, utilisez de préférence une simple poêle de tôle noire traditionnelle (vous ne la laverez pas, mais l'essuierez soigneusement, après usage, avec un tampon de papier et au besoin du gros sel pour gratter le fond), ou encore une poêle à revêtement anti-adhésif, plus fragile que la tôle noire, mais extrêmement pratique et efficace.

8 idées-minutes pour farcir l'omelette

Aux chips
Des chips, cassées en morceaux, sont ajoutées aux œufs battus avant cuisson.

Aux fines herbes
Mélangez-les toutes : persil, cerfeuil, ciboulette, estragon, etc. Finement hachées, elles sont ajoutées aux œufs battus. Ensuite cuisson habituelle.

Aux fonds d'artichauts (en boîte)
Les fonds, coupés en dés, sont sautés dans une casserole avec un peu de beurre ou de margarine, puis déposés sur l'omelette cuite, repliée et fendue en surface.

Au gruyère
Des lamelles sont ajoutées aux œufs battus avant cuisson.

Au jambon fines herbes
Le tout, haché, est ajouté aux œufs battus avant cuisson.

Au lard
Des lardons sont ajoutés aux œufs battus. Des tranches de lard ou de bacon, sautées à part pendant la cuisson de l'omelette, sont déposées sur celle-ci une fois cuite.

Aux pointes d'asperges (en boîte)
Celles-ci sont égouttées et réchauffées à part, avec un peu de beurre ou de margarine et des fines herbes hachées, puis ajoutées à l'omelette en train de cuire.

Aux tomates
Les tomates épluchées, en dés, sont sautées à part, puis ajoutées au milieu de l'omelette presque terminée. (Ultra-rapide : les tomates entières en boîte.)

Omelette flambée aux ananas

Facile / raisonnable / petites réceptions
Toutes saisons

Préparation et cuisson : 20 mn

Pour 4, il faut :

- 8 œufs,
- 30 g de beurre ou de margarine,
- 1 tasse de confiture,
- 2 verres à liqueur de rhum,
- 2 pincées de sel.

Décor :

- 3 cuil. à soupe de sucre glace,
- 5 tranches d'ananas (en boîte),
- 10 cerises confites.

1. Salez légèrement les œufs battus. Ne sucrez pas. Faites cuire l'omelette comme d'habitude.

2. Quand les bords sont un peu secs et l'intérieur encore baveux, penchez fortement la poêle sur un côté pour faire glisser l'omelette jusqu'au bord. Étalez la confiture au centre. Repliez l'omelette en portefeuille, sur elle-même à l'aide d'une cuiller. Faites-la glisser sur un plat long. Tenez au chaud.

3. Quadrillage au caramel : faites rougir une tige de fer posée directement sur la flamme du gaz. Appliquez-la sur l'omelette abondamment sucrée pour former un quadrillage.

4. Décorez le tour du plat avec des demi-rondelles d'ananas garnies au centre d'une cerise confite. Faites bouillir le rhum. Enflammez-le. Versez-le aussitôt sur l'omelette et servez.

Omelette de la Nièvre

Facile / bon marché
Printemps-Été-Automne

Préparation et cuisson : 30 mn

Pour 4, il faut :
8 œufs,
40 g de beurre ou de margarine,
80 g de jambon blanc,
1 poignée d'oseille,
ciboulette (facultatif),
sel, poivre.

1. Retirez queues et fils de l'oseille avant de la laver soigneusement. Hachez-la grossièrement. Dans une casserole, faites-la « fondre », sur feu doux, 5 mn, avec une noix de beurre ou de margarine. Mélangez avec une cuiller en bois. Égouttez.

2. Battez les œufs en omelette. Incorporez-y jambon finement coupé, oseille cuite, ciboulette hachée, sel, poivre.

3. Faites fondre 25 g de beurre ou de margarine dans la poêle. Versez sur les œufs battus. Remettez la poêle sur feu vif. Quand elle est très chaude, versez les œufs dedans. Laissez cuire sur feu vif en soulevant les bords pour que l'omelette cuise à fond. Dès qu'elle est un peu sèche sur les bords, repliez-la et retournez-la sur un plat chaud.

Le secret *de l'omelette à l'oseille :* Il faut faire « fondre » l'oseille et la presser avant de la mélanger aux œufs, car elle doit rendre la plus grande partie de son jus, très acide, avant d'être accommodée.

Omelette norvégienne

Difficile / raisonnable / petites et grandes réceptions
Toutes saisons

Préparation et cuisson : **30 mn**

Pour 6, il faut :

Génoise (toute préparée).
1/2 litre de glace à la vanille (sortant du freezer),
1 verre apéritif de liqueur,
sucre glace.

Meringue italienne :

6 blancs d'œufs,
350 g de sucre en poudre,
sel, citron.

1. Meringue italienne : mettez dans une casserole épaisse les blancs d'œufs, le sucre, une pincée de sel et un peu de jus de citron. Fouettez au batteur électrique, sur feu très doux, ou au bain-marie, jusqu'à ce que le mélange tienne bien aux branches du fouet.

2. Coupez la génoise en deux, dans l'épaisseur. Imbibez de liqueur les morceaux.

3. Au moment du dessert, disposez la glace extrêmement froide sur le premier morceau de génoise. Recouvrez avec le second morceau. Enrobez le tout copieusement et entièrement de meringue, sans lisser. Donnez-lui au contraire un relief mouvementé avec le plat d'un couteau. Saupoudrez de sucre glace. Glissez dans le four très chaud peu de temps, juste pour dorer le dessus de la meringue sans laisser fondre l'intérieur.

Organisation : *Préparez la meringue d'avance. Cette sorte de meringue, dite « italienne », peut attendre quelques heures au froid, jusqu'au moment de la cuisson. Couvrez-la d'aluminium.*

Le secret *de l'omelette norvégienne qui ne s'affaisse pas :* Une couche épaisse et régulière de meringue tout autour du gâteau, et un four très chaud qui la dore rapidement.

Timbale d'œufs Portugaise

Facile / raisonnable / petites réceptions
Toutes saisons

Préparation et cuisson : 1 h

Pour 4 ou 6, il faut :

6 œufs,
3/4 de litre de lait,
1 pincée de muscade râpée,
1 noix de beurre,
1/2 cuil. à café de sel,
poivre.

Fondue de tomates :

500 g de tomates fraîches,
1 cuil. à soupe de tomate concentrée,
30 g de beurre ou de margarine,
2 gousses d'ail,
1 oignon,
1 petit piment fort,
1 poivron,
bouquet garni,
sel, poivre.

1. Faites chauffer le four (th. 7-8). Pendant ce temps, mettez le lait à bouillir. Battez les œufs en omelette dans une terrine, avec sel, poivre et muscade râpée. Incorporez-y peu à peu le lait bouillant. Passez le tout à travers un tamis pour éliminer le germe des œufs.

2. Versez dans un moule à soufflé beurré. Déposez dans la plaque creuse du four emplie d'eau froide (bain-marie). Laissez cuire à four bien chaud (th. 7-8) 30 mn.

3. Fondue de tomates : épluchez et coupez les tomates en quartiers. Videz-les de leur jus. Épépinez le poivron. Coupez-le en fines lanières. Faites chauffer 30 g de beurre ou de margarine dans une poêle. Jetez-y ail et oignon hachés, tomates fraîches, concentré de tomate, piment fort, bouquet garni, poivron, sel, poivre. Laissez cuire à feu vif, sans couvrir, de 20 à 30 mn. Passez à la moulinette en fin de cuisson.

4. Laissez tiédir la timbale d'œufs avant de la démouler sur un plat creux. Versez un peu de sauce dessus et présentez-la accompagnée d'une saucière contenant le reste de fondue de tomates très chaude.

Solution express : *Une boîte de sauce tomate toute préparée à laquelle la chair d'une petite tomate pelée et coupée très finement, redonne un goût de fraîcheur. Laissez cuire 5 mn.*

Le secret *de la timbale d'œufs :* Sa cuisson doit être menée rondement car il faut éviter à tout prix de la laisser bouillir. Saisissez le dessus, à four bien chaud, tout en maintenant le fond à une température plus douce, grâce au bain-marie, dans lequel il baigne. Et ne prolongez pas le temps de cuisson, faites confiance à votre compte-minutes !

Pain d'œufs

Très facile / bon marché
Toutes saisons

Préparation et cuisson : 45 mn

Pour 4, il faut :
3 œufs durs,
2 œufs crus,
20 g de beurre ou de margarine,
2 tranches de pain de mie,
1 verre de lait,
noix de muscade,
persil,
sel, poivre,
1 boîte de sauce tomate (facultatif).

Moule en couronne ou à cake.

1. Arrosez le pain de lait tiède. Laissez-le gonfler. Écrasez-le avec une fourchette en y ajoutant les jaunes d'œufs crus, sel, poivre, muscade râpée, persil haché et les œufs durs coupés menu. Battez les 2 blancs en neige très ferme. Incorporez-les délicatement au mélange.

2. Enduisez généreusement de beurre ou de margarine un moule en couronne ou à cake. Versez le mélange dedans. Faites cuire au bain-marie 30 mn dans le four chaud (th. 6-7). Présentez ce pain d'œufs démoulé, tel quel, ou recouvert de sauce tomate (en boîte).

Les coquillages

Si vous vivez encore sur la légende des « mois en R », il est grand temps de réagir car vous vous privez de bien des joies.

Il est vrai qu'au temps des transports lents et difficiles, les coquillages pouvaient pâtir de la chaleur, mais à présent il en va tout autrement. Les arrivages sont si rapides. Or, ce qu'il faut savoir, c'est qu'huîtres, moules, coquilles Saint-Jacques, coques, palourdes, praires, etc., sont aussi comestibles en juillet qu'en décembre — même si vous les trouvez plus délicieuses en décembre. D'ailleurs, vous en privez-vous quand vous êtes en vacances à Quiberon ou à Arcachon ?

Outre les plaisirs gastronomiques qu'ils dispensent, les coquillages ont l'avantage de vous apporter des éléments précieux pour la santé. Prenons l'huître comme exemple. C'est un aliment complet qui contient protides, lipides, glucides, presque dans la même proportion que le lait. Mais, de plus, l'huître, et les autres coquillages, riches en sels minéraux, vous font profiter de tous les trésors de notre milieu originel, la mer !

Choisissez :

Les bons coquillages sont lourds et solidement fermés. C'est la preuve qu'ils sont frais et ont gardé toute leur eau. Il se peut que, même frais, ils s'entrouvrent à cause de la chaleur ou à l'heure de la marée. Dans ce cas, touchez-les : ils doivent se refermer aussitôt. Sinon... dans le doute, abstenez-vous de les acheter.

Les coquilles Saint-Jacques sont parfois vendues sans la coquille, surtout en fin de marché. Elles peuvent être avantageuses mais avant de les acheter, flairez-les pour vous assurer qu'elles ne dégagent aucune mauvaise odeur.

Les huîtres encore vivantes réagissent, se contractent dès qu'on en touche la chair ou qu'on l'asperge de citron. Une fois ouvertes, elles peuvent attendre 2 ou 3 heures, à condition d'être mises au frais, éventuellement dans le réfrigérateur pas trop froid (+ 6° + 8°).

Les bigorneaux sont généralement vendus crus. Dans ce cas ils doivent être bien vivants. Vérifiez qu'ils sont encore vigoureux : tâtez-en un ou deux, au hasard, au pied qui doit se rétracter immédiatement. C'est une précaution utile car un seul bigorneau mauvais gâche tout le plat.

Les moules peuvent se répartir en trois catégories :

— *les grosses moules importées* de Hollande et du Danemark, vendues au litre, sont les moins chères mais les moins savoureuses aussi ;

— *les petites moules,* dites « de bouchot », débitées au kilo, sont beaucoup plus « goûteuses », plus pleines et nettement plus chères que les précédentes mais 2 kg suffisent pour 4 portions ;

— *les grosses moules de Méditerranée,* chères, vendues à la douzaine, sont généralement mangées crues.

Les moules fraîches, à quelque catégorie qu'elles appartiennent, doivent être lourdes. Cognez-les du doigt : elles doivent sonner « plein » car elles contiennent encore leur eau. Refusez les moules cassées ou ouvertes. Si certaines ne se sont pas ouvertes à la cuisson, jetez-les. Elles sont douteuses.

On reconnaît une huître portugaise de qualité :

A sa forme : elle doit être épaisse, la partie inférieure de la coquille profonde. Les huîtres portugaises trop plates risquent d'être très maigres.

Vue du dessus, préférez celle dont la surface est bien ronde. Évitez celle dont la forme est très allongée et déformée : elle n'entre pas dans la catégorie des huîtres dites « spéciales ».

Tenez compte également de leur aspect de fraîcheur (coquille humide) et de leur poids ; une huître de qualité est lourde.

Bigorneaux au naturel

Très facile / raisonnable
Toutes saisons

Préparation et cuisson : 15 mn

Pour 4, il faut :
1 litre de bigorneaux,
bouquet garni,
1 gousse d'ail,
petit piment (facultatif),
sel, poivre.

1. Lavez les bigorneaux dans plusieurs eaux.

2. Couvrez-les d'eau froide avec bouquet garni, ail, sel, pas mal de poivre, petit piment (facultatif). Faites chauffer lentement sur feu doux. Juste avant l'ébullition, réglez sur feu très doux et laissez frémir sans bouillir 10 mn. Laissez tiédir et même refroidir complètement dans le court-bouillon.

Organisation : *Piquez sur un bouchon plusieurs épingles à tête de verre, assez longues. Mettez-les sur la table. Chacun s'en servira pour retirer l'opercule et extraire le bigorneau de sa coquille.*

Pratique : *Peut être préparé entièrement d'avance.*

Le secret *des bigorneaux pas caoutchouteux :* Ils ne doivent jamais bouillir mais cuire dans un court-bouillon frissonnant tout juste en surface, pas plus de 10 mn.

Coquillages aux coquillettes

Très facile / bon marché
Printemps-Automne-Hiver

Préparation et cuisson : 45 mn

Pour 4, il faut :
3 litres de coques ou 2 litres de moules,
250 g de coquillettes,
1 échalote,
bouquet garni,
50 g de gruyère râpé,
sel.

Sauce :
30 g de farine,
30 g de beurre ou de margarine,
1 boîte de sauce tomate,
1/2 litre de liquide (jus de cuisson des coquillages + eau),
sel, poivre,
cayenne (facultatif).

1. Nettoyez les coquillages. Faites-les ouvrir sur feu vif, avec échalote hachée et bouquet garni. Retirez-les du feu sitôt ouverts. Décoquillez-les. Passez le jus de cuisson à travers une passoire fine garnie de papier absorbant. Tenez au chaud.

2. Faites cuire les coquillettes dans une grande casserole pleine d'eau salée en ébullition, de 13 à 15 mn. Remuez pendant la cuisson.

3. Sauce : délayez, sur feu doux, le beurre ou la margarine avec la farine jusqu'à ce que le mélange mousse. Ajoutez-y 1/2 litre de liquide (jus de cuisson des coquillages + eau), tomate, sel, poivre, pincée de cayenne (facultatif). Mélangez jusqu'à épaississement. Laissez mijoter une dizaine de minutes.

4. Égouttez bien les coquillettes aussitôt cuites. Mélangez-les avec les coquillages, la sauce, saupoudrez de gruyère râpé et servez immédiatement.

Coquillages farcis

Très facile / raisonnable
Printemps-Automne-Hiver

Préparation et cuisson : 30 mn d'avance + 10 mn au moment du repas

Pour 4, il faut :
Moules, palourdes ou pétoncles : 6 dz.
ou, praires : 4 dz.,
ou, vernis : 2 dz.

Farces :
1re formule :
175 g de beurre,
1 échalote hachée,
150 g de mie de pain,
persil haché,
sel, poivre.

2e formule :
100 g de beurre,
2 gousses d'ail hachées,
1 cuil. à café rase de curry,
jus d'un demi-citron,
sel, poivre.

1. Brossez les coquillages sous l'eau courante du robinet et lavez-les encore. Ouvrez-les à cru avec un couteau. Détachez les valves vides et déposez les coquilles pleines dans des plats individuels allant au four.

2. Déposez une noix de la farce choisie sur chaque. Mettez au réfrigérateur jusqu'au moment des repas.

3. Au dernier moment, faites gratiner 8 ou 10 mn sous le grilloir ou dans le haut du four très chaud.

Pratique : *Peut être préparé entièrement d'avance et réchauffé.*

Le secret *des coquillages farcis parfaits :* Ils gratinent sous un feu vif et très rapidement. Cuits lentement, ils tiendraient plus du caoutchouc que du mollusque !

Coquilles de coques

Très facile / bon marché
Toutes saisons

Préparation et cuisson : 20 mn + 30 mn (trempage des coques)

Pour 4, il faut :

3 litres de coques,
50 g de beurre ou de margarine,
1 oignon,
50 g de mie de pain légèrement rassis,
persil,
sel, poivre.

4 coquilles Saint-Jacques vides ou 4 plats à œufs.

1. Lavez les coques. Laissez-les séjourner dans de l'eau très salée. Mettez-les à cuire, sans assaisonnement, sur feu vif, pendant quelques minutes. Dès qu'elles sont ouvertes, retirez-les du feu et sortez-les de leurs coquilles. Passez le jus de cuisson à travers une passoire fine, garnie d'un papier absorbant.

2. Hachez l'oignon. Faites-le cuire doucement 5 mn avec 30 g de beurre ou de margarine. Ajoutez-y persil, les 3/4 du pain émietté, les coques et leur jus de cuisson, poivre. Salez légèrement si nécessaire, couvrez et laissez mijoter quelques instants.

3. Mettez les coques dans 4 coquilles Saint-Jacques ou 4 plats à œufs. Parsemez avec le reste de pain émietté et des noisettes de beurre. Mettez à gratiner en haut du four bien chaud ou sous le grilloir.

Le secret *des coques qui ne croquent pas sous la dent :* Il faut les mettre à tremper dans de l'eau froide très salée pendant une demi-heure. Au bout de quelques minutes, elles s'entrebâillent en crachotant leur sable, en faisant de petits bruits ! Et si, à cause d'une tempête, elles sont encore plus ensablées que d'ordinaire, décoquillez-les une fois cuites et, sans hésitation, passez-les sous le robinet. Vous les épongerez bien avant de les accommoder.

Coquilles en pâte

Facile / raisonnable / petites et grandes réceptions
Printemps-Automne-Hiver

Préparation et cuisson : 40 mn

Pour 4, il faut :
12 ou 16 coquilles Saint-Jacques,
40 g de beurre,
1 échalote,
1 gousse d'ail,
un peu de farine,
persil,
sel, poivre.

Pâte brisée :
(pour 4 coquilles) :
150 g de farine,
75 g de beurre ou de margarine,
environ 1/2 verre d'eau,
1/2 cuil. à café de sel.

8 écailles vides.

1. Pâte brisée : mélangez farine, sel, beurre ou margarine en morceaux, en frottant les paumes des mains l'une contre l'autre. Ajoutez l'eau à cette pâte granuleuse. Pétrissez vivement. Mettez en boule. Écrasez-la avec la paume de la main. Remettez en boule. Cela 3 fois. Si possible, mettez au frais un petit moment avant d'étaler. Garnissez-en 4 écailles vides préalablement beurrées. Pressez pour faire adhérer. Découpez la pâte tout autour. Pressez à nouveau. Couvrez d'une seconde écaille, avant de mettre à four bien chaud (th. 7-8) 10 mn. A mi-cuisson, retirez l'écaille du dessus.

2. Nettoyez les chairs des Saint-Jacques. Ne gardez que les noix et le corail. Farinez légèrement. Faites sauter 6 ou 7 mn à la poêle, sur feu assez vif, avec 30 g de beurre. Ajoutez le hachis d'ail, d'échalote et de persil, sel et poivre pendant la cuisson.

3. Démoulez les coquilles de pâte. Garnissez-les avec les chairs sautées et leur sauce de cuisson. Servez aussitôt.

Solution express : *Mettez les écailles côte à côte. Déposez le morceau entier de pâte dessus. Appuyez du bout des doigts pour faire adhérer la pâte au fond des écailles et découpez tout autour (les tombées de pâte seront utilisées pour autre chose).*

Coquilles à la crème

Difficile / cher / petites et grandes réceptions
Printemps-Automne-Hiver

Préparation et cuisson : 30 mn

Pour 4, il faut :

16 coquilles Saint-Jacques.

Court-bouillon :

- 2 verres de vin blanc sec,
- 2 échalotes,
- 1 oignon,
- 2 clous de girofle,
- bouquet garni,
- sel, poivre.

Sauce :

- 1 cuil. à soupe pleine de farine,
- 30 g de beurre ou de margarine,
- 1 bol de court-bouillon,
- 2 jaunes d'œufs,
- 2 cuil. à soupe de crème fraîche.

1. Nettoyez soigneusement les coquilles. Mettez-les dans une casserole avec bouquet garni, échalotes coupées, oignon piqué de clous de girofle, sel, poivre. Couvrez avec 2 verres de vin blanc et autant d'eau. Portez très lentement à ébullition. Laissez frissonner 3 ou 4 mn. Égouttez et tenez au chaud.

2. Sauce : délayez sur le feu 30 g de beurre ou de margarine avec 1 cuil. à soupe de farine, bien pleine mais pas trop bombée. Quand cela mousse, ajoutez 1 bol de court-bouillon de coquilles. Mélangez jusqu'à épaississement. Cette sauce doit être assez fluide. Laissez cuire doucement quelques minutes.

3. Dans un bol, mélangez les 2 jaunes d'œufs et la crème fraîche. Ajoutez-y un peu de sauce chaude. Puis reversez le tout dans la casserole de sauce, et sans cesser de battre, remettez sur feu doux quelques instants sans laisser bouillir. La sauce épaissit légèrement. Versez-en un peu au fond d'un légumier chaud, ajoutez les coquilles égouttées. Recouvrez-les de sauce et servez-les telles quelles ou accompagnées de riz nature.

Le secret *des coquilles fermes et moelleuses :* Elles ne doivent pas bouillir, mais seulement « frissonner » de 3 à 5 mn, selon leur épaisseur.

Coquilles Saint-Jacques Mornay

Facile / raisonnable / petites réceptions
Printemps-Automne-Hiver

Préparation et cuisson : **1 h**

Pour 4, il faut :
12 coquilles,
30 g de beurre,
250 g de champignons,
1 verre de vin blanc sec,
1 oignon,
1 clou de girofle,
1/2 citron,
chapelure,
bouquet garni,
sel, poivre.

Sauce :
1 cuil. à soupe très bombée de farine,
30 g de beurre ou de margarine,
1 bol de jus de cuisson + jus de champignons,
1 jaune d'œuf,
1 cuil. à soupe de crème fraîche,
sel, poivre.

4 écailles vides.

1. Nettoyez soigneusement les coquilles avant de les mettre à cuire dans un court-bouillon froid composé de : 1 verre de vin blanc, autant d'eau, oignon, clou de girofle, bouquet garni, sel, poivre. Portez très doucement à ébullition. Puis laissez frissonner très doucement 3 ou 4 mn.

2. Nettoyez les champignons. Coupez-les en lamelles. Faites-les cuire 5 mn avec très peu d'eau, jus de citron, noisette de beurre, sel, poivre.

3. Sauce : mélangez sur feu doux beurre ou margarine et farine. Ajoutez-y d'un seul coup, 1 bol de liquide (court-bouillon des coquilles + jus de champignons), sel, poivre. Remuez jusqu'à épaississement. Laissez mijoter 5 mn. Incorporez la crème fraîche. Puis, hors du feu, le jaune d'œuf.

4. Déposez un peu de sauce au fond de chaque écaille, puis les chairs, champignons, corail. Recouvrez de sauce et parsemez de chapelure. Mettez une noisette de beurre sur chacune avant de faire gratiner quelques minutes dans le haut du four très chaud.

Économique : *Si les noix sont très épaisses, coupez-les en deux ou trois, dans l'épaisseur, avant de les cuire. Elles feront ainsi plus de profit. Retirez-les du feu dès ébullition.*

Coquilles Saint-Jacques sautées

Facile / cher / petites réceptions
Printemps-Automne-Hiver

Préparation et cuisson : 30 mn

Pour 4, il faut :
12 ou 16 coquilles,
30 g de beurre,
1 échalote,
farine,
persil,
citron,
sel, poivre.

1. Hachez échalote et persil. Nettoyez et lavez soigneusement les coquilles.

2. Épongez soigneusement les chairs. Passez-les dans la farine. Secouez pour ôter l'excès. Mettez à dorer dans une poêle contenant 30 g de beurre moyennement chaud. Retournez-les pour laisser dorer l'autre côté. Enfin, saupoudrez de persil et d'échalote hachés, sel, poivre. Couvrez et laissez cuire à feu doux 5 mn de plus. Arrosez de citron juste avant de servir.

Solution express : *Les coquilles Saint-Jacques surgelées. Il faut compter 1 h 30 à l'eau froide pour décongeler les coquilles. Toutefois pour aller plus vite, mettez-les dans de l'eau un peu chaude mais sans les ôter de leur sac étanche transparent.*

Escargots Bourguignonne

Très facile / raisonnable / petites réceptions
Toutes saisons

Préparation et cuisson : 45 mn

Pour 4, il faut :
4 douzaines d'escargots (en boîte),
1 verre de vin blanc sec,
4 douzaines de coquilles vides.

Beurre d'escargots :
250 g de beurre,
1 gousse d'ail,
1 échalote,
2 cuil. à soupe de vin blanc sec,
persil,
1 cuil. à café de sel,
poivre.

1. Beurre d'escargots : hachez finement ail, échalote et persil. Malaxez le beurre avec une cuillère en bois pour lui donner la consistance d'une crème. Incorporez-y le hachis, sel, poivre et 2 cuil. à soupe de vin blanc.

2. Égouttez les escargots. Garnissez chaque coquille vide avec une noisette de farce, un escargot égoutté et, de nouveau, de la farce en tassant bien. Déposez-les au fur et à mesure dans des petits plats à alvéoles, spéciaux pour escargots. A défaut, des plats à œufs feront l'affaire.

3. 15 mn avant le repas, allumez le four. Versez 2 cuil. de vin blanc dans chaque plat d'escargots. Mettez à four chaud (th. 6-7) de 5 à 10 mn, jusqu'au moment où la farce se met à bouillonner en moussant.

Raffinement : *Les* **escargots** *sont entièrement* **préparés et cuits à la maison :** *c'est très long. Faites-les d'abord jeûner plusieurs jours. Au moment de la préparation, mettez-les à dégorger 2 h dans beaucoup d'eau, avec sel et vinaigre.*
Faites-les cuire ensuite 5 mn à l'eau bouillante. Égouttez-les et sortez-les des coquilles. Coupez la partie noire du pied. Enfin la cuisson au court-bouillon, très aromatisé, est menée à petite ébullition pendant 3 ou 4 h. Voir plus haut pour la préparation finale.

Moules marinière

Très facile / bon marché
Printemps-Automne-Hiver

Préparation et cuisson : 45 mn

Pour 4, il faut :
4 litres de moules,
15 g de beurre,
2 échalotes,
1 verre de vin blanc sec (facultatif),
persil,
poivre.

1. Grattez bien et lavez les moules. Mettez-les dans une cocotte avec une noix de beurre, échalotes hachées, vin blanc (facultatif). Faites-les ouvrir dans la cocotte couverte, sur feu vif, pendant quelques minutes. Mélangez 2 ou 3 fois pendant la cuisson.

2. Dès que les moules sont ouvertes, retirez-les de la cocotte. Conservez le jus de cuisson. Déposez-les dans un plat creux, au chaud.

3. Passez le jus de cuisson des moules à travers une passoire fine. Remettez-le sur le feu. Laissez bouillir un instant. Poivrez. Versez sur les moules. Saupoudrez de persil haché et servez.

Raffinement : *Mélangez un peu de crème fraîche épaisse à la sauce, sur le feu, à la dernière minute.*

Variantes de moules marinière

Très facile / bon marché
Printemps-Automne-Hiver

Bonne-femme	Mettez dans la cocotte, en même temps que les moules, un hachis de céleri-rave ou branche (100 g), champignons (100 g), en plus des ingrédients habituels. Faites cuire 5 à 6 mn. Passez le jus de cuisson. Incorporez-y 2 noix de beurre malaxé avec même quantité de farine. Remettez sur le feu 2 mn avec jus de citron. Versez, ainsi que le hachis de légumes, sur les moules avant de servir.
Catalane	Faites roussir un petit oignon haché avec 30 g de beurre. Saupoudrez d'une cuil. à soupe de farine. Mouillez avec 1 bol de jus de cuisson des moules. Mélangez jusqu'à épaississement. Incorporez un peu de crème fraîche, jus de citron et, hors du feu, 1 jaune d'œuf. Versez sur les moules cuites.
Au madère	Faites blondir légèrement une échalote hachée avec 30 g de beurre, puis 1 ou 2 tomates épépinées, en petits dés, sel, poivre, jus de moules. Faites bouillir, sans couvrir, 10 mn, avant d'ajouter 3 cuil. à soupe de madère. Retirez la casserole du feu dès l'ébullition. Faites cuire les moules à part. Arrosez de sauce au moment de servir.

Martegale	Faites dorer 2 gousses d'ail hachées avec un peu d'huile. Ajoutez : une poignée de mie de pain émiettée, 3 ou 4 cuil. de sauce tomate, hachis de persil et de basilic, poivre et un peu de sel. Laissez cuire à feu vif 2 ou 3 mn. Versez sur les moules.
Mouclade	Tenez les moules cuites au chaud. Mélangez, sur le feu, 30 g de beurre ou de margarine et 1 cuil. à soupe bombée de farine. Ajoutez 1/2 litre de liquide (jus des moules + eau), gousse d'ail hachée. Remuez jusqu'à épaississement. Salez et poivrez si nécessaire. Laissez mijoter quelques minutes. Puis, hors du feu, incorporez le jus d'un demi-citron et un jaune d'œuf. Versez sur les moules. Persil haché.
A la moutarde	Malaxez 20 g de beurre avec même poids de farine (1 cuil. à soupe rase). Incorporez sur le feu au jus des moules passé, pour faire épaissir. Puis, hors du feu, ajoutez 2 cuil. à café de moutarde forte. Versez sur les moules. Saupoudrez de cerfeuil.
Normande	Ajoutez aux moules : branches de céleri et de persil hachées, avant cuisson. Puis, à la sauce, préalablement passée au tamis, incorporez pas mal de crème fraîche et de persil haché.

Au safran

Faites cuire très doucement, sans colorer, un hachis composé d'un oignon et d'un blanc de poireau avec une noix de beurre. Puis, ajoutez une tomate pelée en petits morceaux, gousse d'ail hachée, thym, laurier, 1 g de safran, 1/2 verre de vin blanc, pincée de cayenne. Laissez bouillir pendant que cuisent les moules marinière. Ajoutez leur jus passé à la sauce précédente. Laissez évaporer en bouillant sur le feu, quelques instants. Versez sur les moules au moment de servir.

Quiche aux moules

Facile / raisonnable / petites réceptions
Printemps-Automne-Hiver

Préparation et cuisson : **1 h 15**

Pour 4, il faut :

Pâte brisée
(pour une tourtière de 20 cm de ∅) :
150 g de farine,
75 g de beurre ou de margarine,
environ 1/2 verre d'eau,
1/2 cuil. à café de sel.

Garniture :
1 litre 1/2 de moules,
1/2 verre de vin blanc sec,
1 oignon haché,
2 œufs,
3 ou 4 cuil. à soupe de crème fraîche,
1 cuil. à soupe de persil haché,
poivre,
sel (facultatif).

1. Préparez la pâte brisée (selon la recette p. 48). Tapissez-en l'intérieur d'une tourtière préalablement beurrée. Piquez le fond. Mettez au réfrigérateur.

2. Faites ouvrir les moules, sur feu vif, avec le vin blanc et l'oignon haché. Retirez-les des coquilles. Passez leur jus de cuisson à travers une passoire fine garnie de papier absorbant pour ôter tout le sable. Déposez les moules dans la tourtière de pâte.

3. Battez 2 œufs entiers avec la crème fraîche, un verre de jus de cuisson des moules, persil haché. Poivrez bien mais ne salez qu'après avoir goûté. Versez sur les moules. Faites cuire à four chaud (th. 6-7) de 30 à 35 mn.

Le secret *de la quiche :* La crème fraîche, épaisse et bien fraîche, ajoutée en quantité aux œufs battus ; la cuisson rapide et la dégustation au sortir du four.

Les crustacés

Les crustacés s'achètent vivants ou cuits, jamais morts. D'ailleurs la vente des crustacés morts est interdite.

Seules les langoustines font exception car elles ne supportent pas le transport. Mais, achetez-les sans crainte du moment qu'elles ne sont pas noires autour des ouïes, de la queue et que leur odeur est sympathique. Elles sont quelquefois vendues crues et sans tête. Parfois cuites. Dans ce cas, c'est indiqué clairement à l'étalage.

Une New-Yorkaise était incertaine sur la façon de cuire le homard. « Si nous remettions la chose à plus tard ? » disait le homard à l'Américaine.

Raoul Ponchon.

Choisissez-les :

Vivants, les crustacés doivent être vigoureux et pesants. Ce qui prouve qu'ils n'ont pas eu le temps de souffrir entre le lieu de pêche et celui de la vente. Ils seront bien pleins une fois cuits. La femelle est, dit-on, plus avantageuse que le mâle ; ce n'est pas toujours le cas.

Cuits, c'est l'odeur qui vous renseignera sur leur degré de fraîcheur.

Les crustacés supportent mal, lorsqu'ils sont vivants, un séjour prolongé au réfrigérateur. Mieux vaut les conserver simplement dans un endroit frais mais pas plus de quelques heures. Si vous devez les garder plus longtemps, il est indispensable de les faire cuire au court-bouillon. Ils resteront ensuite sans inconvénient dans le réfrigérateur, mais pas plus de 24 h tout de même. Vous les présenterez froids avec une mayonnaise ou sous forme de cocktail de crustacés.

Le crabe
L'araignée de mer
Les étrilles

Parmi les gros crabes, le tourteau à carapace lisse brun-rouge, ou « dormeur », est le plus répandu sur nos marchés.

L'araignée de mer, toute en pattes, à carapace piquante, soit rose, soit rouge, est plus saisonnière. On en trouve facilement du printemps à l'automne. Sa chair, très abondante dans les pattes, est si savoureuse que certains gourmets la comparent au homard et à la langouste.

Crabes et araignées de mer sont excellents, dégustés nature avec ou sans mayonnaise, vinaigrette, etc., ou soumis à des préparations plus élaborées.

Pour les conserver vivants ne mettez surtout pas les crabes dans l'eau fraîche, croyant bien faire. Ils mourraient très rapidement.

Les petites étrilles plates et brun foncé quand elles sont crues, rouges une fois cuites, aux pattes velues, ont également beaucoup de saveur. Simplement cuites au court-bouillon, elles sont très appréciées, comme hors-d'œuvre, par les amateurs patients. Elles font aussi de savoureuses bisques.

Les crevettes et bouquets

Les petites crevettes grises courantes deviennent beiges une fois cuites. On peut les trouver encore vivantes sur les marchés, mais il ne faut pas tarder à les faire cuire.

Les beaux bouquets de Bretagne, aux longues antennes et à carapace dure, prennent une teinte franchement rose, presque rouge clair, à la cuisson.

Quant aux très grosses crevettes d'Afrique du Nord, assez molles et aplaties, leur prix se situe entre celui des crevettes grises et celui des bouquets. Leur teinte naturelle est rose très pâle. Elles sont rose vif quand elles ont été recolorées artificiellement avec des colorants alimentaires.

Les écrevisses

Les écrevisses à pattes rouges sont plus grosses et de saveur plus fine que les écrevisses à pattes blanches. Généralement importées de Tchécoslovaquie et de Pologne, elles arrivent vivantes sur nos marchés. Elles coûtent cher.

Il est indispensable d'arracher un petit boyau noir, placé sous la queue, avant de les faire cuire.

La réputation des écrevisses à la nage n'est plus à faire ; cette préparation suivant ma recette est, d'ailleurs, très simple. La présence de quelques écrevisses autour d'un plat de poisson, sur un fond d'artichaut ou dans une omelette, ajoute à ces préparations un cachet tout à fait exceptionnel.

Le homard

Il possède, en plus de 5 paires de pattes, deux fortes pinces, de grosseurs inégales. Cru, il est violet ou verdâtre. Il rougit à la cuisson. Un homard à la patte ou à la pince cassée risque de se vider partiellement dans le court-bouillon de cuisson. Cela n'a, par contre, aucune importance s'il est préparé à l'américaine, c'est-à-dire saisi à la poêle après avoir été coupé (vivant...) en morceaux.

Les pinces, extrêmement dures, seront toujours brisées à la cuisine avant présentation à table.

La langouste

La bretonne, d'un brun violet, est la plus fine. La langouste verte, nettement moins chère, plus coriace, vient des côtes d'Afrique et du Portugal ; la rose à grosse tête arrive du Maroc. Récemment, la langouste de Cuba, cuite ou surgelée, a fait son apparition à des prix relativement abordables.

De nature pacifique, elle n'a pas de grosses pinces agressives comme le homard, mais seulement de petites pinces, des antennes et des pattes. Les uns préfèrent la langouste, les autres le homard. C'est une question de goût. La langouste a plus de chance d'être bien pleine que le homard, plus capricieux. En tout cas, langoustes et homards s'accommodent des mêmes recettes.

Avis aux cuisinières sensibles :

Un homard ou une langouste mis à l'eau bouillante se débat de 30 s à 1 mn et plus. Posez le couvercle du fait-tout dessus pour éviter les éclaboussures brûlantes. Mis à l'eau tiède et doucement portée à ébullition, votre crustacé supporte l'épreuve sans réagir.

Vous pouvez également l'étourdir avant de le couper pour le griller ou le préparer à l'américaine. Plongez-le alors une minute dans une bassine d'eau bouillante, ou placez-le sous le robinet d'eau chaude.

Les langoustines

Les langoustines, pêchées loin en mer, sont rarement vivantes aux points de vente. Il est utile de dire qu'elles sont vendues presque toujours crues. Leur couleur rose et leur aspect en a trompé plus d'une parmi les maîtresses de maison débutantes !

Elles se prêtent à de multiples préparations : au court-bouillon, sautées à la poêle, en beignets, en brochettes.

Décortiquer une langoustine :

Coupez l'intérieur de la carapace avec des ciseaux.

Écartez, la chair viendra sans difficulté.

Préparez-les :

	Notions de base	
	Quantité par personne	**Préparation et cuisson**
Araignée de mer Tourteau **Étrilles**	500/600 g	Vivants. Eau bouillante, bouquet garni, sel, poivre. Couvrez au début, 15/25 mn selon grosseur. Égouttez aussitôt cuits. Étrilles : 5 mn petite ébullition.
Crevettes grises Crevettes roses Bouquets **Gambas**	50/75 g 250 g	Vivantes ou surgelées. Eau bouillante, très salée et poivrée (eau de mer si possible). Couvrez. Reportez juste à ébullition. Passez sous l'eau froide. Égouttez. A la poêle, ou sur gril, 3 à 5 mn de chaque côté, selon grosseur. On peut flamber au cognac.
Écrevisses	6/8	Vivantes. (Otez le boyau noir sous la queue. Lavez.) Court-bouillon bouillant, très relevé, 10 mn petite ébullition. Couvrez au début.
Langoustines	300/400 g	Eau bouillante, bouquet garni, sel, poivre. 2/4 mn douce ébullition, selon grosseur. Couvrez au début. Égouttez. A la poêle, 10/15 mn, feu moyen.
Homard	Entrée : 2 kg pour 6/8	Vivants. Entiers. Eau bouillante, bouquet garni, sel, poivre. 20/30 mn ébullition, selon grosseur. Couvrez au début. Égouttez.
Langouste	Grillé : 700/800 g pour 2	Fendu en 2 (ôtez la poche à graviers). 20/25 mn sur gril ou dans four bien chaud. Arrosez souvent.

Pensez aux casse-noix individuels quand vous mettez des crustacés au menu. Pensez aussi aux rince-doigts... surtout s'il s'agit de langoustines à l'Américaine ou à la crème !

Comment traiter les crustacés surgelés :

Crabes, crevettes, langoustines et langoustes sont les plus courants parmi les crustacés surgelés. Les queues de langoustes sont particulièrement avantageuses.

Conservation :

— de 24 à 48 h dans le réfrigérateur,
— de 3 à 4 jours dans le freezer,
— de 2 à 3 mois dans le conservateur (à — 18°),
— si vous ne disposez pas de réfrigérateur, consommez-les dans la journée.

Décongélation :

Au choix :
— dans le réfrigérateur, sur une passoire,
— à la température ambiante dans l'emballage d'origine,
— sous un filet d'eau froide dans le sachet d'origine (mais si vous êtes très pressée seulement).

Raffinement : *Laissez macérer 1 h les poissons ou les crustacés avec : huile, jus de citron, aromates, sel, poivre. Vous les ferez frire ensuite comme d'habitude, leur saveur sera plus fine encore.*

Préparation : A peu de chose près, les crustacés surgelés sont accommodés comme les frais. Cependant, les préparations relevées ou avec une sauce condimentée leur conviennent mieux que les autres.

Égouttez-les, puis épongez-les dans un papier absorbant avant de les cuisiner.

Tous les crustacés sont dégelés entièrement avant d'être mis à cuire au court-bouillon ou au gril. Par contre, les langoustines et les gambas, destinés à être préparés en beignets, peuvent, encore surgelés, être enrobés de pâte et plongés dans la friture.

Barquettes de langoustines au curry

Facile / raisonnable / petites réceptions
Toutes saisons

Préparation et cuisson : 20 mn

Pour 4, il faut :
4 tartelettes toutes préparées,
150 g de queues de langoustines décortiquées surgelées,
sel, poivre.

Sauce curry :
1 cuil. à soupe rase de farine,
20 g de beurre ou de margarine,
1 verre de jus de cuisson des langoustines,
1 cuil. à café de curry,
1 cuil. à café de crème fraîche,
sel, poivre.

1. Mettez les langoustines dans une casserole avec un verre d'eau, sel, poivre. Portez lentement à ébullition. Égouttez aussitôt et gardez le jus. Coupez les langoustines en dés.

2. Sauce : mélangez beurre ou margarine et farine sur feu doux. Ajoutez 1 verre de jus de cuisson des langoustines, curry. Mélangez jusqu'à ébullition. Ajoutez la crème fraîche. Laissez mijoter 5 mn. Vérifiez l'assaisonnement.

3. Garnissez les barquettes de langoustines et de sauce. Servez-les telles quelles ou après les avoir passées sous le grilloir 2 ou 3 mn.

Beignets de langoustines

Facile / cher / petites réceptions
Printemps-Automne-Hiver

Préparation et cuisson : 1 h 30 ou 20 mn

Pour 4, il faut :

1 kg de langoustines crues (ou une vingtaine de langoustines surgelées décortiquées).

Pâte à beignets :

(voir page 74).

1. Otez les têtes, vous n'utilisez que les queues. Coupez l'intérieur de la carapace avec des ciseaux. Écartez pour en extraire la chair.

2. Plongez les queues une par une dans la pâte à beignets de votre choix, puis dans l'huile bien chaude mais non fumante. Si elles sont très grosses, coupez-les en deux dans le sens de l'épaisseur. Une fois les beignets dorés et soufflés, égouttez-les soigneusement. Servez très chaud.

Beignets de crevettes

Très facile / raisonnable / petites réceptions
Toutes saisons

Préparation et cuisson : 20 mn

Pour 4, il faut :

1 paquet de crevettes décortiquées (surgelées ou non).

Pâte à beignets rapide :

(voir page 74).

1. Trempez les crevettes dans la pâte à beignets rapide. Jetez-les dans l'huile très chaude.

2. Dès qu'elles sont de couleur ivoire, égouttez-les sur du papier absorbant. Servez très chaud.

Solution express : *Les langoustines ou les crevettes surgelées, trempées non dégelées dans la pâte à beignets et aussitôt mises à l'huile moins chaude qu'à l'ordinaire afin de laisser le temps de dégeler et de cuire à la fois.*

Bisque de langoustines

Facile / cher / petites et grandes réceptions
Printemps-Automne-Hiver

Préparation et cuisson : 1 h 15

Pour 4, il faut :
1 kg de langoustines,
2 cuil. à soupe d'huile,
1 cuil. à soupe de riz,
1 carotte,
1 oignon,
bouquet garni,
1/3 de verre de vin blanc,
3 cuil. à soupe de cognac,
2 tomates,
1 cuil. à café de tomate concentrée,
2 cuil. à soupe de crème fraîche,
sel, poivre.

1. Séparez les têtes des langoustines de leur queue. Faites rapidement revenir le tout dans un peu d'huile très chaude en compagnie d'oignon et carotte hachés. Arrosez avec la moitié du cognac seulement. Faites flamber sur le feu.

2. Ajoutez : riz, tomates fraîches et concentrées, 1 litre 1/4 d'eau, vin blanc, bouquet garni, sel, poivre.

3. Au bout de 4 ou 5 mn, retirez les queues de langoustines de la bisque, mais laissez cuire le reste 10 mn supplémentaires.

4. Décortiquez les queues de langoustines. Coupez la chair en dés.

5. Passez la bisque à la moulinette ou au mixer pour briser les têtes et en extraire le plus de jus possible. Remettez la bisque quelques instants sur le feu avec les dés de langoustines, reste de cognac et crème fraîche.

Brochettes de fruits de mer

Facile / cher / petites réceptions
Printemps-Automne-Hiver

Préparation et cuisson : **20 mn**

Pour 4 brochettes, il faut :

12 queues de langoustines non décortiquées,
8 noix de coquilles Saint-Jacques,
8 dés de lard maigre,
huile,
citron,
sel, poivre.

1. Coupez le citron en demi-rondelles. Enfilez sur chaque brochette en alternant : 3 queues de langoustines, 2 coquilles Saint-Jacques, 2 dés de lard et des demi-rondelles de citron.

2. Badigeonnez les brochettes d'huile. Salez, poivrez. Faites cuire sous le grilloir ou dans le haut du four très chaud, 5 à 6 mn de chaque côté.

Crabe « Matoutou »
(spécialité martiniquaise)

Facile / cher / petites réceptions
Printemps-Automne-Hiver

Préparation et cuisson : 2 h 30

Pour 4, il faut :
- 4 crabes de 500 g chacun,
- 50 g de beurre,
- 150 g d'échine de porc hachée,
- 3 têtes de cives ou 3 petits oignons,
- 100 g de pain de mie,
- 1/2 verre de vin blanc sec,
- 1 gousse d'ail,
- 1 petit piment,
- chapelure, sel, poivre.

Court-bouillon :
- 1 verre de vinaigre,
- 1 carotte,
- 1 oignon,
- 3 clous de girofle,
- bouquet garni, sel,
- 10 grains de poivre.

1. Faites cuire les crabes environ 10 mn au court-bouillon. Laissez tiédir dedans.

2. Décortiquez les crabes. Retirez la chair des pattes, des pinces et des alvéoles formant le coffre du crabe. Trempez le pain de mie dans le vin blanc.

3. Hachez les cives (ou les oignons), ail et piment. Faites blondir ainsi que le hachis de porc avec 30 g de beurre ou de margarine. Ajoutez alors la chair de crabe, le pain pressé et écrasé, sel, poivre.

4. Emplissez les carapaces de farce. Saupoudrez de chapelure et de noisettes de beurre ou de margarine. Faites gratiner sous le grilloir ou dans le haut du four très chaud.

Écrevisses à la nage

Très facile / cher / petites et grandes réceptions
Printemps-Automne-Hiver

Préparation et cuisson : 45 mn

Pour 4, il faut :
24 écrevisses,
1 noix de beurre ou de margarine,
1 bouteille de vin blanc sec,
1 carotte,
1 oignon,
bouquet garni,
5 grains de poivre,
sel, cayenne.

1. Court-bouillon : coupez en rondelles carotte et oignon. Faites-les revenir dans un fait-tout avec une noix de beurre ou de margarine. Ajoutez-y 1 bouteille de vin blanc, autant d'eau, bouquet garni, sel, 5 grains de poivre, 1 pincée de cayenne. Couvrez. Laissez bouillir doucement 30 mn.

2. Lavez les écrevisses à grande eau. Retirez le petit boyau noir qui se trouve sous le milieu de leur queue (saisissez le boyau avec la pointe d'un petit couteau et retirez doucement pour ne pas le briser).

3. Plongez les écrevisses dans le court-bouillon bouillant. Laissez-les cuire 10 mn. Servez-les chaudes ou froides dans leur court-bouillon (autrement dit : « à la nage »).

Gratin de langoustines

Facile / cher / petites réceptions
Printemps-Automne-Hiver

Préparation et cuisson : **1 h 30**

Pour 4 ou 6, il faut :

2 kg de langoustines,
2 cuil. à soupe d'huile,
1 petite carotte,
1 échalote,
1 gousse d'ail,
3 cuil. à soupe de cognac,
1/2 litre de vin blanc sec,
3/4 de litre d'eau,
1 cuil. à soupe de concentré de tomate,
1 tasse de crème fraîche,
1 jaune d'œuf,
bouquet garni,
cayenne,
sel, poivre.

1. Dans une cocotte, faites sauter les langoustines sur feu vif avec un peu d'huile. Puis ajoutez : carotte, échalote et ail hachés. Arrosez de cognac. Faites flamber sur le feu. Ajoutez ensuite : vin blanc, concentré de tomate, eau, bouquet garni, sel, poivre, pincée de cayenne. Couvrez. Laissez bouillir très doucement 3 ou 4 mn.

2. Décortiquez les langoustines. Déposez-les dans un plat tenu au chaud. Pilez les carapaces à la moulinette. Ajoutez le jus à la sauce de cuisson. Reportez sur le feu vif, 20 mn sans couvrir. Passez cette sauce à travers une passoire garnie d'un papier absorbant.

3. Délayez jaune d'œuf et crème. Incorporez à la sauce hors du feu. Reportez quelques instants sur le feu en mélangeant sans laisser bouillir. Versez sur les langoustines. Glissez le plat 3 mn sous le grilloir, ou dans le haut du four très chaud. Présentez dans un légumier.

Truc : *Si vous jugez votre sauce encore trop liquide (avant d'y ajouter jaune d'œuf et crème fraîche), il est encore temps d'y incorporer une noix de beurre malaxée avec un même volume de farine. Faites bouillir un instant. Vous ajoutez ensuite, hors du feu, le jaune d'œuf et la crème fraîche.*

Homard à l'Américaine (ou langouste)

facile / cher / petites et grandes réceptions
Printemps-Automne-Hiver

Préparation et cuisson : 1 h 15

Pour 4, il faut :
1 homard de 1,500 kg,
3 ou 4 tomates en morceaux,
5 cuil. à soupe d'huile,
1 carotte hachée,
1 échalote hachée,
1 verre à liqueur de cognac,
1 cuil. à soupe pleine de farine,
1 cuil. à soupe de tomate concentrée,
1 verre 1/2 de vin blanc sec,
25 g de beurre,
bouquet garni avec estragon,
fines herbes,
2 ou 3 pincées de cayenne,
sel, poivre.

1. Détachez les pinces du homard. Tranchez-lui la tête, puis la queue en 5 ou 6 tronçons. Salez et poivrez. Fendez la tête en longueur. Retirez-en le corail qui servira à lier la sauce. Jetez la poche sableuse. Brisez les pinces au marteau.

2. Faites chauffer 4 cuillerées d'huile dans une grande poêle. Jetez-y homard et pinces. Retirez du feu vif aussitôt rougis.

3. Faites sauter carotte et échalote dans une cocotte avec 1 cuil. d'huile. Ajoutez-y homard et cognac. Faites flamber. Ajoutez tomates fraîches et concentré, 1 verre 1/2 de vin blanc, autant d'eau, bouquet garni, cayenne, sel, poivre. Laissez bouillir, sur feu vif de 20 à 30 mn.

4. Égouttez les morceaux de homard dans un plat. Tenez au chaud. Passez la sauce et remettez-la sur feu vif pour la faire diminuer d'un bon tiers. Incorporez-y ensuite, par noisettes, 25 g de beurre malaxés avec 1 cuil. à soupe de farine. Hors du feu, mélangez-y le corail. Versez sur le homard. Parsemez de fines herbes hachées et servez bien chaud avec du riz.

Pâte à beignets

(Méthode traditionnelle)

Prép. : 10 mn
Attente : 1 h

Il faut :
- 5 cuil. à soupe de farine, très pleines,
- 1 œuf entier + 2 blancs,
- 1 cuil. à soupe d'huile,
- 3/4 de verre de bière ou lait,
- 1/4 de cuil. à café de sel.

1. Mettez dans un saladier : la farine, l'œuf entier, l'huile, un peu de sel. Mélangez bien avec une cuiller en bois. Ajoutez la bière peu à peu pour obtenir une pâte beaucoup plus épaisse que la pâte à crêpes. Laissez reposer 1 h.

2. A la dernière minute, battez les blancs en neige très ferme. Incorporez-les à la pâte. Utilisez-la immédiatement.

Variantes : *Les blancs d'œufs ne sont pas obligatoirement battus en neige mais la pâte sera moins légère. Pour compenser, ajoutez 1/3 de cuil. à café de levure en poudre, à la dernière minute.*

Pâte à beignets rapide

(Méthode orientale)

Prép. : 5 mn
Ne pas laisser reposer

Il faut :
- 2 blancs d'œufs,
- 2 cuil. à soupe de maïzena,
- 1/4 de citron,
- 2 pincées de sel.

1. Battez les œufs en neige ferme avec 2 pincées de sel et jus de citron.

2. Ajoutez-y ensuite la maïzena en pluie tout en mélangeant délicatement avec une cuiller en bois. Cette pâte doit être utilisée immédiatement car elle retombe vite.

(Ces deux recettes sont valables pour toutes les fritures : poissons, légumes, fruits.)

Homard grillé (ou langouste)

Facile / cher / petites et grandes réceptions
Printemps-Automne-Hiver

Préparation et cuisson : 45 mn

Pour 4, il faut :
- 2 homards de 700 g chacun,
- 30 g de beurre,
- thym,
- 1 feuille de laurier,
- 2 cuil. à soupe d'huile,
- 1 cuil. à soupe de crème fraîche,
- sel, poivre.
- 1 pincée de cayenne.

1. Plongez les crustacés dans l'eau bouillante. Maintenez le couvercle dessus jusqu'à ce qu'ils ne bougent plus (1 ou 2 mn). Quand ils commencent à rosir, sortez-les de l'eau.

2. Fendez-les en longueur, sur le dessus de la carapace. Conservez jus et corail dans un bol.

3. Déposez-les sur la plaque creuse du four, du côté carapace. Badigeonnez largement d'huile. Parsemez de sel, poivre, feuilles de thym et laurier émietté. Mettez sous le grilloir ou à four bien chaud (th. 7-8) de 20 à 25 mn. Badigeonnez encore en cours de cuisson.

4. Avant de servir, malaxez à la fourchette le corail avec beurre, crème fraîche et pincée de cayenne. Étalez sur les crustacés. Remettez à four chaud quelques instants et servez.

Le secret *des pinces de homard grillées non desséchées :* Elles sont entourées de papier d'aluminium à mi-cuisson, car elles cuisent plus rapidement.

Langouste en Bellevue

Difficile / cher / grandes réceptions
Toutes saisons

Préparation et cuisson : 3 h 30

Pour 8 ou 10, il faut :

1 très grosse langouste (crue ou cuite) de 2,500 kg,
2 sachets de gelée,
2 bols de mayonnaise.

Garniture :

5 œufs durs,
10 petites tomates,
macédoine de légumes,
cerfeuil ou estragon,
1 citron.

1. Avant de faire cuire la langouste au court-bouillon, ficelez-la allongée sur une planchette. Cuisez-la ensuite de 25 à 30 mn. Égouttez-la.

2. Séparez la tête de la queue dans un mouvement vissant. Coupez la carapace par dessous. Extrayez la chair. Coupez en rondelles de 1 cm d'épaisseur (médaillons).

3. Décor des médaillons : préparez 2 bols de mayonnaise. Incorporez-y 1/3 de bol de gelée, froide mais encore liquide*. Couvrez-en les médaillons. Déposez sur une grille. Mettez au frais.

4. Présentation de la langouste : la carapace est reformée, la tête étant posée sur un socle pour la redresser. Un hâtelet (brochette décorée) garni de citron et tomate est planté dedans, entre les yeux. Les médaillons se chevauchent sur le dos de la carapace (rangez-les sur la carapace en commençant par la tête). Et tout autour du plat, tomates emplies de macédoine-mayonnaise, œufs durs et laitue.

Pratique : *Vous gagnerez du temps en achetant la langouste cuite ou en demandant au poissonnier de cuire celle de votre choix.*

* *La gelée ne fera pas tourner votre mayonnaise, au contraire elle l'aidera à conserver sa bonne tenue.*

Langoustines à l'Américaine

Facile / cher / petites réceptions
Printemps-Automne-Hiver

Préparation et cuisson : 20 mn

Pour 4, il faut :
1,250 kg de langoustines,
2 cuil. à soupe d'huile,
1 noix de beurre,
2 cuil. à soupe de tomate concentrée,
1 cuil. à café de farine,
1 verre à liqueur de cognac,
2 verres de vin blanc sec,
1 verre d'eau,
1 échalote,
1 gousse d'ail,
sel, poivre, cayenne.

1. Dans une cocotte, faites sauter les langoustines non décortiquées, sur feu vif, avec un peu d'huile. Lorsqu'elles sont rose vif, ajoutez échalote et ail hachés, cognac. Faites flamber sur le feu. Ajoutez ensuite vin blanc, eau, tomate concentrée, sel, poivre, 1 ou 2 pincées de cayenne. Couvrez. Laissez mijoter 10 mn environ.

2. Égouttez les langoustines cuites. Conservez-les au chaud. Reportez la sauce de cuisson sur le feu, pour la faire réduire un peu. Malaxez une noix de beurre avec une cuillerée à café de farine. Incorporez à la sauce restée dans la cocotte. Portez à ébullition tout en mélangeant. Versez sur les langoustines et servez.

Langoustines à la crème

Facile / cher / petites réceptions
Printemps-Automne-Hiver

Préparation et cuisson : 30 mn

Pour 4, il faut :
1,250 kg de langoustines,
1 verre à liqueur de cognac,
125 g de crème fraîche,
1/2 citron,
sel, poivre de Cayenne.

1. Faites sauter les langoustines avec un tout petit peu d'huile. Arrosez de cognac. Portez à ébullition et faites flamber. Ajoutez la crème fraîche, sel, 1 pincée de poivre de Cayenne. Laissez cuire 10 mn.

2. Séparez les têtes de langoustines des queues. Disposez celles-ci, avec leur carapace, sur un plat tenu au chaud.

3. Laissez bouillir le jus de cuisson quelques minutes pour le faire évaporer. Passez-le. Ajoutez-y du jus de citron. Versez sur les langoustines. Servez aussitôt.
Le riz nature est l'accompagnement parfait.

Organisation : *Pensez aux casse-noix individuels quand vous mettez des crustacés au menu. Pensez aussi aux rince-doigts... surtout s'il s'agit de langoustines à l'Américaine ou à la crème !*

Langoustines à la Valencienne

Facile / raisonnable / petites réceptions
Toutes saisons

Préparation et cuisson : 45 mn

Pour 4, il faut :

400 g de queues de langoustines (fraîches ou surgelées),
200 g de riz,
1 oignon haché,
bouquet garni,
20 g de beurre ou de margarine,
100 g de jambon cru,
4 cuil. de petits pois,
1 poivron rouge,
sel, poivre.

1. Portez lentement les langoustines à ébullition dans très peu de court-bouillon. Laissez-les frémir 3 ou 4 mn seulement. Décortiquez-les.

2. Faites revenir l'oignon haché avec le beurre ou la margarine, le jambon et 3/4 du poivron coupé finement. Ajoutez le riz et son double volume d'eau, sel, poivre, bouquet garni. Laissez cuire, mi-couvert, de 17 à 20 mn.

3. En fin de cuisson du riz, ajoutez les pois, langoustines coupées en rondelles (sauf quelques-unes conservées pour le décor). Tassez dans un moule. Puis démoulez sur un plat chaud. Décorez le dessus avec quelques queues de langoustines et des lanières de poivron rouge.

Variante : *Si vous souhaitez accompagner ce plat d'une sauce, préparez une sauce blanche avec du fumet de poisson (en sachet) et liez-la avec jaune d'œuf et crème fraîche.*

Mayonnaise de langouste

Facile / cher / petites et grandes réceptions
Toutes saisons

Préparation et cuisson : 45 mn

Pour 6, il faut :

2 queues de langoustes surgelées,
2 boîtes de macédoine,
1 cœur de laitue,
1/2 citron,
100 g de crevettes roses.

Mayonnaise :

2 jaunes d'œufs,
1/2 litre d'huile,
2 cuil. à café de moutarde forte,
2 cuil. à café de vinaigre,
sel, poivre.

1. Faites cuire les queues de langoustes au court-bouillon (voir « langouste à la Parisienne », p. 82). Mettez la macédoine à égoutter dans une passoire, puis sur un torchon pour l'assécher davantage.

2. Préparez la mayonnaise selon la recette p. 83, avec les proportions ci-dessus. Mélangez-en la moitié seulement avec la macédoine. Moulez dans un saladier profond mais étroit (genre bol mixer).

3. Présentation : démoulez sur un plat. Disposez les rondelles de langouste tout autour, quelques petites feuilles de laitue au sommet. Piquez la pointe dure des crevettes dans la peau du citron. Posez-le sur la laitue. Présentez une saucière de mayonnaise à part.

Pâté impérial (au crabe)
(spécialité vietnamienne)

Facile / raisonnable / petites réceptions
Toutes saisons

Préparation et cuisson : 1 h

Pour 12 rouleaux, il faut :

12 galettes de riz*,
1 boîte de crabe (185 g),
30 g de beurre ou de margarine,
3 oignons,
150 g de champignons,
150 g de porc haché,
60 g de vermicelle chinois,
2 œufs,
sel, poivre,
1/2 cuil. à café de nuoc-mam.

Bain de friture.

1. Plongez le vermicelle dans l'eau bouillante salée. Faites bouillir 15 mn. Égouttez dans une passoire fine. Passez sous l'eau froide.

2. Hachez oignons et champignons. Faites revenir les oignons avec 30 g de beurre ou de margarine. Ajoutez le hachis de porc. Laissez cuire 10 mn. Ajoutez champignons, crabe déchiqueté, vermicelle. Mélangez. Incorporez ensuite : œufs battus en omelette, sel, poivre et nuoc-mam.

3. Mettez de l'eau tiède dans un large récipient. Plongez rapidement chaque galette dedans pour les ramollir. Égouttez-les sur un torchon. Déposez une bonne cuillerée à soupe de farce sur une extrémité de la galette. Roulez-la jusqu'à la moitié. Repliez les bords pour enfermer la farce. Finissez de rouler.

4. Plongez ces rouleaux dans la friture chaude mais non brûlante (175°), 4 mn environ. Lorsqu'ils sont dorés et croustillants, égouttez-les sur du papier absorbant. Servez avec une salade verte. Mettez le flacon de nuoc-mam sur la table pour que chacun assaisonne à son goût.

* *Galettes de riz, vermicelle chinois et nuoc-mam se trouvent dans les magasins exotiques et les rayons spécialisés des grands magasins.*

Queues de langoustes à la Parisienne

Facile / cher / petites et grandes réceptions
Toutes saisons

Préparation et cuisson : 1 h + 1 h d'attente

Pour 4 ou 6, il faut :

2 queues de langoustes surgelées,
1 bol de mayonnaise.

Garniture :

1 boîte de macédoine,
2 ou 3 œufs durs,
laitue,
2 ou 3 tomates.

Court-bouillon :

1/2 verre de vin blanc,
3 verres d'eau environ,
1/2 carotte,
1 petit oignon coupé,
bouquet garni,
sel, poivre.

1. Mettez les queues de langoustes à dégeler (voir p. 65).

2. Cuisson des queues de langoustes : mettez à cuire doucement le court-bouillon (sans vin) dans une casserole mi-couverte pendant 10 mn. Ajoutez ensuite le vin blanc. Quand cela bout, plongez les queues de langoustes dégelées dedans. Faites bouillir doucement 8 mn. Retirez du feu. laissez refroidir dans le court-bouillon.

3. Égouttez parfaitement la macédoine dans un torchon. Préparez la mayonnaise selon la recette p. 83. Mélangez-la avec la macédoine.

4. Ouvrez en deux la carapace des queues de langoustes, sans abîmer la chair. Coupez celle-ci en rondelles. Garnissez les carapaces de macédoine et posez dessus les rondelles de langoustes.

Économique : *Si le reste du repas est copieux, 2 queues de langoustes suffisent pour une entrée pour 6. Comme vous n'avez que 4 carapaces, présentez la langouste dans des coupes, ramequins ou coquilles Saint-Jacques. Vous pouvez également enrichir le plat à bon compte avec des quartiers d'œufs durs et de tomates.*

Sauce mayonnaise

(recette de base)

Préparation :
10 mn

Pour un bol de mayonnaise, il faut :

1 jaune d'œuf,
1/4 de litre d'huile,
1 cuil. à café de moutarde forte,
1 cuil. à café de vinaigre,
sel, poivre.

1. Dans un bol, battez au fouet : jaune d'œuf, sel, poivre, moutarde jusqu'à ce que le mélange soit parfaitement homogène.

2. Ajoutez-y l'huile presque goutte à goutte pour débuter. Quand la sauce commence à prendre un peu de consistance, versez l'huile plus abondamment. Tournez sans précipitation mais régulièrement pendant toute la durée de la préparation. Ajoutez 1 cuil. à café de vinaigre ou d'eau vers la fin pour la stabiliser.

Les secrets *de la mayonnaise réussie :* Tous les éléments doivent être à la même température pour favoriser l'émulsion ; un peu de vinaigre ou d'eau bouillante, ajouté à la fin de la préparation, la stabilise. Ce liquide amollit légèrement la mayonnaise et, cela peut surprendre, la mayonnaise trop dure a tendance à tourner rapidement.

Les poissons

A force de ressasser qu'il est l'aliment idéal pour les estomacs « chagrins », les natures trop « fortes », idéal aussi pour les fins de mois difficiles, les périodes d'abstinence et de carême, on a fait au poisson une bien triste réputation !

Rien d'étonnant, après cela, que le Français — né pourtant dans un pays de pêche — soit un des plus modestes consommateurs de poisson.

Alors, j'ai décidé de réagir. Pour moi, le poisson évoque l'eau vive, la mer, la gaieté du port à l'heure du retour de la pêche, les bruyants marchés des bords de mer, les vacances... Et mille bonnes recettes, des plus simples aux plus subtiles. Imagineriez-vous un menu de réception sans poisson ?

Mettez donc du poisson dans vos menus. Vous savez que 100 g de poisson sans déchets sont aussi nourrissants que la même quantité de viande. Le poisson est tout spécialement recommandé pour les enfants et pour les personnes âgées. Mais, attention aux arêtes qu'ils ne voient pas très bien ; présentez-leur surtout du poisson en filets, sans risque.

Enfin, n'achetez pas du colin à tout prix. Sachez aussi profiter des poissons pilotes offerts à très bas prix parce que pêchés et expédiés en abondance.

Choisissez :

Pour reconnaître un poisson frais, regardez :

L'œil, d'abord. Un œil de poisson ne ment pas : Creux, terne : mauvais signe. Bombé, transparent : le poisson est frais.

L'aspect général : la peau du poisson frais est brillante, les écailles bien adhérentes. Il peut être plus ou moins rigide selon la variété : harengs, maquereaux, dorades, sont très rigides quand ils sont bien frais. Par contre, merlans et colinots sont toujours assez mous.

Et si vous voulez être encore plus sûre, inspectez l'intérieur de l'ouïe qui doit être rouge et sans odeur.

... Mais si vous tenez à rester en bons termes avec votre poissonnier, il vaut mieux ne pas pousser les choses jusque-là !

Achetez par personne :

Poisson sans déchets (tranches, filets) : 120 à 150 g.

Poisson entier : de 250 à 300 g.

Faites connaissance avec d'autres poissons (car ils ont un air de famille)

Si vous aimez les :	Parce qu'ils se ressemblent et peuvent se préparer de la même façon, vous aimerez aussi :
Maquereau, hareng ..	sardine, chinchard, pilchard.
Merlan	rouget-barbet, grondin, capelan, tacaud.
Sole	limande, cardine, plie (ou carrelet), turbot, barbue.
Merlu (ou colin)	lieu (noir ou jaune), cabillaud (morue fraîche), congre (sauf la queue pleine d'arêtes).
Thon	germon (ou thon blanc), bonite.
Dorade	mulet, bar, pagre, mérou, saint-pierre, flétan.
Raie	roussette (ou saumonette), baudroie (ou lotte).

Le saviez-vous ?

Poissons maigres		Poissons demi-gras	Poissons gras
Barbue	Merlu (colin)	Alose	Anguille
Brochet	Morue	Baudroie	Lamproie
Cabillaud	Mulet	Congre	Saumon
Églefin	Plie (carrelet)	Hareng	Thon
Grondin	Raie	Maquereau	
Haddock	Rascasse	Rouget	
Lieu	Roussette	Sardine	
Limande-sole	Sole		
Merlan	Truite		
	Turbot		

Préparez :

Nettoyage du poisson :

Il comprend : l'écaillage et le vidage (le poissonnier s'en charge si vous le lui demandez) ; à vous de laver le poisson. N'oubliez pas d'ôter la peau noirâtre de l'intérieur du ventre. Si elle résiste, frottez-la avec du gros sel.
Épongez très soigneusement le poisson, surtout si vous le préparez au four ou à la poêle. Utilisez du papier absorbant plutôt qu'un torchon qu'il faudrait laver.
Avec des ciseaux, coupez queue et nageoires. Le poisson tiendra moins de place.

Conservation du poisson :

Avec réfrigérateur
Vous pouvez sans crainte garder le poisson cru un jour ou deux dans le réfrigérateur. Plus longtemps serait imprudent.
Enveloppez-le bien dans une feuille d'aluminium pour que l'odeur ne se répande pas dans l'appareil. Placez-le très près du freezer.
Il ne faut, en aucun cas, laisser séjourner un poisson dans l'eau sous prétexte de mieux le conserver.

Sans réfrigérateur
Pour quelques heures seulement : laissez-le dans son papier d'emballage dans un endroit frais et aéré. Ne le videz qu'à la dernière minute. Moins vous le manipulerez, mieux il se gardera. Le temps est à l'orage, écaillez et videz le poisson aussitôt après l'achat. Essuyez-le, aspergez-le de vinaigre, saupoudrez-le de sel fin et enveloppez-le d'un linge sec.

Conservez dans un endroit aéré, mais pas longtemps.

Cuissons de base :

Au court-bouillon

Pour poissons gros et moyens.

Court-bouillon : faites bouillir 1/4 d'heure : 2 litres d'eau, 1/4 de verre de vinaigre, 2 oignons, 1 clou de girofle, 1 échalote, bouquet garni, sel, poivre. Laissez refroidir. Plongez-y le poisson nettoyé. Mettez sur feu doux. Juste avant l'ébullition (ou frissonnement), retirez du feu. Laissez tiédir dans le court-bouillon une dizaine de minutes.

Si le poisson doit être mangé froid, laissez-le refroidir complètement dans le court-bouillon.

Le poisson ne doit jamais bouillir. S'il bout, sa chair éclate et s'effiloche. Quelle que soit sa grosseur, il est suffisamment cuit lorsque, chauffé lentement, il arrive à ébullition.

Le vinaigre peut être remplacé par une quantité égale de jus de citron.

Ne faites pas de court-bouillon trop abondant. Il suffit que le poisson y baigne.

Solution express : *Pour un court-bouillon rapide : votre court-bouillon sera fait vraiment très concentré, avec moitié moins de liquide que d'habitude. Dès qu'il sera cuit, vous l'allongerez avec de l'eau froide. Ainsi, il sera tout de suite à bonne température pour recevoir le poisson à cuire et suffisamment corsé tout de même.*

Cuisson de base :

Meunière

Pour poissons moyens et petits, ou en tranches (incisez la chair le long de l'épine dorsale s'ils sont épais).
Trempez les poissons dans le lait salé et poivré. Farinez-les légèrement. Déposez-les dans une grande poêle contenant mi-beurre, mi-huile, une dizaine de minutes, à feu moyen. Retournez à mi-cuisson.
Utilisez une poêle assez grande pour que les poissons soient entièrement en contact avec le fond. Les poêles à revêtement anti-adhésif sont tout indiquées.
Si vous ne pouvez pas les cuire tous à la fois, faites attendre ceux qui sont déjà cuits dans le four doux.
Pour que les poissons n'attachent pas, mettez dès le départ une bonne quantité de corps gras dans la poêle. C'est mieux que d'en ajouter en cours de cuisson.
Secouez vigoureusement la poêle plutôt que de remuer les poissons avec une fourchette au risque de les briser.

Le secret *pour cuire 10 soles ou limandes, et plus... avec une seule poêle :* C'est une simple question d'organisation. Quand le premier poisson est juste doré des deux côtés, il est déposé sur un plat à feu et glissé dans le four moyennement chaud où il continue de cuire un peu. Le deuxième poisson est vivement doré à son tour, puis le troisième et ainsi de suite. En somme, tous les poissons, juste saisis à la poêle — le dernier un peu plus cuit que les premiers — finissent de cuire plus ou moins dans le four et arrivent, cuits à point et en même temps sur la table.

Cuisson de base :

Au four

Pour poissons gros et moyens, en tranches, en filets.
Étalez au fond d'un plat à four, un léger hachis d'oignons et de persil. Mettez le poisson dessus avec sel, poivre, 1/2 verre de vin blanc sec, noix de beurre ou de margarine. Mettez à four chaud (th. 6-7) de 20 à 30 mn selon la grosseur du poisson.
Le vin blanc peut être remplacé par du citron (jus ou rondelles).

Échalotes, ail, thym effeuillé, romarin, fenouil, rondelles d'oignon, de carotte, fines herbes et épices diverses, sont des variantes agréables.

En friture

Pour « petite friture », poissons moyens ou en filets.
Essuyez les poissons avec du papier absorbant (ou un linge). Salez et poivrez. Passez-les dans la farine. Plongez-les dans le bain de friture chaud (comme pour les pommes frites).
Temps de cuisson : de 5 à 8 mn selon grosseur.

Le poisson frit est généralement présenté sans sauce, avec persil et quartiers de citron. Servez-le très chaud et bien égoutté.

Cuisson de base :

Sur le gril

Pour poissons moyens et petits.

Si les poissons dépassent 200 g, entaillez peu profondément la peau pour faciliter la cuisson en profondeur. Le très gros poisson sera coupé en tronçons. Badigeonnez d'huile. Posez les poissons sur le gril très chaud. Retournez à mi-cuisson.

Les secrets *du poisson grillé moelleux, parfumé... entier :* Pour développer leur arôme, les poissons à griller (tranches, tronçons ou filets) sont mis à mariner avec citron, huile et aromates, 1/2 h au moins avant cuisson.
La cuisson des poissons un peu épais est souvent commencée sur le gril et terminée dans le four, pour éviter le dessèchement.
Retournez-les avec une palette car ils se brisent facilement.

Brochettes de lotte à l'Espagnole

Très facile / raisonnable / petites réceptions
Toutes saisons

Préparation et cuisson : 25 mn + marinade : 1 h

Pour 4, il faut :
800 g de lotte,
200 g de chorizo fort,
4 feuilles de laurier,
100 g de bacon,
3 cuil. à soupe d'huile d'olive,
1/2 citron,
sel, poivre.

Sauce :
75 g de beurre,
1/2 citron,
sel, poivre.

1. Coupez la lotte en gros dés. Laissez-la macérer 1 h avec huile, jus de citron, sel, poivre.

2. Embrochez, en intercalant : dés de lotte, tranches de chorizo, morceaux de feuilles de laurier et lamelles de bacon. Faites cuire sur le gril de contact, barbecue, ou sous le grilloir du four, à chaleur vive, 10 mn au plus. En cours de cuisson, badigeonnez souvent avec l'huile de la marinade.

3. Sauce : présentez les brochettes accompagnées d'une saucière de beurre fondu avec le jus d'1/2 citron, sel et poivre. Du riz nature est l'accompagnement souhaitable.

Colin froid à la Russe

Facile / cher / petites et grandes réceptions
Toutes saisons

Préparation et cuisson : 45 mn + attente : 1 h

Pour 4 ou 5, il faut :
1 kg de colin.

Court-bouillon :
2 litres d'eau,
1/4 de verre de vinaigre,
2 oignons,
1 clou de girofle,
1 échalote,
bouquet garni,
sel.

Salade russe :
1 grande boîte de macédoine de légumes,
1 bol de mayonnaise,
1 boîte d'anchois.

1. Court-bouillon : faites bouillir eau, vinaigre, oignons, sel, échalote, clou de girofle, bouquet garni, 15 mn. Laissez refroidir. Plongez le poisson dedans. Faites chauffer le court-bouillon lentement. Retirez du feu juste avant l'ébullition. Laissez refroidir dans le court-bouillon.

2. Versez les légumes dans une passoire pour qu'ils aient le temps d'égoutter parfaitement. A la dernière minute, assaisonnez-les avec une partie de la mayonnaise.

3. Égouttez le poisson. Enlevez la peau en la grattant légèrement. Disposez le poisson sur un grand plat long.

4. Décor : mettez un peu de macédoine de chaque côté du colin. Décorez celui-ci avec des filets d'anchois disposés en croisillons, de la mayonnaise. Servez le reste de macédoine dans un saladier.

Le secret *pour cuire un grand poisson entier sans grille de poissonnière :* A défaut d'une grille de poissonnière, très pratique pour cuire un gros poisson mais bien encombrante pour un emploi occasionnel, utilisez un grand torchon ou un linge blanc. Et plongez le poisson dans le court-bouillon, complètement enveloppé dans le torchon, vous pouvez même le ligoter aux deux bouts. Après cuisson, vous saisirez le linge par ses extrémités et soulèverez le tout sans accident.

Dorade martiniquaise en tronçons

Très facile / raisonnable
Toutes saisons

Préparation et cuisson : 35 mn

Pour 4, il faut :
1 grosse dorade en 4 tronçons,
40 g de beurre ou de margarine,
1 oignon,
2 gousses d'ail,
1 verre de vin blanc sec,
thym, laurier, persil, curry, sel, poivre.

1. Beurrez un plat à four. Étalez l'oignon haché au fond. Déposez les tronçons de dorade dessus en reconstituant le poisson.

2. Parsemez d'ail haché, thym effeuillé, 2 feuilles de laurier coupées, 1 cuil. à soupe de curry, sel, poivre. Arrosez de vin blanc, noix de beurre ou de margarine dessus. Mettez à four chaud (th. 6-7) 25 mn. Servez dans le plat de cuisson avec un peu de persil haché.

Dorade au safran

Très facile / raisonnable
Toutes saisons

Préparation et cuisson : 40 mn + marinade : 2 h

Pour 4, il faut :
1 dorade de 1,500 kg vidée et coupée en tronçons,
40 g de beurre ou de margarine,
4 tomates,
2 oignons,
vinaigre,
1 g de safran
sel, poivre.

1. Essuyez la dorade avec soin et mettez-la à mariner 2 h avec 1 verre de vinaigre, sel et poivre. Hachez les oignons. Faites-les blondir dans une cocotte avec 40 g de beurre ou de margarine. Ajoutez les tomates en morceaux, safran, sel et poivre.

2. Couvrez et laissez mijoter 15 mn.

3. Égouttez les morceaux de dorade et mettez-les à leur tour dans la cocotte. Couvrez et laissez cuire de nouveau 20 mn environ. Servez avec du riz ou des pâtes.

Encornets farcis à la Portugaise

Difficile / bon marché / petites réceptions
Toutes saisons

Préparation et cuisson : 2 h 15
Cuisson en autocuiseur : 30 mn

Pour 4, il faut :
8 encornets,
8 bâtonnets pour les fermer.

Farce :
1 tranche de jambon cru,
25 g de beurre ou de margarine,
1 oignon,
2 carottes,
2 tomates,
2 jaunes d'œufs,
10 olives noires,
persil,
sel, poivre.

Sauce :
30 g de beurre ou de margarine,
1 oignon,
1 carotte,
1 tomate,
1 verre de vin blanc sec,
vinaigre,
persil,
sel, poivre.

1. Farce : hachez finement l'oignon. Faites-le mijoter dans une casserole avec une noix de beurre ou de margarine. Couvrez. Passez à la moulinette jambon, carottes, tentacules des encornets et persil. Épluchez et épépinez les tomates. Ajoutez le tout dans la casserole. Salez, poivrez. Couvrez et laissez cuire à feu doux 5 mn. Retirez du feu et incorporez 2 jaunes d'œufs. Remettez sur feu vif quelques instants en mélangeant rapidement pour assécher la farce sans la laisser attacher. Ajoutez-y enfin les olives coupées finement.

2. Sauce : dans une cocotte, mettez 30 g de beurre ou de margarine, oignon, carotte, tomate, le tout coupé en lamelles. Salez, poivrez. Laissez mijoter 10 mn.

3. Tassez la farce dans les poches d'encornets. Maintenez-les fermées avec des piques en bois (piques à cocktail). Déposez-les dans la cocotte contenant déjà la sauce. Ajoutez-y 1 cuil. à soupe de vinaigre, vin blanc, persil. Couvrez et faites cuire à feu doux 1 h 30 (en autocuiseur : 30 mn). Servez chaud avec du riz nature ou en pilaf. Mais ce plat est également très bon, froid, en entrée.

Deux farces pour poisson au four

Pour un poisson de 1,500 kg

Farce fine :
200 g de champignons,
20 g de beurre ou de margarine,
1 échalote,
60 g de mie de pain,
1/2 verre de lait,
1 jaune d'œuf,
persil,
sel, poivre.

1. Émiettez la mie de pain dans le lait froid.

2. Hachez l'échalote. Otez le pied sableux des champignons. Lavez-les rapidement. Coupez-les en lamelles. Faites vivement sauter champignons et échalote dans une poêle, avec 20 g de beurre ou de margarine. Mélangez-les avec la mie de pain pressée, jaune d'œuf cru, persil haché, sel, poivre.

Farce économique :
150 g de mie de pain,
1 verre de lait,
thym, fines herbes,
sel, poivre,
muscade.

Trempez la mie de pain dans le lait chaud puis pressez-la pour faire sortir l'excès de liquide. Malaxez-la avec une grosse cuillerée à soupe de fines herbes hachées, thym effeuillé, sel, poivre et 2 pincées de muscade râpée.

Filets de dorade grillés à l'estragon

Facile / raisonnable / petites réceptions
Toutes saisons

Préparation et cuisson : 15 mn + marinade : 2 h

Pour 4, il faut :
4 gros filets de dorade,
50 g de beurre,
2 branches d'estragon,
6 cuil. à soupe d'huile,
1 gousse d'ail,
1/2 citron,
sel, poivre.

1. 2 h d'avance, faites mariner les filets de dorade avec l'huile, la gousse d'ail, la moitié des feuilles d'estragon et quelques gouttes de citron.

2. Beurre Maître-d'Hôtel : malaxez le beurre bien mou avec le reste des feuilles d'estragon coupées finement, un peu de jus de citron, sel, poivre.

3. Disposez les filets de poisson sur la grille placée elle-même sur la plaque creuse du four (lèchefrite). Glissez sous le grilloir bien chaud et laissez cuire de 5 à 6 mn sur chaque face, porte du four ouverte. Présentez chaque filet sur une assiette chaude avec une noix de beurre « Maître-d'Hôtel ».

Variantes : *Les filets de dorade peuvent également cuire sur un grilloir de contact en fonte. Retournez-les avec une palette ou le plat d'un couteau à lame large car ils se brisent facilement.*
L'estragon peut être remplacé, hors saison, par des herbes sèches : thym, romarin, marjolaine.

Filets de sole farcis

Difficile / cher / petites et grandes réceptions
Toutes saisons

Préparation et cuisson : 45 mn

Pour 4, il faut :
9 filets de sole,
20 g de beurre,
2 cuil. à soupe de crème fraîche,
1 petit blanc d'œuf,
200 g de champignons,
1 verre de vin blanc,
sel, poivre.

1. Écrasez en purée la chair crue d'un seul filet de poisson, au mixer ou à la moulinette. Ajoutez une bonne cuillerée à soupe de crème fraîche, un petit blanc d'œuf, sel, poivre.

2. Étalez un peu de cette farce sur chaque filet. Roulez-les. Ficelez-les en croix. Lavez rapidement les champignons à l'eau vinaigrée. Coupez-les en lamelles minces. Disposez-les dans le fond d'un plat à gratin, les filets farcis dessus. Recouvrez de vin blanc et d'une feuille d'aluminium. Faites cuire à four moyen (th. 5-6) 15 à 20 mn.

3. Égouttez les filets. Otez-en les fils. Disposez les filets sur le plat de service tenu au chaud. Reportez la sauce, dans une casserole, sur feu vif. Malaxez soigneusement à la fourchette 1 cuil. à café de beurre mou avec la même quantité de farine. Ajoutez à la sauce par petits morceaux. Laissez bouillir un instant sans cesser de tourner. Incorporez, à la fin, 1 cuil. de crème fraîche. Versez sur les filets de sole et servez avec des pommes vapeur ou du riz nature.

Filets de poisson

Faciles / raisonnables
Toutes saisons

Ils sont sans arêtes, ce qui en simplifie la préparation, la cuisson et la dégustation. Pour les enfants surtout.
Les filets de poisson peuvent être cuits à la poêle ou à la friture, quand on est pressée. Et quand on l'est moins, ils peuvent être préparés dans un court-bouillon très aromatique ou au four, ou en paupiettes et présentés avec des sauces raffinées.

Préparation et cuisson : en 20 mn au plus

En goujonnette

10 mn

Coupez les filets de poisson à chair ferme (sole) en bâtonnets de 2 cm, en biais. Salez, poivrez. Passez-les dans du lait, puis dans de la farine. Jetez dans la friture chaude. Servez avec quartiers de citron et bouquets de persil.

A la vapeur

10 mn

Mettez les filets dans une assiette à soupe posée sur une casserole d'eau en train de bouillir. Salez, poivrez. Arrosez de jus de citron. Couvrez d'une seconde assiette. Au bout de 8 mn, les filets sont cuits. Servez-les avec persil haché et beurre fondu.

Panés
15 mn

Passez les filets successivement dans : farine, œufs battus, chapelure. Tapotez pour faire adhérer. Faites cuire à la poêle avec pas mal de beurre ou de margarine, quelques minutes de chaque côté, sur feu moyen.

Variante : *Ajoutez quelques pincées de curry ou de safran dans les œufs battus.*

Aux cornichons
20 mn

Les filets sont mis à cuire tels quels au court-bouillon. Pendant ce temps, préparez le roux (mélange beurre-farine). Mouillez-le avec du court-bouillon de poisson. Coupez dedans 2 ou 3 cornichons, des feuilles d'estragon. Présentez les filets bien égouttés et recouverts de sauce.

Parmentier
20 mn

Dans le même temps : des œufs sont mis à durcir, les filets sont cuits au court-bouillon et de la purée-express est préparée. Le grilloir du four est allumé. Il ne reste qu'à disposer, dans un plat à gratin : une couche de purée, le poisson bien égoutté et effeuillé, les œufs durs en rondelles. Une deuxième couche de purée, gruyère râpé, chapelure. Le tout gratiné au four très chaud 5 mn. Si vous êtes trop pressée, supprimez l'opération « gratin ».

Gigot de mer à la Provençale

Facile / cher / petites réceptions
Toutes saisons

Préparation et cuisson : 1 h 15

Pour 4, il faut :
1,500 kg de lotte,
20 g de beurre ou de margarine,
huile,
1 carotte,
1 oignon,
3 gousses d'ail,
1/2 verre de vin blanc sec,
farine,
sel, poivre.

Garniture :
3 tomates,
40 g de beurre ou de margarine,
huile,
250 g de champignons,
1 gousse d'ail,
persil,
sel, poivre.

1. Piquez le tronçon de lotte avec des morceaux d'ail. Salez, poivrez, farinez légèrement. Faites dorer rapidement dans une poêle, avec 20 g de beurre ou de margarine et un peu d'huile.

2. Épluchez et coupez en dés : carotte, oignon et les queues (seulement) de champignons. Mettez ce hachis dans un plat à feu. Déposez la lotte dessus. Arrosez avec 1/2 verre de vin blanc, sel, poivre. Faites cuire à four moyen (th. 5-6) de 30 à 40 mn.

3. Garniture : 15 mn avant la fin de la cuisson du poisson, coupez les têtes de champignons en lamelles fines. Faites sauter à la poêle avec une noix de beurre ou de margarine. Salez, poivrez. Ajoutez un peu d'ail et de persil haché. Tenez au chaud. Coupez les tomates en deux. Mettez-les à cuire dans une poêle avec un peu d'huile très chaude, 5 mn sur chaque face. Salez et poivrez.

4. Déposez la lotte dans le plat de service chaud. Versez 1/2 verre d'eau dans le plat de cuisson resté sur le feu. Délayez en grattant le fond du plat. Versez sur le poisson. Décorez le plat avec les demi-tomates recouvertes de lamelles de champignons sautés. Présentez avec des pommes vapeur, du riz nature ou de grosses coquillettes.

Maquereaux à l'ail

Très facile / bon marché
Toutes saisons

Préparation et cuisson : 35 mn

Pour 4, il faut :

8 petits maquereaux,
40 g de beurre
ou de margarine,
15 gousses d'ail,
1 citron,
sel, poivre.

1. Plongez les gousses d'ail, non épluchées, 2 ou 3 mn dans de l'eau en ébullition. Égouttez-les. Écrasez-les légèrement au fond d'un plat à gratin. Disposez les maquereaux dessus. Salez, poivrez, parsemez de noisettes de beurre ou de margarine.

2. Mettez à four chaud (th. 6-7) 20 mn environ. Servez les maquereaux dans le plat de cuisson, garnis de rondelles de citron.

Merlans à la Biarrotte

Facile / bon marché
Toutes saisons

Préparation et cuisson : 30 mn

Pour 4, il faut :
4 merlans,
30 g de beurre ou de margarine,
huile,
farine,
3 gousses d'ail,
3 cornichons,
1 jaune d'œuf,
vinaigre,
persil,
sel, poivre.

1. Coupez les poissons en tranches assez épaisses. Salez, poivrez et farinez-les légèrement. Faites-les cuire dans une grande poêle contenant 20 g de beurre ou de margarine et un peu d'huile, une dizaine de minutes, sur feu moyen. Retournez à mi-cuisson.

2. Hachez l'ail et le persil.

3. Déposez les poissons cuits dans le plat de service tenu au chaud. Remettez une noix de beurre dans la poêle, avec le hachis d'ail, de persil et 1 cuil. à café rase de farine. Mélangez sur le feu, tout en ajoutant 3/4 de verre d'eau, sel, poivre et rondelles de cornichons.

4. Sauce : délayez dans un bol 1 jaune d'œuf avec 3 cuil. à soupe de vinaigre. Incorporez vivement dans la poêle retirée du feu, en battant avec un fouet à sauce. Le mélange épaissit légèrement (sinon remettez sur feu doux quelques instants, en continuant de mélanger). Versez-la sur les poissons et servez aussitôt.

Merlans en lorgnettes

Difficile / bon marché
Toutes saisons

Demandez au poissonnier de « lever » les filets sans les détacher de la tête. Sinon, préparez-les vous-même de la façon suivante :

Préparation et cuisson : 35 mn

Pour 4, il faut :
4 merlans,
1 œuf,
farine,
chapelure,
1 citron,
persil,
sel, poivre.

Bain de friture.

1. Pour lever les filets, faites glisser la lame du couteau à plat, tout le long de l'arête.

2. Coupez l'arête le plus près possible de la tête.

3. Panez les filets en les passant successivement dans la farine, l'œuf battu en omelette, puis dans la chapelure.

4. Roulez en paupiettes les filets panés.

5. Transpercez, de part en part, avec une brochette pour maintenir les paupiettes roulées.

6. Plongez-les dans la friture chaude. Quand les merlans sont dorés, égouttez-les bien sur du papier absorbant. Débarrassez-les de leurs brochettes et servez-les très chauds, avec quartiers de citron et bouquet de persil.

Paupiettes de filets de poisson à la crème

Facile / raisonnable / Petites réceptions
Toutes saisons

Préparation et cuisson : **25 mn**

Pour 4, il faut :
4 filets de poisson,
1 branche d'estragon,
vinaigre,
bouquet garni,
sel, poivre.

Sauce :
1 cuil. à soupe très pleine de farine,
30 g de beurre ou de margarine,
1 bol de court-bouillon,
crème fraîche ou jaune d'œuf.

1. Salez, poivrez les filets de poisson. Mettez quelques feuilles d'estragon au milieu de chacun. Roulez-les sur eux-mêmes, en paupiettes. Piquez un bâtonnet dans chacune ou nouez un fil pour les maintenir enroulées.

2. Disposez-les, bien serrées, dans un poêlon. Couvrez-les tout juste d'eau. Ajoutez un filet de vinaigre et bouquet garni. Mettez sur feu très doux. Arrêtez juste avant l'ébullition.

3. Sauce : délayez, sur feu doux, le beurre ou la margarine avec la farine. Lorsque le mélange commence à mousser, versez-y 1 bol de court-bouillon. Remuez jusqu'à épaississement. Laissez mijoter doucement une dizaine de minutes. Incorporez 2 cuil. à soupe de crème fraîche ou, hors du feu, 1 jaune d'œuf.

4. Égouttez bien les paupiettes. Débarrassez-les des bâtonnets ou du fil. Disposez-les dans un plat. Arrosez de sauce. Servez aussitôt, avec du riz nature ou des pommes vapeur.

Quenelles de poisson

Facile / raisonnable / petites réceptions
Toutes saisons

Préparation et cuisson : **35 mn + attente** : **1 h**

Pour 4, il faut :
400 g de filets de poisson cru (brochet ou merlan),
quelques noix de beurre ou de margarine,
2 blancs d'œufs,
2 cuil. à soupe de crème fraîche,
cayenne,
sel, poivre.

Sauce :
Béchamel,
50 g de gruyère râpé,
1 cuil. à soupe de crème fraîche.

1. Coupez les filets de poisson cru. Passez-les à la moulinette pour obtenir une purée. Versez dans une grande terrine.

2. Ajoutez-y, peu à peu, 2 blancs d'œufs (non battus) en travaillant énergiquement 5 mn avec une cuillère en bois. La pâte doit prendre la consistance d'une mayonnaise très épaisse. Ajoutez-y enfin sel, poivre, cayenne et crème fraîche. Mélangez bien et mettez au réfrigérateur au moins 1 h (ou jusqu'au lendemain).

3. Cuisson : dans une grande casserole d'eau salée (juste sur le point de bouillir), laissez tomber, par cuillerées à soupe, une partie de votre préparation à quenelles. N'en mettez pas trop pour qu'elles puissent gonfler à l'aise. Laissez frémir de 8 à 10 mn. Égouttez parfaitement.

4. Disposez les quenelles dans un plat à gratin. Recouvrez-les d'une Béchamel au gruyère et à la crème, quelques noix de beurre ou de margarine et passez au four chaud (th. 6-7) une dizaine de minutes.

Pratique : *Les quenelles peuvent être non seulement préparées, mais cuites à l'avance. Laissez-les dans leur eau de cuisson au réfrigérateur. Il suffira de les passer au four, recouvertes de sauce, pour les réchauffer tout en les gratinant.*

Rougets en papillotes

Facile / cher / petites réceptions
Toutes saisons

Préparation et cuisson : 40 mn

Pour 4, il faut :
4 rougets barbets,
50 g de beurre ou de margarine,
huile,
250 g de champignons,
1 échalote,
1/2 verre de lait,
farine,
sel, poivre.

Papillotes :
1 feuille d'aluminium,
huile.

1. Lavez les champignons rapidement. Hachez-les finement avec l'échalote. Faites-les mijoter sans couvrir sur feu doux, avec 25 g de beurre ou de margarine, sel, poivre, jusqu'à évaporation de l'eau rendue par les champignons.

2. Passez les rougets (vidés ou non) dans le lait salé et poivré, puis dans la farine. Déposez-les dans une poêle contenant 25 g de beurre ou de margarine et un peu d'huile. Laissez cuire sur feu moyen 5 mn environ de chaque côté.

3. Papillotes : coupez 4 carrés de papier d'aluminium (ou de papier sulfurisé) beaucoup plus grands que les poissons. Badigeonnez-les d'huile. Déposez sur chacun le quart des champignons et un rouget. Repliez le papier en chausson, sans serrer, car il doit rester gonflé. Appuyez sur les bords pour fermer hermétiquement.

4. Au moment de servir, mettez les papillotes dans le four bien chaud (th. 7-8) 5 mn environ, le temps de les faire souffler. Servez immédiatement.

Variante : *Vous pouvez remplacer les champignons par de la crème d'anchois malaxée avec un peu de beurre. Dans ce cas, poivrez mais ne salez pas.*

Congre braisé au vin blanc

Facile / bon marché
Toutes saisons

Préparation et cuisson : 1 h

Pour 4, il faut :
1,200 kg de congre (milieu),
50 g de beurre ou de margarine,
125 g de petits oignons,
un peu de farine,
1/4 de litre de vin blanc sec,
1 gousse d'ail,
bouquet garni,
sel, poivre.

1. Épluchez les petits oignons. Jetez-les dans de l'eau en ébullition, 2 mn. Égouttez.

2. Farinez légèrement le morceau de congre. Faites-le dorer dans une cocotte avec 30 g de beurre ou de margarine. Ajoutez les oignons. Quand ils sont dorés, ajoutez vin blanc, ail, bouquet garni, sel, poivre. Couvrez. Laissez sur feu doux, 40 mn.

3. Déposez congre et oignons dans un plat creux. Otez le bouquet garni. A la sauce restée sur le feu, incorporez 1 cuil. à café rase de farine malaxée avec une noix de beurre. Laissez bouillir 2 mn pour faire épaissir légèrement. Versez sur le poisson et servez avec des pommes de terre à l'eau, du riz nature, ou une purée d'oseille.

Attention : *Il y a beaucoup d'arêtes dans le congre. Aussi, dans la mesure du possible, évitez la queue où elles sont le plus nombreuses.*

Le secret *des oignons épluchés plus vite et sans larmes :* Avant d'éplucher les petits oignons, plongez-les 2 mn dans de l'eau en ébullition, à l'aide d'une passoire.

Lotte en matelote

Facile / cher / petites réceptions
Toutes saisons

Préparation et cuisson : 1 h

Pour 4, il faut :
1 kg de lotte,
50 g de beurre ou de margarine,
2 cuil. à soupe de farine,
2 verres de vin rouge,
1 verre d'eau,
10 petits oignons,
125 g de champignons,
bouquet garni,
sel, poivre.

1. Coupez la lotte en tronçons. Salez, poivrez et farinez-les.

2. Dans une cocotte, faites chauffer 50 g de beurre ou de margarine. Mettez-y les morceaux de poisson à dorer, à feu vif, sur toutes les faces. Ajoutez 2 verres de vin, 1 verre d'eau, oignons, bouquet garni, sel, poivre. Couvrez. Laissez mijoter 45 mn. Nettoyez et coupez les champignons en lamelles. Jetez-les dans la cocotte 10 mn avant la fin de la cuisson.

3. Égouttez les morceaux de lotte. Tenez-les au chaud, dans un plat creux. Retirez le bouquet garni de la sauce et faites réduire sur feu vif, 5 mn. Versez sur la lotte.

Truc : *La sauce au vin rouge prend une couleur violine. Vous pouvez y ajouter très peu de tomate concentrée pour la rougir et la rendre plus appétissante.*

Rougets barbets aux aromates

Facile / cher
Toutes saisons

Préparation et cuisson : 30 mn

Pour 4, il faut :
2 gros rougets barbets,
30 g de beurre ou de margarine,
huile d'olive,
1 oignon,
1 gousse d'ail,
romarin,
1 citron,
4 pincées de safran ou de gingembre,
1/2 verre de vin blanc sec,
sel, poivre.

1. Un peu à l'avance, laissez mariner les rougets avec un peu d'huile d'olive, romarin effeuillé, rondelles d'oignon, de citron, ail. Enveloppez dans une feuille d'aluminium.

2. Beurrez un plat à gratin. Disposez les rougets dedans côte à côte, avec les aromates avec lesquels ils ont mariné. Ajoutez sel, poivre, safran ou gingembre. Mettez dessus les rondelles de citron et quelques noisettes de beurre ou de margarine et 1/2 verre de vin blanc sec. Enfournez à four très chaud (th. 8-9) 25 mn environ.

La roussette en 6 recettes

Faciles / bon marché / Toutes saisons

La « roussette » dite aussi « saumonette » n'est pas un beau poisson. Il a l'aspect d'un serpent rose écorché vif ! Ne vous laissez pas rebuter par cette apparence car la roussette est pleine de qualités : pas chère, sans déchets, sans arêtes et délicieuse.

Toute ces recettes sont pour 4 personnes

A l'Anglaise

20 mn

1 kg de roussette,
25 g de beurre,
huile, farine,
8 tranches de bacon,
1 citron,
sel, poivre.

Faites d'abord frire les tranches de bacon (coupées en 2 ou 3) à la poêle avec mi-beurre, mi-huile. Retirez-les. A la place, mettez le poisson coupé en minces rondelles légèrement farinées. Faites dorer des 2 côtés. Servez les rondelles de poisson surmontées de bacon frit, avec quartiers de citron.

A la cocotte

30 mn (en autocuiseur : 5 mn + 5 mn)

1 kg de roussette,
60 g de beurre,
1 kg de pommes de terre,
250 g d'oignons,
persil haché,
sel, poivre.

Faites dorer ensemble oignons et pommes de terre (petites ou coupées en dés) avec le beurre ou la margarine, pendant 15 mn. Ajoutez ensuite le poisson, sel, poivre. Laissez mijoter, couvert, 1/4 d'heure. Persil haché avant de servir.

Panée

10 mn

1 kg de roussette,
2 œufs,
farine, chapelure,
1 citron, sel, poivre.

Bain de friture.

Coupez la roussette en tranches assez fines. Salez, poivrez. Retournez dans l'œuf battu, puis farinez légèrement et passez dans la chapelure. Jetez dans la friture assez chaude. Aussitôt dorées, servez avec quartiers de citron.

Marseillaise

30 mn

1 kg de roussette,
50 g de beurre,
500 g de tomates,
4 oignons,
2 gousses d'ail,
1 g de safran,
1/2 verre de vin blanc,
4 tranches de pain,
sel, poivre.

Faites d'abord dorer les oignons hachés avec le beurre ou la margarine. Ajoutez l'ail et la chair des tomates coupées, vin (ou eau), sel, poivre, sur feu vif, 5 mn. Ensuite, mettez le poisson coupé en 4 tronçons et le safran. Cuisez 10 mn à couvert. Présentez chaque tronçon sur une tranche de pain préalablement grillée.

Provençale

30 mn

1 kg de roussette,
40 g de beurre ou de margarine,
3 oignons,
3 tomates,
2 gousses d'ail,
150 g de champignons,
chapelure, sel
persil haché, poivre.

Faites dorer les oignons hachés avec le beurre ou la margarine. Ajoutez : ail, tomates et champignons finement coupés, persil haché, sel, poivre, 1/2 verre d'eau. Laissez mijoter 10 mn à découvert. Dans un plat à four, disposez le poisson, la purée de tomates, chapelure, noisettes de beurre ou de margarine. Au four chaud (th. 6-7) 15 mn.

Sauce anchois

30 mn

1 kg de roussette
eau,
bouquet garni,
oignon,
1 clou de girofle,
sel, poivre.

6 filets d'anchois,
1 cuil. à soupe très pleine de farine,
30 g de beurre,
1 bol de court-bouillon,
crème fraîche (ou 1 jaune d'œuf),
1 citron,
sel, poivre.

Le poisson cuit au court-bouillon (voir p. 89).
Sauce : mélangez sur le feu beurre et farine, puis le court-bouillon, poivre, sel. Laissez mijoter 10 mn.
En fin de cuisson, ajoutez les filets d'anchois coupés en très petits morceaux (ou 1 cuil. à soupe de crème d'anchois), le jus de citron. Puis, hors du feu, 2 cuil. à soupe de crème fraîche ou 1 jaune d'œuf.

Le saviez-vous ?

Le fumet de poisson *est un court-bouillon très corsé et parfumé, qui sert principalement à la confection des sauces pour le poisson et pour « pocher » des filets de poisson un peu fades. Pour le préparer, mettez dans une casserole une grosse noix de beurre, oignon, échalote et champignons coupés en morceaux. Ajoutez ensuite les déchets du poisson : arêtes, tête et queue. Puis versez dessus 1 verre de vin blanc sec et 1 litre d'eau. Aromatisez avec poivre, persil, thym, laurier. Ne salez qu'en fin de cuisson. Laissez bouillir, à découvert, 20 mn. Passez le fumet encore chaud à travers une passoire fine.*
Vous pouvez, sans crainte, le conserver 48 h dans le réfrigérateur.

Saumon en gelée

Difficile / cher / grandes réceptions
Toutes saisons

Préparation et cuisson : **2 h**

Pour 10 ou 12, il faut :

1 saumon de 3 kg frais ou surgelé,
1 bouteille de vin blanc sec,
2 carottes,
2 oignons,
bouquet garni,
sel, poivre.

Décor :

2 sachets de gelée,
1 tomate,
1 œuf dur,
1 poireau.

1. Court-bouillon : dans une poissonnière (ou un grand récipient ovale), faites bouillir 2 litres d'eau, vin blanc, oignons et carottes en rondelles, bouquet garni, sel, poivre, 1/2 h. Laissez tiédir. Plongez le saumon dans le court-bouillon qui doit recouvrir le poisson. Portez doucement à ébullition. Laissez frémir (non bouillir) 10 mn, puis refroidir dans le court-bouillon.

2. Préparez la gelée. Versez-en une petite couche au fond d'un plat long. Laissez prendre au frais.

3. Égouttez le poisson avec soin. Otez délicatement la peau du dessus. Badigeonnez avec la gelée froide mais encore liquide. Trempez dans la gelée les morceaux de tomate, poireau et blanc d'œuf dur et disposez-les avec art, sur le poisson. Badigeonnez-le une 2e fois avec la gelée. Déposez-le sur le plat long. Entourez le saumon d'un cordon de gelée hachée.

Le secret *pour cuire un grand poisson entier dans un récipient trop petit :* Si votre poisson n'entre pas dans la poissonnière, coupez-le en deux. Vous le reformerez, une fois cuit, et masquerez la fente avec de la gelée hachée. Sa présentation ne souffrira pas de ce petit subterfuge.

Soupe de poisson

Facile / raisonnable
Toutes saisons

Préparation et cuisson : 1 h 15

Pour 4, il faut :

1,200 kg de poissons de roche ou autres (sauf poissons gras),
2 oignons,
3 gousses d'ail,
2 tomates,
bouquet garni,
romarin,
4 cuil. à soupe d'huile d'olive,
1 g de safran,
1 cuil. à soupe de pastis,
3 cuil. à soupe de gros vermicelle (facultatif),
sel, poivre.

Gruyère râpé,
croûtons aillés.

1. Videz les poissons. Ne les étêtez pas. Lavez-les.

2. Faites revenir dans un fait-tout avec 4 cuil. d'huile d'olive, les oignons coupés en 4, puis les tomates en morceaux et l'ail, le bouquet garni et le brin de romarin. Ajoutez-y le poisson. Laissez cuire sur feu vif. Écrasez avec une cuiller en bois au fur et à mesure de la cuisson.

3. Au bout d'une dizaine de minutes, quand le poisson est en bouillie, ajoutez 2 litres d'eau, pastis, sel, poivre, safran. Portez à forte ébullition continue pendant une demi-heure.

4. Passez la soupe à la moulinette pour écraser les arêtes au maximum. Vous pouvez l'épaissir ou non avec du gros vermicelle : reportez à ébullition. Jetez 3 cuil. à soupe de vermicelle dans la soupe. Laissez bouillir 3 mn. Servez avec des croûtons frottés d'ail et du gruyère râpé.

Note : *A défaut de poissons de roche, mettez dans la soupe : congre, rouget-grondin, merlan, lotte, voire de petites étrilles. Mais proscrivez à tout prix les poissons gras (maquereaux, harengs, sardines, etc.) qui la gâteraient.*

Soupe de poisson

Solution express : *Faites la soupe de poisson dans un autocuiseur, en 10 mn de cuisson. Et passez-la au mixer qui pulvérise tout, ou presque. On économise du temps et aussi du poisson. Juste avant de servir, liez avec un soupçon de farine délayée avec 1 ou 2 cuil. à soupe de crème fraîche.*

Le saviez-vous ? *Le rouget-grondin, ce vilain poisson rose à grosse tête, est généralement très bon marché. Ce n'est pas qu'il soit mauvais. Il a même bon goût, mais il est bourré d'arêtes. En plus, avec sa grosse tête, il laisse beaucoup de déchets. Ce rouget-grondin est tout indiqué pour les soupes de poisson auxquelles il donnera beaucoup de saveur.*

Le secret *d'une bonne soupe de poisson :* Pendant la cuisson, écrasez la chair des poissons, avec une cuiller en bois, pour les réduire en bouillie ; ainsi ils rendent tous leurs sucs qui donnent un goût incomparable à la soupe. Pour le moelleux, vous maintiendrez une forte ébullition tout le temps de la cuisson.

Saumon sauce mousseline

Difficile / cher / grandes réceptions
Toutes saisons

Préparation et cuisson : 1 h
+ attente : 30 mn

Pour 10 ou 12, il faut :

- 1 saumon frais ou surgelé de 3 kg,
- 1 bouteille de vin blanc sec,
- 2 carottes,
- persil,
- 2 citrons,
- 2 oignons,
- bouquet garni,
- sel, poivre.

Sauce mousseline :

- 5 jaunes d'œufs,
- 250 g de beurre,
- 2 citrons,
- 5 cuil. à soupe de crème fraîche,
- sel, poivre.

1. Dans une poissonnière, faites bouillir : 2 litres d'eau, vin blanc, oignons et carottes en rondelles, bouquet garni, sel, poivre, 1/2 h. Laissez refroidir. Déposez le saumon sur la grille de la poissonnière. Plongez le tout dans le court-bouillon. Portez doucement à ébullition et laissez frémir 10 mn.

2. Sauce mousseline : dans un poêlon épais, mettez jaunes d'œufs, eau, sel, poivre et le jus d'un citron. Fouettez vigoureusement sur feu très doux — ou au bain-marie — jusqu'à ce que le mélange épaississe et tienne aux branches du fouet. Veillez à ce que la casserole ne soit jamais assez chaude pour brûler la main. Retirez du feu. Incorporez le beurre, noix par noix, et le jus du deuxième citron en tournant sans cesse. Maintenez chaud dans un bain-marie.

3. Présentation : ôtez délicatement toute la peau du poisson, sauf celle de la tête. Déposez-le sur un plat garni au fond d'une serviette blanche pliée (pour absorber l'eau). Décorez de fines rondelles de citron garnies de persil. Servez entouré de petites pommes de terre cuites à l'eau avec une saucière de sauce mousseline.

Note : *Si le saumon est surgelé, laissez-le dégeler une nuit dans le réfrigérateur.*

Thon bonne femme

Très facile / raisonnable
Printemps-Été-Automne

Préparation et cuisson : 1 h
Cuisson en autocuiseur : 15 mn

Pour 4, il faut :
1 tranche de thon de 800 g,
50 g de corps gras,
5 oignons,
4 tomates,
2 verres de vin blanc sec,
4 cornichons,
1 cuil. à soupe rase de farine,
persil haché,
bouquet garni,
sel, poivre.

1. Faites dorer le thon des deux côtés dans la cocotte avec 20 g de beurre ou de margarine et huile. Retirez-le ensuite.

2. A la place, mettez les oignons coupés en lamelles et 30 g de beurre ou de margarine. Laissez cuire doucement quelques instants sans laisser colorer. Saupoudrez de 1 cuil. à soupe de farine. Mélangez. Ajoutez les tomates coupées en morceaux, 2 verres de vin blanc, autant d'eau, bouquet garni, sel, poivre. Remettez le thon dessus. Fermez la cocotte. Laissez mijoter 45 mn (en autocuiseur : 15 mn).

3. Présentez le thon arrosé de sauce, parsemé de cornichons en rondelles et de persil haché. Accompagnez-le de pommes de terre à l'eau.

Le saviez-vous ? *Le thon est saisonnier, de mai à octobre/novembre. Il est pêché dans les mers chaudes et tempérées : côtes de la Méditerranée, golfe de Gascogne.*
Il en existe plusieurs variétés : le thon blanc Germon, remonte sur les côtes bretonnes. Ce qui n'est pas le cas du thon rouge que l'on pêche sur les côtes, plus chaudes, de Méditerranée ou du Pays basque. Ni du petit thon : thoune ou thounine pêché aux alentours de Nice et de Sète.

Thon Provençale

Facile / raisonnable
Printemps-Été-Automne

Préparation et cuisson : 1 h + marinade : la veille

Pour 4 ou 5, il faut :

1 kg de thon,
1 noix de beurre,
3 cuil. à soupe d'huile,
8 filets d'anchois,
750 g de tomates,
2 oignons,
3 gousses d'ail,
1/3 de bouteille de vin blanc sec,
1 cuil. à soupe de câpres,
persil,
sel, poivre.

Marinade :

1/2 verre d'huile,
thym, laurier,
1 citron,
romarin,
8 grains de poivre.

1. La veille, piquez le thon avec les filets d'anchois et faites-le mariner avec huile, thym, laurier, romarin, poivre en grains, jus de citron. Couvrez et mettez au frais. Retournez le thon plusieurs fois dans la marinade.

2. Le jour même, égouttez le thon avec soin et faites-le dorer de toute part avec un peu d'huile. Hachez les oignons et l'ail. Pelez les tomates et coupez-les en morceaux. Ajoutez-les au poisson ainsi que le hachis d'oignons et d'ail, le vin blanc, 1/2 verre d'eau, sel, poivre. Couvrez. Laissez mijoter 40 mn.

3. Déposez le thon égoutté dans un plat au chaud. Si nécessaire, reportez la sauce sur le feu vif pour la faire réduire. Ajoutez-y les câpres, le persil haché et une noix de beurre. Versez sur le thon en le présentant à table.

Ce plat peut également être consommé très froid, en entrée.

Truites au bleu

Très facile / raisonnable / petites réceptions
Toutes saisons

Préparation et cuisson : 45 mn

Pour 4, il faut :
4 truites vivantes,
vinaigre.

Court-bouillon :
1 carotte,
1 oignon,
1 verre de vinaigre,
bouquet garni,
sel.

125 g de beurre.

1. Court-bouillon : faites bouillir 15 mn, 2 litres d'eau avec carotte et oignon en fines rondelles, vinaigre, bouquet garni, sel.

2. Assommez les truites en les frappant sur la tête. Retirez les ouïes — une partie des tripes viendra avec. Glissez dans la fente le manche d'une petite cuillère pour ôter le reste des déchets. Lavez rapidement les truites. Arrosez-les abondamment de vinaigre. Puis plongez-les dans le court-bouillon en ébullition. Laissez chauffer doucement et retirez du feu juste avant que le court-bouillon ne frémisse à nouveau.

3. Mettez au fond du plat les rondelles de carotte et d'oignon et un peu de bouillon de cuisson. Déposez les truites dessus. Servez aussitôt avec une saucière de beurre fondu, des pommes vapeur et du persil.

Variante : *Les truites au bleu peuvent être servies froides, laissez-les alors refroidir dans le court-bouillon.*

Le secret *de la couleur bleue des truites « au bleu » :* Pour rester bien bleues, les truites doivent être plongées aussitôt tuées dans le court-bouillon fortement vinaigré. Ne vous étonnez pas si elles se recroquevillent et si la chair se brise un peu au contact du court-bouillon en ébullition. C'est inévitable.

Truites à la ciboulette

Facile / raisonnable / petites réceptions
Toutes saisons

Préparation et cuisson : 40 mn

Pour 4, il faut :
4 truites,
1 noix de beurre,
1 échalote,
2 verres de vin blanc sec ou d'eau,
ciboulette,
1/2 citron,
4 cuil. à soupe de crème fraîche,
sel, poivre.

1. Beurrez un plat allant au four. Parsemez le fond d'échalote hachée. Déposez dessus les truites nettoyées et essuyées. Ajoutez le vin blanc, 1 cuil. à soupe de ciboulette coupée, sel, poivre, jus de citron. Faites cuire à four bien chaud (th. 7-8) 10 mn.

2. Égouttez les truites parfaitement et gardez-les au chaud dans le plat de service. Reportez la sauce de cuisson sur le feu, dans une petite casserole. Incorporez-y la crème fraîche tout en laissant bouillir quelques instants pour laisser la sauce épaissir un peu. Versez sur les truites et servez aussitôt.

Des pommes vapeur légèrement persillées les accompagnent très bien.

Note : *Le jus de citron peut être ajouté en fin de cuisson seulement et en quantité plus ou moins grande, selon le goût.*

Le secret *pour obtenir des truites non éclatées après cuisson :* Videz (ou faites-les vider...) par les ouïes, de manière à ne pas ouvrir le ventre du poisson. Il risquera moins d'éclater en cuisant et sera beaucoup plus présentable.

Les abats

Les abats peuvent être la plus chère des viandes si vous choisissez les ris de veau, les rognons, les somptueuses garnitures de vol-au-vent réservés aux dimanches et jours de fête. Mais ils sont aussi la viande la plus économique si vous vous régalez de tripes, de pieds, de tête ou de cœur... et j'en passe. Car il existe une vaste gamme d'abats sur laquelle on peut jouer, selon les hauts et les bas du porte-monnaie.

La qualité nº 1 des abats doit être la fraîcheur. Les tripiers nous la garantissent à coup sûr. Les diététiciens, de leur côté, garantissent la qualité nutritive des abats. Elle est remarquable car les abats sont très riches en protéines, fer, graisses, vitamines A, B et C.

Choisissez et préparez les abats frais

	BŒUF		VEAU		GÉNISSE		MOUTON		PORC		
	Cuisson	Pour 4	Cuisson	Pour 4	Cuisson	Pour 4	Cuisson	Pour 4	Cuisson	Pour 4	
Amourettes	10 mn	500 g	10 mn	500 g	10 mn	500 g					** au court-bouillon bouillant : portez lentement à ébullition, retirez du feu et laissez « pocher » hors du feu, jusqu'à refroidissement. * meunière, maître d'hôtel, beignets ou garniture de vol-au-vent.*
Cervelle	20 mn	1	10 mn	2	10 mn	2	5 mn (fraîche-surgelée)	4	5 mn	4	
Cœur	2 h	1	1 h 30	1 ou 2	2 h	1 ou 2	1 h	4			** braisé, farci En steaks (5 mn à la poêle).*
Foie	braisé slt 30 mn par livre	1 kg	5 mn	500 g	5 mn	500 g	5 mn	500 g	5 mn	500 g	** sauté, brochettes. Braisé.*
Fraise			1 h 30 (court-bouillon)	800 g à 1 kg							** sautée, vinaigrette, gribiche, (parfois vendue déjà cuite) (1).*
Gras-double et Tripes	3 h	1 kg									** frits, sautés, au gratin, en ragoût, à la poulette. (parfois vendus déjà cuits) (1).*
Joue	3 à 4 h	800 g									** pot-au-feu, daube, bour-*

	BŒUF		VEAU		GÉNISSE		MOUTON		PORC		
	Cuisson	Pour 4	Cuisson	Pour 4	Cuisson	Pour 4	Cuisson	Pour 4	Cuisson	Pour 4	
Langue	2 h 30 à 3 h (fraîche-surgelée)	1/2	1 h 45	1			45 mn	4			* *bouillie, braisée, sauce madère, sauce tomate, sauce piquante.*
Pieds			1 h 30	4			1 h 30	4 ou 6	15 mn (au four)	4	* *bouillis avec sauce poulette, vinaigrette. Braisés. (pieds de porc vendus déjà cuits).*
Ris		30 mn (frais-surgelé)	1			30 mn	2				* *au court-bouillon (5 mn) puis braisés (25 mn), garniture de vol-au-vent.*
Rognon	braisé slt 1 h 30 à 2 h	1 ou 1 1/2		brochettes 10 mn, ou sauté 5 mn 2		2		4 ou 6		3	* *sauté, flambé, cocotte, brochettes.*
Tête			1 h 30	1					3 à 4 h	1/2	* *court-bouillon puis fines herbes, sauces câpres, tartare, rémoulade, aïoli, moutarde. — En terrine.*
Tétine					8 mn	4 tranches					* *sautée avec hachis d'ail et de persil (vendue demi-cuite, en tranches).*

(1) **Fraise, Tripes et Gras-double** sont vendus sous deux formes : presque cuits ou juste ébouillantés (blanchis). Dans ce dernier cas, ils nécessitent une cuisson assez longue au court-bouillon. Renseignez-vous auprès de votre tripier au moment de l'achat. Il se peut aussi que vous aimiez les tripes moelleuses ou encore croquantes sous la dent. Toutes ces raisons peuvent vous amener à modifier le temps de cuisson indiqué dans ce tableau.

Les abats surgelés

Pratiques et abordables,
ils se préparent presque comme les abats frais.

Préparation	Cuisson
Cervelle d'agneau Laisser dégorger 1 h à l'eau froide.	Au court-bouillon bouillant. A feu doux. Retirer du feu juste avant ébullition. Laissez 10 mn dedans (voir aussi page 127).
Foie de génisse entier Dégeler lentement sur une grille dans le réfrigérateur.	Cuisson habituelle.
Langue de bœuf Dégeler dans le réfrigérateur : 24 h. Ou dans la cuisine : 12 h à l'eau froide.	Cuisson habituelle (voir page 136).
Ris de veau Dégeler lentement dans le réfrigérateur. Ou plus rapidement, dans la cuisine, à l'eau froide (laisser dans l'enveloppe transparente).	Cuisson habituelle (voir page 140).

Cervelle meunière

Facile / raisonnable
Toutes saisons

Préparation et cuisson : 50 mn

Pour 4, il faut :
cervelle pour 4 (voir tableau p. 124),
40 g de beurre ou de margarine,
vinaigre,
farine,
bouquet garni,
gousse d'ail,
2 clous de girofle,
1/2 citron,
persil,
sel, poivre.

1. Laissez baigner la cervelle 15 mn dans de l'eau froide vinaigrée. Puis, avec les doigts, sous l'eau du robinet, ôtez la membrane et les filaments qui l'entourent.

2. Court-bouillon : mettez dans une casserole : eau, sel, bouquet garni, ail, filet de vinaigre, 2 clous de girofle. Faites bouillir 5 mn. Plongez ensuite la cervelle dans le court-bouillon bouillant. Reportez très doucement à ébullition. Retirez du feu aussitôt. Laissez tiédir, ou même refroidir, dans le court-bouillon.

3. Égouttez-la très soigneusement. Coupez-la en tranches d'un bon centimètre d'épaisseur. Salez légèrement, poivrez et farinez les morceaux.

4. Faites chauffer 40 g de beurre ou de margarine dans une grande poêle. Mettez les tranches de cervelle farinées dedans. Quand elles sont dorées d'un côté, retournez-les avec une spatule. Laissez cuire encore quelques minutes sur feu doux. Disposez sur un plat chaud. Arrosez de sauce de cuisson, de jus de citron et parsemez de persil haché.

Cœurs de veau Bonne Femme

Très facile / raisonnable
Toutes saisons

Préparation et cuisson : 1 h 30
Cuisson en autocuiseur : 25 mn

Pour 4, il faut :
2 cœurs de veau,
50 g de beurre ou de margarine,
200 g de lard maigre,
200 g de petits oignons
800 g de pommes de terre,
bouquet garni,
persil,
sel, poivre.

1. Faites dorer les cœurs de toutes parts avec 50 g de beurre ou de margarine. Ajoutez ensuite 1/2 verre d'eau et laissez mijoter, bien couvert, 20 mn (en autocuiseur : 10 mn. Diminuez la quantité d'eau de moitié).

2. Mettez dans la cocotte : lard et pommes de terre en dés, oignons, sel, poivre, bouquet garni, 1/2 verre d'eau. Couvrez et laissez cuire très doucement 50 mn (en autocuiseur : 15 mn). Parsemez de persil haché au moment de servir.

Économique : *Le cœur de bœuf, beaucoup plus gros, est nettement moins cher que le cœur de veau. Mais la cuisson est plus longue, comptez presque deux heures de mijotage (ou 50 mn en autocuiseur).*

Cœurs de veau farcis

Facile / raisonnable
Toutes saisons

Préparation et cuisson : 1 h 30
Cuisson en autocuiseur : 25 mn

Pour 4, il faut :
2 cœurs de veau,
30 g de beurre ou de margarine,
crépine,
500 g de carottes,
1 cuil. à café de tomate concentrée,
1 cuil. à café de farine,
1/2 verre de vin blanc,
1 verre 1/2 d'eau,
1 oignon,
bouquet garni,
sel, poivre.

Farce :
50 g de graisse de rognon de veau,
1 noix de beurre ou de margarine,
70 g de mie de pain,
1 oignon,
1 œuf,
persil,
sel, poivre.

1. **Farce :** faites légèrement dorer un oignon coupé finement avec une noix de beurre ou de margarine. Hachez la graisse de rognon et le persil. Mélangez avec la mie de pain émiettée, 1 œuf, sel, poivre et l'oignon doré.

2. Ouvrez les cœurs. Éliminez les lambeaux de chair, mais vous les remettrez plus tard dans la cocotte, pour donner du goût. Tassez la farce à l'intérieur et dans toutes les cavités.

3. Enveloppez les cœurs farcis dans la crépine. Faites dorer à la cocotte ainsi que l'oignon coupé avec 30 g de beurre ou de margarine. Saupoudrez de farine. Mélangez. Ajoutez : carottes en rondelles, tomate concentrée, vin blanc, eau, bouquet garni, sel, poivre. Laissez mijoter couvert pendant 1 h (25 mn en autocuiseur).

Le saviez-vous ? *La crépine est une fine membrane de la panse du porc ou du mouton que l'on vend aussi sous le nom de « toilette ».*

Croustades d'amourettes

Facile / raisonnable / petites réceptions
Printemps-Automne-Hiver

Préparation et cuisson : 1 h

Pour 8 tartelettes, il faut :
500 g d'amourettes,
1 litre d'eau,
1 cuil. à soupe de vinaigre,
bouquet garni,
sel, poivre.

Pâte brisée :
150 g de farine,
75 g de beurre ou de margarine,
environ 1/2 verre d'eau,
1/2 cuil. à café de sel.

Sauce Mornay :
1 cuil. à soupe pleine de farine,
15 g de beurre ou de margarine,
1 cuil. à soupe de gruyère râpé,
1/4 de litre de lait,
1 jaune d'œuf,
sel, poivre.

16 moules de 7 cm de Ø.

1. Pâte brisée : mélangez farine, sel, beurre ou margarine en pressant et en frottant les paumes des mains l'une contre l'autre. Ajoutez l'eau à cette pâte granuleuse. Pétrissez vivement. Mettez en boule. Écrasez-la avec la paume de la main. Remettez en boule. Cela 3 fois. Étalez la pâte très finement dans les moules à tartelettes. Faites cuire à four bien chaud (th. 7-8) 10 mn seulement.

2. Otez la membrane des amourettes (comme pour la cervelle). Laissez-les tremper un peu dans de l'eau vinaigrée. Mettez-les ensuite dans de l'eau bouillante salée et aromatisée (bouquet garni, vinaigre). Quand l'eau est sur le point de bouillir à nouveau, retirez du feu. Laissez tiédir 10 mn au moins dans ce court-bouillon.

3. Sauce Mornay : mélangez sur feu doux beurre ou margarine et farine, puis le lait froid d'un seul coup, sel, poivre. Remuez jusqu'à ébullition. Laissez mijoter 10 mn. Hors du feu, incorporez jaune d'œuf, gruyère et amourettes coupées en dés.

4. Emplissez les tartelettes de ce mélange. Remettez au four chaud (th. 6-7) 10 mn.

Foie aux anchois

Très facile / bon marché
Toutes saisons

Préparation et cuisson : 20 mn

Pour 4, il faut :
4 tranches de foie,
30 g de beurre ou de margarine,
2 anchois salés,
2 cuil. à soupe de fines herbes hachées
1 citron,
farine,
poivre.

1. Retirez l'arête des anchois. Passez-les sous l'eau tiède pour les dessaler rapidement. Écrasez-les à la fourchette.

2. Dans une grande poêle, faites juste fondre 30 g de beurre ou de margarine. Ajoutez-y la purée d'anchois, les fines herbes et laissez mijoter de 3 à 4 mn sur feu doux.

3. Farinez les tranches de foie. Ajoutez-les dans la poêle. Laissez cuire 3 mn de chaque côté, à feu assez doux. Poivrez. Aspergez avec le jus d'un demi-citron. Disposez dans un plat chaud. Arrosez avec le jus de cuisson. Décorez chaque tranche d'une rondelle de citron.

Économique : *La fine saveur du foie de veau passerait totalement inaperçue dans cette recette assez relevée. Utilisez donc plutôt du foie d'agneau ou de génisse, plus économique, d'autant plus qu'ils donnent dans cette recette, ainsi que dans celle du foie « aux oignons », d'aussi bons résultats que le « cher » foie de veau.*

Foie aux oignons

Facile / bon marché
Toutes saisons

Préparation et cuisson : 20 mn

Pour 4, il faut :
4 tranches de foie,
40 g de beurre ou de margarine,
2 oignons,
persil,
1/2 verre à moutarde de vinaigre de vin,
farine,
sel, poivre.

1. Coupez finement les oignons. Dans une petite casserole, faites-les cuire très doucement avec une noix de beurre ou de margarine, sel, poivre et juste assez d'eau pour les couvrir, jusqu'à évaporation presque complète du jus (5 mn environ).

2. Hachez le persil. Salez, poivrez et farinez légèrement les tranches de foie. Faites-les cuire à la poêle, sur feu moyen, avec une noix de margarine ou de beurre chaud, de 2 à 3 mn de chaque côté.

3. Ajoutez ensuite au foie : oignons et vinaigre. Laissez bouillir une minute.

4. Présentez les tranches de foie sur un plat chaud, avec persil haché et toute la sauce. Servez avec des pommes de terre vapeur ou des pâtes.

Le secret *du foie qui n'éclabousse pas en cuisant :* Farinez-le avant cuisson. La farine absorbant l'humidité forme une croûte qui dore doucement dans le beurre chaud, sans éclabousser.

Fraise ou gras-double à la Lyonnaise

Très facile / bon marché
Toutes saisons

Préparation et cuisson : 25 mn

Pour 4, il faut :

1 kg de fraise ou de gras-double cuits,
30 g de beurre ou de margarine,
2 oignons,
2 cuil. à soupe de vinaigre,
persil,
sel, poivre.

1. Épluchez et hachez les oignons. Faites-les dorer légèrement dans une poêle avec 30 g de beurre ou de margarine. Ajoutez-y la viande, sel, poivre. Laissez cuire 15 mn en remuant souvent la poêle.

2. Mettez dans un plat chaud la viande et les oignons. Dans la poêle restée sur le feu, versez 2 cuil. à soupe de vinaigre. Laissez bouillir un instant. Arrosez-en le plat. Parsemez de persil haché. Servez très chaud.

Note : *Si vous utilisez du gras-double cru, faites-lui subir une cuisson préalable au court-bouillon de 1 h 30 en fait-tout ordinaire ou 45 mn en autocuiseur.*

Gras-double au gratin

Très facile / bon marché
Toutes saisons

Préparation et cuisson : 1 h 15

Pour 4, il faut :
1 kg de fraise ou de gras-double cuits,
75 g de gruyère râpé.

Sauce tomate :
1 petite boîte de concentré de tomate,
30 g de beurre ou de margarine,
1 tomate fraîche,
1 petite carotte,
1 oignon,
1 cuil. à café bombée de farine,
1 cuil. à café de sucre,
1/2 verre de vin blanc,
1/2 litre d'eau,
bouquet garni,
sel, poivre.

1. Sauce tomate : coupez finement carotte et oignon. Faites-les dorer légèrement dans une casserole avec 30 g de beurre ou de margarine. Saupoudrez de farine. Mélangez bien. Ajoutez : concentré de tomate, tomate fraîche en morceaux, vin blanc, sucre, eau, bouquet garni, sel, poivre. Remuez jusqu'à ébullition. Couvrez à demi et laissez mijoter 30 mn environ.

2. Pendant ce temps, coupez le gras-double ou la fraise en lamelles, étalez-le dans un plat à gratin. Recouvrez avec la moitié du gruyère râpé. Puis la sauce tomate et le reste du gruyère. Faites gratiner à four bien chaud (th. 7-8), 30 mn. Servez avec des pommes de terre à l'anglaise.

Solution express : *La sauce tomate en boîte qui vous fera gagner une petite demi-heure de préparation et de cuisson.*

Gras-double à la Provençale

Très facile / raisonnable
Toutes saisons

Cuisson en autocuiseur : **1 h 30**

Pour 4 ou 6, il faut :

1 kg à 1,500 kg de gras-double cru,
40 g de beurre ou de margarine,
100 g de lard de poitrine,
farine,
1 oignon moyen piqué de 2 clous de girofle,
bouquet garni,
1 gousse d'ail,
2 cuil. à soupe de tomate concentrée,
2 verres de vin blanc,
1 verre à liqueur de cognac,
sel, poivre.

1. Faites blanchir le gras-double : plongez-le dans l'eau froide salée. Portez à ébullition 10 mn. Égouttez.

2. Dans l'autocuiseur, faites chauffer 40 g de beurre ou de margarine. Faites-y dorer le lard coupé en dés. Saupoudrez d'une cuillerée de farine. Mélangez. Ajoutez le concentré de tomate et le vin blanc.

3. Coupez le gras-double en morceaux de 5 cm environ. Mettez-le dans l'autocuiseur avec ail, oignon, bouquet garni, sel, poivre. Arrosez de cognac. Faites flamber.

4. Fermez l'autocuiseur. Laissez mijoter 1 h 30 à partir du chuchotement de la soupape.

Pratique : *Peut être préparé entièrement d'avance et réchauffé.*

Langue de bœuf sauce madère

Facile / raisonnable / petites et grandes réceptions
Toutes saisons

Préparation et cuisson : 3 h 15
Cuisson en autocuiseur : 1 h

Pour 10, il faut :
- 1 langue de bœuf,
- 2 carottes,
- 2 poireaux,
- 1 petit navet,
- 1 oignon,
- 3 gousses d'ail,
- bouquet garni,
- 1 clou de girofle,
- sel, poivre.

Sauce madère :
- 50 g de beurre ou de margarine,
- 50 g de farine,
- 1 petite boîte de concentré de tomate,
- 1 grand verre de madère.

Garniture :
Pommes Duchesse (recette page 403).

1. Plongez la langue dans l'eau bouillante salée. Au bout de 5 mn d'ébullition, égouttez. Remettez dans le fait-tout avec tous les légumes, sel et poivre. Couvrez d'eau froide. Faites cuire 2 h 30, feu moyen.

2. Sauce madère : 1/2 h avant la fin de la cuisson de la langue, retirez 2 bols de bouillon. Délayez sur feu doux, 50 g de beurre ou de margarine et 50 g de farine. Ajoutez-y tomate concentrée, 1/2 verre de madère et le bouillon. Remuez jusqu'à ébullition. Laissez mijoter 30 mn, couvrez à demi.

3. Pendant ce temps, préparez des pommes Duchesse que vous disposez sur le grand plat de service destiné à la langue de bœuf.

4. Égouttez la langue. Retirez les déchets. Pelez-la en incisant la peau sans entamer la chair et tirez. Coupez en biais des tranches minces. Déposez-les au centre du plat garni de pommes Duchesse. Arrosez la langue de sauce, servez le reste à part.

Mousselines de foie

Facile / raisonnable / petites réceptions
Toutes saisons

Préparation et cuisson : 50 mn

Pour 4, il faut :
250 g de foie de porc ou de volaille,
1 noix de beurre ou de margarine,
1 oignon,
2 cuil. à soupe de crème fraîche,
1 œuf,
persil, sel, poivre.

Béchamel épaisse :
1 cuil. à soupe rase de farine,
15 g de beurre ou de margarine,
1 verre de lait,
sel,
poivre.

Garniture :
2 tomates,
1 noix de beurre,
persil.

4 petits moules.

1. **Béchamel :** délayez beurre ou margarine et farine jusqu'à ce que le mélange mousse. Ajoutez-y le liquide froid. Salez, poivrez. Mélangez jusqu'à épaississement.
2. Hachez finement foie, oignon et persil. Incorporez Béchamel, œuf, crème, sel, poivre.
3. Beurrez les moules. Emplissez-les à 1/2 cm du bord (ils gonflent à la cuisson) avec la préparation. Faites cuire au bain-marie dans le four chaud (th. 6-7), 30 mn.
4. Épluchez, épépinez les tomates. Faites-les sauter avec 1 noix de beurre, sel, poivre.
5. Démoulez les mousselines de foie. Décorez-les avec la fondue de tomates fraîches et de petits bouquets de persil.

Variante : *A la place de tomates, une tête ou des lamelles de champignons, préalablement sautés ou cuits à l'eau, font un joli décor. Arrosez alors d'un peu de crème fraîche tiède.*

Pieds de porc panés

Très facile / bon marché
Toutes saisons

Préparation et cuisson : 25 mn

Pour 4, il faut :
4 pieds de porc panés,
1 cuil. à soupe d'huile,
diverses moutardes,
cornichons,
salade.

Enduisez d'huile un plat à feu. Déposez les pieds panés dedans. Mettez à cuire à four chaud (th. 6-7) de 15 à 20 mn. Servez les pieds panés bien chauds avec différentes sortes de moutardes, des cornichons et de la salade verte.

Le saviez-vous ? *Les pieds de porc sont vendus déjà cuits. Il ne reste plus qu'à les faire griller ou réchauffer. Inutile de saler et poivrer car ils sont généralement déjà assaisonnés par le charcutier.*

Ris de veau en brioche

Facile / cher / petites réceptions
Printemps-Automne-Hiver

Préparation et cuisson : 2 h

Pour 6, il faut :

1 ris de veau,
40 g de beurre,
1 tranche de jambon,
125 g de langue écarlate,
125 g champignons,
1 boîte de miettes de truffes,
1 carotte,
1 oignon,
1 cuil. à soupe de tomate concentrée,
1 cuil. à soupe rase de farine,
2 verres de vin blanc sec,
1 verre de madère,
bouquet garni,
sel, poivre.

1 grosse brioche à tête.

1. A l'avance : préparez le ris de veau et mettez-le sous presse. Puis procédez exactement comme au § 3 du « vol-au-vent Financière » (recette page 150).

2. Nettoyez les champignons, coupez-les et faites-les sauter rapidement avec une noix de beurre. Ajoutez ensuite : langue et jambon finement coupés, miettes de truffes et leur jus, reste de madère, jus de cuisson du ris de veau et celui-ci coupé en dés. Laissez mijoter 10 mn à couvert.

3. Creusez la brioche. Gardez la tête à part. Mettez à tiédir 5 mn à four chaud (th. 6-7). Au moment de servir, versez la garniture dans la brioche chaude. Couvrez avec la tête de brioche.

Organisation *Toute la préparation (§ 1 et 2) peut être faite plusieurs heures d'avance, ou même la veille, mais ce n'est qu'au dernier moment que sera garnie la brioche.*

Ris de veau cocotte

Facile / cher / petites et grandes réceptions
Toutes saisons

Préparation et cuisson : 1 h 30

Pour 4, il faut :
1 ou 2 ris de veau,
30 g de beurre,
1 cuil. à soupe rase de farine,
sel.

Fond de braisage :
1 carotte,
2 oignons,
20 g de beurre,
20 g de farine,
1 cuil. à café de concentré de tomate,
1/2 tablette de bouillon,
sel, poivre.

1. Fond de braisage : coupez carotte et oignons en dés. Faites-les dorer dans une cocotte avec une noix de beurre. Saupoudrez de farine. Mélangez. Ajoutez 1 bol d'eau bouillante avec le bouillon concentré, tomate concentrée, sel, poivre. Laissez mijoter, sans couvrir, 1 h environ.

2. Cuisson des ris : plongez-les dans une casserole d'eau froide salée. Portez lentement à ébullition et laissez frémir 5 mn, sans bouillir tout à fait. Égouttez-les et passez-les sous l'eau froide. Détachez les déchets, puis aplatissez les ris avec un poids, une heure environ.

3. Farinez légèrement les ris. Faites-les dorer dans une poêle, sur feu assez vif, avec 30 g de beurre. Égouttez-les. Mettez-les à mijoter une petite demi-heure, avec le fond de braisage passé à travers une passoire.

Les ris de veau cocotte pourront être présentés avec des petits pois braisés ou des pommes de terre rissolées, persillées.

Le secret *des ris de veau bien fermes :* Un poids (pas trop lourd...) pour les aplatir après une courte cuisson à l'eau. Ils prennent ainsi de la consistance en refroidissant et, s'il y a lieu, peuvent être découpés en tranches bien nettes.

Rognons flambés Baugé

Facile / cher / petites réceptions
Toutes saisons

Préparation et cuisson : 20 mn

Pour 4, il faut :
2 rognons de veau,
50 g de beurre ou de margarine,
1 verre à liqueur de cognac,
100 g de champignons de Paris,
1 tranche de jambon de Paris assez épaisse,
vinaigre,
100 g de crème fraîche,
sel, poivre.

1. Nettoyez les champignons. Coupez-les en dés et le jambon en bâtonnets. Faites cuire le tout rapidement sur feu assez vif, avec une noix de beurre ou de margarine. Puis, ajoutez-y sel, poivre, crème fraîche. Laissez bouillir 2 mn.

2. Coupez les rognons en dés. Faites-les sauter vivement dans 30 g de beurre ou de margarine, à feu vif. Ajoutez sel, poivre, cognac. Faites flamber sur le feu. Mettez les rognons aussitôt dans un plat chaud. Versez tout l'accompagnement dessus. Servez avec des croûtons grillés (facultatif).

Le secret *des rognons tendres :* Ils ont cuit très peu de temps sur feu vif — ou très longtemps sur feu doux.
Il est coutumier de dire : « 2 mn ou 2 h de cuisson. » Sinon gare aux rognons aussi résistants que du caoutchouc !

Rognons Maître d'Hôtel

Facile / cher / petites réceptions
Toutes saisons

Préparation et cuisson : 15 mn + 1 h à macérer

Pour 4, il faut :
rognons de veau ou d'agneau (voir tableau p. 125),
30 g de beurre ou de margarine,
sel, poivre.

Beurre Maître d'Hôtel :
20 g de beurre,
persil,
1/2 citron,
sel, poivre.

Cresson,
pommes chips.

1. Otez la pellicule qui entoure les rognons. Fendez les rognons en deux sans les ouvrir complètement. Otez les déchets.

2. Faites-les sauter rapidement dans la poêle avec 30 g de margarine ou de beurre bien chaud, de 2 à 3 mn sur chaque face. Salez, poivrez dès qu'ils sont cuits. Déposez-les sur une grille afin qu'ils égouttent. Gardez-les au chaud.

3. Beurre Maître d'Hôtel : pendant ce temps, malaxez quelques noix de beurre avec persil haché, jus de citron, sel, poivre.

4. A chaque extrémité d'un plat chaud, disposez 1 bouquet de cresson non assaisonné, les rognons au milieu, avec une noix de beurre Maître d'Hôtel sur chacun. Présentez à part des pommes chips tiédies.

Le secret *des rognons savoureux et parfumés :* Avant cuisson, ils ont macéré un moment avec des herbes aromatiques émiettées (thym, laurier, oignon) et un peu d'huile.

Rognons sautés à la moutarde

Facile / cher / petites réceptions
Toutes saisons

Préparation et cuisson : 15 mn

Pour 4, il faut :
rognons pour 4 (voir tableau p. 125), ouverts en deux ou coupés en dés,
40 g de beurre ou de margarine,
4 saucisses chipolatas,
4 têtes de champignons,
1 verre de vin blanc,
1 cuil. à soupe de moutarde forte,
sel, poivre.

1. Faites sauter rapidement à la poêle les chipolatas et les têtes de champignons, avec une noix de beurre ou de margarine. Salez, poivrez et tenez au chaud.

2. Remettez 30 g de beurre ou de margarine dans la poêle, pour y faire cuire les rognons, sur feu doux, de 3 à 5 mn. Salez. Retirez-les de la poêle. Mettez-les au chaud, sur une grille, pour les laisser égoutter.

3. Versez le vin blanc dans la poêle restée sur le feu. Laissez bouillir tout en délayant afin de faire réduire. Puis retirez du feu et incorporez la moutarde forte, en mélangeant vigoureusement. Versez sur les rognons accompagnés de chipolatas et de champignons.

Le secret *de la moutarde qui ne tourne pas à la cuisson :* c'est hors du feu qu'elle est ajoutée dans une sauce ou une préparation très chaude. Vivement incorporée au fouet ou à la cuiller en bois, elle ne retourne à aucun prix sur le feu. S'il faut la réchauffer, seul le bain-marie ne lui sera pas fatal.

Rognons sautés au porto

Très facile / cher / petites réceptions
Toutes saisons

Préparation et cuisson : 15 mn

Pour 4, il faut :

2 ou 3 rognons de veau (ou de porc),
50 g de beurre ou de margarine,
1 verre de porto,
1/2 cuil. à café de farine,
1 petite boîte de miettes de truffes,
1 quartier de citron,
sel, poivre.

1. Coupez les rognons en dés. Faites-les sauter à feu vif dans la poêle avec 30 g de beurre ou de margarine. Salez et poivrez. Au bout de 4 à 5 mn, aspergez de citron. Retirez les rognons de la poêle, mais laissez les sucs de cuisson. Conservez les rognons au chaud sur une grille pour qu'ils égouttent.

2. Dans la poêle, ajoutez un verre de porto, les miettes de truffes et leur jus. Faites bouillir 2 mn. Pendant ce temps, malaxez avec une fourchette une grosse noix de beurre assez mou avec 1/2 cuil. à café de farine. Incorporez à la sauce par petits morceaux gros comme des pois, en fouettant jusqu'à ébullition.

3. Remettez les rognons dans la poêle un instant, juste pour les enrober de sauce, et servez avec pommes vapeur, riz ou chips.

Le secret *des rognons sans « petit goût bizarre » :* Mettez-les dans une passoire. Plongez celle-ci dans une casserole d'eau en ébullition, légèrement vinaigrée. Dès que l'eau recommence à bouillir, égouttez les rognons et arrosez-les abondamment d'eau froide.

Tête ou pieds de veau au court-bouillon

Facile / bon marché
Printemps-Automne-Hiver

Préparation et cuisson : 2 h 15
Cuisson en autocuiseur : 45 mn

Pour 4, il faut :

1 tête de veau roulée ou 4 pieds de veau,
vinaigre,
1 carotte,
bouquet garni,
1 cuil. à soupe de gros sel,
12 grains de poivre.

1. Mettez la viande dans une grande marmite d'eau froide. Faites bouillir 10 mn. Égouttez-la et arrosez-la d'eau froide.

2. Remettez à nouveau de l'eau dans la marmite avec gros sel, 2 cuil. à soupe de vinaigre, la carotte fendue en deux, bouquet garni, grains de poivre. Quand elle bout, plongez-y la tête de veau ou les pieds (« blanc » facultatif, voir le secret).

3. Laissez cuire 2 h (en autocuiseur 45 mn).

La tête et les pieds de veau s'accommodent de la même manière. Les sauces qui conviennent à l'une conviennent aux autres.

Vous les servirez chauds ou tièdes selon la sauce choisie.

Le secret *de la tête et des pieds de veau bien blancs :* Ils ont cuit dans un blanc dont voici la recette :

Mettez 2 cuil. à soupe de farine dans une passoire-tamis métallique. Plongez celle-ci dans l'eau en ébullition, en battant vigoureusement au fouet pour délayer. Attention, cela déborde facilement.

Sauces pour abats

Chaudes

Poulette

Sur feu doux, délayez 30 g de farine et 30 g de beurre jusqu'à ce que le mélange soit mousseux. Ajoutez-y 1/2 litre de liquide (jus des champignons, plus eau de cuisson du veau), sel, poivre. Remuez jusqu'à ébullition. Laissez mijoter 10 mn. Hors du feu, incorporez-y : le jus d'un demi-citron, 1 jaune d'œuf et 1 petite boîte de champignons coupés en lamelles.

Charcutière

Hachez 4 oignons, faites revenir avec 50 g de beurre sans coloration. Saupoudrez d'une demi-cuillerée à soupe de farine. Mélangez. Ajoutez 1 grand verre de vin blanc sec, 1 cuil. à soupe de vinaigre, jus de viande (facultatif), sel, poivre. Laissez mijoter 10 mn. Avant de servir, ajoutez moutarde et cornichons.

Aux câpres

Commencez comme pour la sauce poulette. Puis, hors du feu, ajoutez 50 g de beurre, 1 cuil. à soupe de câpres, 1 cuil. à soupe de vinaigre et de fines herbes hachées.

Froides

Gribiche

Écrasez le jaune d'un œuf cuit dur, ajoutez 1 cuil. à café de moutarde forte, sel, poivre, puis l'huile goutte à goutte, comme si vous faisiez une mayonnaise. Une fois la sauce prise et terminée, relevez-la avec un peu de vinaigre, des cornichons hachés, des câpres, fines herbes hachées (persil, cerfeuil et estragon). Ajoutez en dernier lieu le blanc haché de l'œuf dur.

Tartare

Préparez une mayonnaise. Incorporez avant de servir 1 cuil. de moutarde forte, hachis de cornichons, câpres et fines herbes.

Aïoli

Pilez 5 ou 7 gousses d'ail très finement. Ajoutez-y un jaune d'œuf, sel et poivre. Mélangez vigoureusement avec un fouet à sauce. Ajoutez, peu à peu, l'huile d'olive. Quand la sauce prend, versez l'huile plus généreusement. Ajoutez-y 1 cuil. à soupe d'eau chaude et le jus d'un demi-citron pour terminer.

... et naturellement la **vinaigrette** et la **mayonnaise.**

Tête ou pieds de veau aux olives

Facile / bon marché
Printemps-Automne-Hiver

Préparation et cuisson : 2 h 30
Cuisson en autocuiseur : 45 mn

Pour 4, il faut :

1 tête ou 4 pieds de veau (fendus en deux),
40 g de beurre ou de margarine,
250 g d'olives vertes,
1 cuil. à soupe bombée de farine,
50 g de tomate concentrée,
2 cuil. à soupe de vinaigre,
2 carottes,
1 oignon,
2 clous de girofle,
1 poireau,
bouquet garni,
sel, poivre.

1. Mettez la viande dans une grande marmite d'eau froide. Faites bouillir 10 mn. Égouttez et arrosez d'eau froide.

2. Remettez de l'eau dans la marmite avec vinaigre, carottes fendues en 2, oignon, girofle, poireau, bouquet garni, sel. Quand l'eau bout, plongez-y la viande. Laissez mijoter 30 mn (en autocuiseur : 10 mn).

3. Égouttez en gardant le bouillon de cuisson. Mélangez sur feu doux 40 g de beurre ou de margarine et 1 cuil. à soupe bombée de farine. Incorporez un bol de bouillon et la tomate concentrée. Mélangez jusqu'à ébullition. Ajoutez la viande et les olives plongées 5 mn dans de l'eau bouillante. Poivrez. Couvrez et laissez mijoter 1 h 30 (en autocuiseur : 35 mn).
Servez avec des pommes de terre vapeur.

Pratique : *Peut être préparé d'avance et réchauffé.*

Le secret *des olives à saveur discrète :* Elles ont perdu leur excès d'âcreté et de sel dans de l'eau bouillante. Elles y ont trempé plusieurs minutes avant de rejoindre la préparation qu'elles doivent enrichir.

Tripes à la mode d'Alger

Facile / bon marché
Printemps-Automne-Hiver

Préparation et cuisson : 4 h 30
Cuisson en autocuiseur : 1 h 15

Pour 4 ou 6, il faut :

1,500 kg de gras-double blanchi,
100 g de beurre ou de margarine,
1/2 pied de veau,
10 gousses d'ail,
4 piments doux,
1 bouquet garni,
1 tomate,
poivre de Cayenne,
3 ou 4 pincées de cumin arabe,
1 pincée de cannelle,
sel.

1. Épépinez les piments et coupez-les en dés. Coupez le gras-double en lanières.

2. Dans la cocotte, faites chauffer le beurre ou la margarine. Jetez-y les gousses d'ail épluchées et ne laissez pas colorer. Ajoutez-y les piments, tomate, bouquet garni, sel, cayenne, cumin, cannelle, 2/3 de litre d'eau, puis le gras-double coupé et le demi-pied de veau. Fermez la cocotte. Laissez cuire très doucement, hermétiquement couvert, pendant 4 h 30 environ (1 h 15 en autocuiseur).

Pour les accompagner, présentez du riz, des pommes de terre, des pâtes, ou même du couscous nature.

Pratique : *Peut être préparé entièrement d'avance et réchauffé.*

Le secret *des tripes bien mijotées :* C'est dans le four qu'elles cuisent lentement et plus régulièrement que sur le feu. L'ustensile idéal est une cocotte en fonte dont les poignées peuvent être protégées de la chaleur du four par du papier d'aluminium.

Tranches de foie sautées

Facile / raisonnable ou cher
Toutes saisons

Préparation et cuisson : 15 mn

Pour 4, il faut :
4 tranches de foie,
50 g de beurre ou de margarine,
farine,
1 ou 2 cuil. à soupe de vinaigre,
persil,
sel, poivre.

1. Déposez le foie sur du papier absorbant. Salez, poivrez. Farinez légèrement le foie, vous éviterez ainsi les éclaboussures.

2. Dans une poêle, faites chauffer 30 g de margarine ou de beurre. Lorsqu'il est moyennement chaud, déposez les tranches de foie dedans et laissez cuire sur feu doux, 2 ou 3 mn de chaque côté. Déposez dans un plat chaud.

3. Remettez dans la poêle une noix de beurre ou de margarine et 1 ou 2 cuil. à soupe de vinaigre. Laissez bouillir sur feu vif un instant. Versez sur le foie. Saupoudrez de persil haché et servez.

Variante : *Le foie à l'américaine. Faites d'abord revenir quelques instants, dans la poêle, de petits morceaux de lard de poitrine. Retirez-les de la poêle et, à la place, faites cuire le foie. Servez ces tranches de foie recouvertes de lardons et de persil haché. C'est un peu inhabituel et très bon.*

Vol-au-vent Financière

Facile / cher / petites et grandes réceptions
Toutes saisons

Préparation et cuisson : 1 h 30

Pour 6 ou 8, il faut :

1 ris de veau,
150 g d'amourettes,
30 g de beurre,
1 cervelle de bœuf,
1 boîte de quenelles,
12 olives vertes dénoyautées,
bouquet garni,
1 cuil. à café de vinaigre,
1 cuil. à soupe de farine,
1 carotte,
1 oignon,
1 cuil. à soupe de tomate concentrée,
1 petite truffe,
125 g de champignons,
2 verres de vin blanc sec,
1 verre de madère,
sel, poivre.

1 vol-au-vent de 22 cm de Ø ou 8 bouchées.

1. Faites cuire le ris de veau comme dans la recette du ris de veau cocotte (§ 2).

2. Nettoyez cervelle et amourettes. Mettez-les ensemble à l'eau bouillante salée et vinaigrée. Remettez sur feu très doux. Retirez du feu juste avant ébullition. Laissez refroidir dans le court-bouillon.

3. Faites dorer le ris avec une noix de beurre. Retirez-le de la cocotte. A la place, mettez à dorer : oignon, carotte en dés, déchets de ris de veau, farine, puis tomate, vin blanc, la moitié du madère, bouquet garni, sel et poivre. Ajoutez le ris. Couvrez et laissez mijoter 15 mn.

4. Nettoyez et coupez les champignons en 4. Faites-les sauter rapidement avec une grosse noix de beurre. Ajoutez-y la truffe finement coupée et son jus, ris, amourettes et cervelle en dés, quenelles en rondelles épaisses, olives vertes, reste de madère, jus de cuisson du ris, poivre. Couvrez et remettez à mijoter 10 mn.

5. Mettez la croûte de vol-au-vent à réchauffer au four. Emplissez-la avant de servir.

Le secret *de la truffe en boîte qui donne du parfum :* Elle est utilisée avec son jus car c'est dans ce jus qu'est passée une bonne partie de l'arôme de la truffe.

Le bœuf

Le bœuf de qualité se reconnaît : à sa chair, d'un beau rouge franc, sillonnée de fines veines grasses blanc ivoire, autrement dit « persillée ». N'oubliez pas qu'une viande savoureuse est obligatoirement grasse.

Notez que : bœuf rouge pâle = bête trop jeune ; bœuf rouge brun avec une graisse jaune cireux = bête âgée. Dans les deux cas, la viande est dure.

La viande de bœuf est officiellement classée en 3 catégories. N'en déduisez pas que « 3e catégorie » signifie viande médiocre car tous les morceaux d'une bête de qualité sont bons s'ils sont préparés de la bonne manière.

Pour notre usage personnel, simplifions les choses. Répartissons en 2 groupes les morceaux de bœuf que nous avons à cuisiner :

— dans le 1er groupe : les morceaux à cuisson rapide, à rôtir, à griller ;

— dans le 2e groupe : les morceaux à cuisson lente, braisés et bouillis.

Le bœuf : choix des morceaux		
Pour		Caractéristiques
Steaks et Rôtis Au choix :	**Filet**	Extrêmement tendre... et cher. Pas de déchets.
	Faux-filet, Rumsteack	Très tendre. Beaucoup de goût. Peu de déchets.
	Entrecôte	Très « goûteux ». Des déchets.
	Tranche	Tendre et peu de déchets.
Steaks	**Bavette, hampe, onglet, araignée**	Viande longue et juteuse. Très savoureuse. Tendre quand elle est « rassise ».
Rôtis	**Côte de bœuf (1,5 kg minimum)**	Très savoureuse, si bien persillée.
Pot-au-feu, Bourguignon, Bœuf mode, Carbonade, Daube, Goulasch	**Dessus de côte**	Gras sur une face.
	Griffe	Morceau mince entrelardé. Beaucoup de goût.
	Macreuse	Gras ou gélatineux selon l'emplacement.
	Jumeau	Gélatineux.
	1er ou 2e talon	Plus ou moins maigre.
	Plate-côte	Avec os, moelleux si un peu gras, mais très « goûteux ».
Pot-au-feu (et braisés, exceptionnellement)	**Bavette**	Grassouillette et sans os.
	Poitrine, tendron, flanchet	Morceaux avec os, assez gras.
	Gîte-gîte	Gélatineux et moelleux, os.
	Queue	Très moelleuse et savoureuse. Beaucoup d'os.

Le b.a. ba du bœuf

Préparez :

Steak sauté

Déposez la viande dans la poêle très chaude avec un peu de beurre ou de margarine. Lorsqu'elle est saisie, sur feu vif, d'un côté (au bout de 1 à 2 mn environ), retournez-la, salez, poivrez. Laissez cuire sur l'autre face jusqu'à ce que le sang perle à la surface du côté déjà cuit. A ce moment, la viande est « à point ».

Les secrets *du steak sauté :* Un steak « bleu » est rapidement saisi à feu vif. L'intérieur en est presque cru et... bleu.
« A point » : le steak est saisi d'un côté puis de l'autre. Il est assez cuit lorsque le sang perle à la surface. L'intérieur est rose.
« Bien cuit » : il est d'abord saisi à feu très vif, puis cuit sur feu moyen plus longtemps que le précédent. Il sera rose grisâtre à l'intérieur.
Un bouquet de cresson non assaisonné « habille » le plus simple des steaks.

Steak grillé

(**Sous le grilloir** du four ou de la rôtissoire préchauffés 10 mn.)

Badigeonnez les steaks d'huile. Saupoudrez-les de quelques pincées d'herbes aromatiques sèches. Déposez sur la grille. Mettez assez près du grilloir. Dessous, glissez la plaque creuse du four ou un plat. Laissez griller de 1 à 2 mn sur chaque face (ne fermez pas la porte du four pendant la cuisson). Salez et poivrez au moment de servir seulement.

(Ou **sur le gril de contact** très chaud posé directement sur la flamme quelques minutes d'avance.)

Procédez de la même façon que précédemment. Pour obtenir un quadrillage, faites pivoter le steak d'1/4 de tour sur lui-même à mi-cuisson.

Les secrets *du steak grillé :* Plus un steak est mince, plus il doit cuire vite et plus la grille doit être rapprochée de la source de chaleur.
Comptez :
1 mn de chaque côté : feu très vif, steak de 1 cm d'épaisseur ;
2 à 3 mn de chaque côté : feu vif, steak de 2 cm d'épaisseur ;
3 à 4 mn de chaque côté : feu modéré, steak de 3 cm d'épaisseur.
Les viandes grillées sont meilleures marinées avant cuisson, dans une marinade composée d'herbes variées, sèches et fraîches (thym, laurier, romarin, persil, etc.), 1 ou 2 cuil. d'huile et poivre. Retournez plusieurs fois (sans piquer). 1 h de marinade au moins.

Rôti à la broche

Temps de cuisson : un peu plus long que dans le four

Faites chauffer la rôtissoire (ou le gril du four) un peu à l'avance. Le rôti doit être le plus régulier possible sur toute sa longueur. Embrochez-le en l'équilibrant bien. Saupoudrez-le de sel et de poivre. Faites tourner. Glissez un plat sous la viande pour recueillir son jus. Vous pouvez arroser, mais à mi-cuisson seulement.

Les secrets *du rôti à la broche :* Si le tournebroche est incorporé dans le four, il est indispensable de laisser la porte ouverte tout le temps de la cuisson.
Pour parfumer le jus du rôti, déposez au fond du plat qui le recueille, fines herbes, thym, laurier, romarin, etc.
Comme le rôti au four, le rôti à la broche doit reposer un peu avant d'être découpé.

Rôti en cocotte

Temps de cuisson : 12 à 15 mn par livre

Mettez la viande à revenir sur toutes ses faces dans une cocotte, sur feu vif, avec un peu de beurre ou de margarine.

Puis, à bon feu, laissez cuire sans couvrir. Au cours de la cuisson, retournez plusieurs fois la viande sans la piquer. Couvrez à demi pendant le dernier quart d'heure. Modérez la flamme. Salez et poivrez.

Déposez le rôti dans un plat chaud. Délayez le jus de cuisson avec 1 ou 2 cuil. à soupe d'eau. Laissez bouillir un instant. Salez, poivrez.

Les secrets *du rôti cocotte :* Faites plutôt revenir le rôti dans une poêle (mais oui !) et cuisez-le ensuite dans la cocotte comme indiqué plus haut. Il sera mieux doré... et vous n'aurez couru aucun risque de vous brûler. Si le rôti est entouré de lard, égouttez le gras (indigeste) quand la viande sera dorée. Vous remettrez un peu de beurre ou de margarine pour terminer la cuisson à feu plus doux. Ajoutez 1/2 carotte coupée en dés et 1 ou 2 oignons à la viande en train de roussir puis, plus tard, 1 gousse d'ail et 1 bouquet garni.

Rôti au four

Temps de cuisson : 12 à 15 mn par livre, mis à four bien chaud (th. 7-8)

Allumez le bas du four 15 à 20 mn avant d'y enfourner le rôti.

Déposez le rôti dans un plat à four le contenant juste. Si le rôti n'est pas bardé de lard, tartinez la viande de beurre ou de margarine. Mettez à four bien chaud (th. 7-8) de 12 à 15 mn par livre. Retournez la viande et arrosez-la pendant la cuisson. Salez et poivrez, un peu avant la fin.

Les secrets *du rôti au four :* Cuit dans un plat trop grand, le rôti éclabousse le four.
Le rôti sera plus tendre s'il n'est pas déposé directement dans le plat à rôtir, mais sur une grille, elle-même posée au fond de ce plat. La grille évite au rôti de mijoter dans son jus, ce qui aurait pour effet de le durcir.
Il pourra attendre 1/2 h sans refroidir si, au sortir du four, vous l'enveloppez complètement dans du papier d'aluminium.
Laissez reposer le rôti quelques minutes dans le four éteint et entrouvert avant de le découper. Pendant que la viande repose, ses fibres se détendent : le rôti sera plus tendre. (Comptez 5 mn de cuisson en moins.)
Pour une sauce de rôti exceptionnelle : mettez dans le plat 1 oignon et 1/2 carotte en rondelles au départ. Puis un peu d'eau chaude à mi-cuisson (pas sur la viande). Ce jus, bouillant, servira à arroser la viande en cours de cuisson.

Aiguillette en gelée

Difficile / raisonnable / petites réceptions
Printemps-Été-Automne

Préparation et cuisson : **4 h 30 à 5 h 30**
Cuisson en autocuiseur : **1 h 45 + à mariner** : **2 h + au froid** : **1 nuit**

Pour 6, il faut :
1,500 kg d'aiguillette baronne,
40 g de beurre ou de margarine,
1 pied de veau,
os de veau,
1 carotte,
sel.

Marinade :
1 verre de banyuls (ou porto),
1/2 verre à vin de cognac,
1/2 bouteille de vin blanc sec,
20 petits oignons,
8 carottes,
3 gousses d'ail,
bouquet garni,
1 oignon,
3 clous de girofle,
poivre, 4-épices.

1. 2 h d'avance, mettez à macérer l'aiguillette avec les éléments de la marinade. Pendant ce temps, plongez pied de veau fendu par le boucher et os de veau dans l'eau froide. Faites bouillir 5 mn. Égouttez et passez sous l'eau.

2. Retirez l'aiguillette de la marinade. Essuyez-la. Faites-la dorer, de toute part, dans une grande cocotte avec 40 g de beurre ou de margarine. Ajoutez-y ensuite la marinade et ses aromates, pied et os de veau, 1/4 de litre d'eau, sel. Fermez la cocotte et laissez cuire très doucement dans le four doux (th. 4-5) 4 à 5 h (en autocuiseur : 1 h 45).

3. Dans une grande terrine à pâté, versez du jus de cuisson à 1 cm 1/2 de hauteur. Laissez prendre au froid 1/2 h. Désossez le pied de veau. Coupez-le en dés. Déposez l'aiguillette sur la couche de gelée, les morceaux de pied de veau. Recouvrez avec la plus grande partie du jus de cuisson passé à travers un tamis. Versez le reste au fond du plat de présentation. Mettez au froid toute la nuit.

4. Présentation : démoulez et tranchez avec soin la viande en gelée sur une planche à découper. Déposez-la sur la couche de gelée prise au fond du plat de présentation.

Pot-au-feu

Préparation et cuisson : 3 h 30
Cuisson en autocuiseur : 1 h 30

Pour 1,500 kg de viande, il faut :
1 os à moelle,
4 poireaux,
4 carottes,
2 navets,
1 petite branche de céleri,
1 oignon piqué de 3 clous de girofle,
1 gousse d'ail,
bouquet garni,
sel.

Quelques cornichons, gros sel.

Épluchez les légumes. Mettez-les dans une grande marmite avec 3 litres d'eau froide ainsi qu'un oignon piqué de clous de girofle, ail, céleri, bouquet garni, sel. Lorsque l'eau bout, plongez la viande dedans. Laissez cuire à petits bouillons réguliers de 2 h 30 à 3 h (en autocuiseur : 1 h 30). Écumez, de temps en temps.

1 h avant la fin de la cuisson, ajoutez l'os à moelle. Présentez la viande égouttée avec les légumes sur un plat chaud. A part, du gros sel, des cornichons et la moelle retirée de l'os.

Les secrets *du pot-au-feu :* Réunissez toujours 2 ou 3 morceaux différents dans un même pot-au-feu de manière à mélanger des viandes grasses, maigres et moelleuses. Personnellement, j'aime beaucoup un morceau de queue de bœuf dans le pot-au-feu. Elle y ajoute goût et moelleux. La viande bouillie perd près de 40 % de son poids. Tenez-en compte. Trop de légumes et peu de viande donnent un résultat médiocre.
Ne laissez jamais séjourner les légumes dans le bouillon que vous conservez. Même au réfrigérateur, les légumes feraient très vite surir le bouillon. Passez-le et, au besoin, gardez les légumes à part.
Voulez-vous un très bon bouillon : mettez la viande à l'eau froide. Si vous mettez la viande à l'eau bouillante ce sera au détriment du bouillon, mais la viande sera meilleure.

Bœuf à la ficelle

Très facile / cher / petites réceptions
Toutes saisons

Préparation et cuisson : 45 mn

Pour 6, il faut :
1,500 kg de faux-filet (ou d'aiguillette), non bardé,
1 oignon,
1 clou de girofle,
1 carotte,
bouquet garni,
sel, poivre.

Gros sel,
cornichons,
horseradish sauce,
moutardes.

1. Faites bouillir, dans un fait-tout profond, de l'eau avec 1 oignon piqué d'1 clou de girofle, carotte en rondelles, bouquet garni, sel, poivre, pendant une vingtaine de minutes.

2. Plongez la viande dans cette eau en ébullition, sans lâcher le morceau de ficelle. Attachez-le à l'anse de la marmite. Couvrez et laissez bouillir 20 mn, pour obtenir une viande saignante.

3. Retirez la viande en tirant sur la ficelle. Déposez-la sur un plat. Découpez-la en tranches. Présentez-les simplement avec gros sel, cornichons, horseradish sauce et moutardes variées. Des pommes de terre à l'eau sont tout indiquées.

Note : *Demandez au boucher de ficeler le rôti (non bardé) et de laisser pendre un morceau de ficelle de 30 cm au moins.*

Le secret *du « bœuf à la ficelle » à l'Anglaise :* Il est mis dans le court-bouillon en ébullition, pendant un temps aussi court que s'il était rôti dans le four. Ne soyez pas déçue par son aspect grisâtre au sortir du court-bouillon, dès la première tranche, il apparaîtra parfaitement saignant et son goût sera délicieux.

Bourguignon

Facile / raisonnable
Printemps-Automne-Hiver

Préparation et cuisson : 2 h 20
Cuisson en autocuiseur : 50 mn + à mariner : la veille

Pour 4, il faut :

1,500 kg de bœuf à bourguignon,
30 g de beurre ou de margarine,
2 cuil. à soupe d'huile,
1 cuil. à soupe pleine de farine,
2 gousses d'ail,
bouquet garni,
1 cuil. à soupe de tomate concentrée,
1 verre d'eau,
sel, poivre.
1 kg de pommes de terre,
persil haché.

Marinade :

1 bouteille de vin rouge corsé,
1 cuil. à soupe d'huile,
1 petite carotte,
1 oignon,
2 échalotes,
1 petite branche de céleri,

1. La veille, mettez la viande coupée en gros cubes dans une terrine avec tous les éléments de la marinade.

2. Cuisson : égouttez et essuyez la viande avec du papier absorbant avant de la faire roussir à feu très vif avec un peu d'huile. Ajoutez-y ensuite les aromates de la marinade (carotte, oignon, échalotes) et 30 g de beurre ou de margarine. Laissez cuire 1/4 d'heure sans couvrir. Puis saupoudrez avec 1 cuil. à soupe de farine. Mélangez sur feu vif, la farine doit dorer légèrement.

3. Recouvrez la viande avec le vin rouge de la marinade. Portez à ébullition. Ajoutez sel, poivre, 1 verre d'eau, tomate concentrée, ail, bouquet garni. Couvrez et laissez cuire très doucement 2 h (en autocuiseur : 50 mn).

4. 30 mn avant la fin de la cuisson, mettez les pommes de terre à cuire à l'eau. Présentez la viande dans un plat creux, arrosée de sauce. Servez, à part, les pommes de terre épluchées saupoudrées de persil haché.

Organisation : *Le bourguignon est long à préparer et à cuire. Préparez-en pour 2 repas. Il se conserve plusieurs jours au réfrigérateur et il est excellent réchauffé.*

1 gousse d'ail,
persil, thym, laurier,
5 grains de poivre,
1 clou de girofle.

Raffiné : *Ajoutez presque en fin de cuisson :*
1. Des petits oignons cuits à part (à l'eau bouillante 2 mn, égouttés, puis dorés avec lardons et beurre, 15 mn).
2. Des champignons de Paris (frais ou lyophilisés) préalablement sautés à la casserole, 5 mn, avec un peu de beurre.
3. 1 verre à liqueur de cognac dans la sauce.

Le secret *d'une sauce de bourguignon à point :* Elle ne doit pas être trop liquide ni trop grasse.
Si la sauce est trop liquide en fin de cuisson, laissez-la bouillir très fort, quelques minutes (la viande étant retirée).
Si elle est trop grasse, recueillez la graisse en surface avec une cuillère.

Carbonade

Facile / raisonnable
Automne-Hiver

Préparation et cuisson : 3 h 30
Cuisson en autocuiseur : 50 mn

Pour 4, il faut :
1 kg de bœuf à carbonade (voir p. 152),
50 g de beurre,
5 oignons moyens,
farine,
1/2 litre de bière,
1 cuil. à soupe de sucre,
bouquet garni,
sel, poivre.

1. Faites dorer la viande à feu vif, dans une cocotte, avec 50 g de beurre ou de margarine. Épluchez les oignons. Coupez-les en rondelles minces. Ajoutez-les à la viande.

2. Lorsque les oignons commencent à blondir à leur tour, saupoudrez d'une cuil. à soupe rase de farine. Mélangez. Ajoutez 1/2 litre de bière, autant d'eau, 1 cuil. à soupe de sucre, bouquet garni, sel, poivre. Couvrez. Laissez mijoter, sur feu doux, 2 h 30 à 3 h (en autocuiseur : 1 h). Présentez avec des pommes de terre à l'eau.

Pâte à 2 fourchettes

(pour celles qui n'aiment pas « pâtisser » avec la main)

Facile / bon marché
Toutes saisons

Préparation : **10 mn** **(plusieurs heures d'avance ou la veille)**

Proportions pour le filet de bœuf (ou pour 1 tarte pour 8) :
Il faut :

250 g de farine,
250 g de margarine,
1 verre à moutarde d'eau,
1 cuil. à café rase de sel.

1. Étalez la farine sur la planche. Dans le large creux du milieu, coupez la margarine moelleuse. Versez le verre d'eau salée.

2. Mélangez et pétrissez complètement avec les deux fourchettes. Ramassez bien toute la farine en la ramenant sur la pâte qui prend la forme d'une boule.

3. Avec une seule main (tout de même...) finissez de façonner la boule. Enveloppez-la d'une feuille d'aluminium et mettez-la au froid.

(Cette pâte étant très riche en matière grasse, il est indispensable, avant de l'étaler, de la laisser reposer un bon moment au froid pour lui laisser « prendre du corps ». Elle sera plus facile à étaler.)

Daube béarnaise

Facile / raisonnable
Printemps-Automne-Hiver

Cuisson : **4 ou 5 h**
Cuisson en autocuiseur : **1 h 30**

Pour 8, il faut :
2,500 kg de bœuf (culotte ou gîte),
300 g de jambon cru,
1 ou 2 cuil. à soupe de farine,
bouquet garni,
1 couenne de porc,
1 petit piment fort,
sel, poivre.

Marinade :
1 bouteille de vin rouge,
2 cuil. d'huile,
thym, laurier,
poivre,
2 oignons,
2 clous de girofle,
2 gousses d'ail.

1. La veille, découpez la viande en gros cubes de 5 cm environ. Faites-les mariner jusqu'au lendemain dans le vin rouge avec huile, thym, laurier, poivre, oignons, clous de girofle, gousses d'ail.

2. Cuisson : dans le fond de la cocotte, étalez la couenne préalablement blanchie à l'eau bouillante. Égouttez soigneusement la viande. Roulez-la dans la farine. Déposez dans la cocotte avec le jambon cru coupé en dés. Versez dessus la marinade passée, ses aromates et le petit piment. Salez, poivrez. Couvrez et laissez cuire très doucement 4 ou 5 h (en autocuiseur : 1 h 30).

Riz nature, pommes à l'eau et macaroni sont les meilleurs faire-valoir de la daube.

Truc : *Il est désagréable de croquer un piment perdu dans la sauce ! Attachez-le au bout d'un long fil afin de le repêcher facilement.*

Le secret *d'une daube réussie :* C'est à la cuisson régulière et douce que la daube doit son moelleux et son « fondu ». Cette cuisson lente, en cocotte, se fait mieux dans le four que sur le feu sans risque d'attacher au fond.

Entrecôte bordelaise

Facile / cher / petites réceptions
Toutes saisons

Préparation et cuisson : **30 mn**

Pour 4, il faut :
2 entrecôtes de 400 g,
25 g de beurre ou de margarine,
50 g de moelle de bœuf,
persil,
sel, poivre.

Sauce bordelaise :
2 échalotes,
20 g de beurre,
1 verre de bordeaux,
1 cuil. à café rase de concentré de tomate,
thym, laurier,
1 cuil. à café de farine,
sel, poivre.

1. Sauce : hachez les échalotes, faites-les blondir très légèrement avec une noix de beurre. Ajoutez-y 1/4 de verre de vin, un peu de thym et de laurier. Laissez cuire sur feu doux jusqu'à évaporation complète. Ajoutez alors le reste du vin, concentré de tomate, 1/2 verre d'eau, sel et poivre. Malaxez la farine avec une noix de beurre. Incorporez peu à peu à la sauce et laissez mijoter sur feu très doux 15 mn.

2. Coupez la moelle en rondelles épaisses, avec un couteau préalablement trempé dans de l'eau bouillante. Mettez-les dans une passoire métallique. Plongez celle-ci dans de l'eau salée bouillante. Laissez bouillir 1 mn seulement. Retirez du feu mais attendez 2 mn avant d'égoutter. Tenez au chaud.

3. Faites chauffer 25 g de beurre ou de margarine dans une grande poêle. Attendez qu'elle soit très chaude avant d'y déposer les entrecôtes. Laissez cuire 2 mn de chaque côté. Salez, poivrez.

4. Mettez les entrecôtes sur un plat chaud, les rondelles de moelle dessus. Versez la sauce dans la poêle. Laissez-la bouillir quelques instants en mélangeant la viande et parsemez de persil.

Filet de bœuf en croûte

Difficile / cher / petites et grandes réceptions
Printemps-Automne-Hiver

Préparation et cuisson : 1 h 30

Pour 6, il faut :
1,500 kg de filet (non bardé),
20 g de beurre ou de margarine,
1 jaune d'œuf,
sel, poivre.

Pâte à 2 fourchettes :
page 162.

Sauce madère :
voir « filet sauce madère » p. 167.

1. Faites dorer la viande de toute part, dans une poêle, sur feu vif, avec 2 noix de beurre ou de margarine. Salez, poivrez. Puis terminez la cuisson dans le four très chaud (th. 8-9) 5 mn de chaque côté. Laissez refroidir complètement sur une grille.

2. Préparez la pâte « à 2 fourchettes ». Laissez-la au froid un moment.

3. 1 h avant le repas, étalez la pâte à 1/2 cm d'épaisseur en lui donnant la forme d'un grand rectangle. Déposez la viande froide dessus. Humectez les bords de la pâte tout autour. Repliez sur la viande en pressant les deux épaisseurs de pâte, pour bien les souder. Percez deux trous dans la pâte. Maintenez-les ouverts avec du papier d'aluminium roulé.

4. Décor : découpez des motifs avec un couteau pointu (feuilles, losanges...) dans les chutes de pâte. Humectez une des faces. Appliquez le côté humide sur la pièce à décorer. Badigeonnez le tout de jaune d'œuf délayé avec un peu d'eau.

5. Faites cuire à four bien chaud (th. 7-8) 20 mn environ. Servez chaud avec une sauce madère (voir p. 167).

Filet de bœuf à la Portugaise

Facile / cher / petites et grandes réceptions
Toutes saisons

Préparation et cuisson : 45 mn + marinade : quelques heures

Pour 4, il faut :

1 kg de filet,
50 g de beurre ou de margarine,
150 g de raisins secs,
250 g de petits oignons,
farine,
1/2 tablette de bouillon concentré,
sel, poivre.

Marinade :

1/4 de bouteille de porto,
1 échalote,
1 gousse d'ail,
cannelle,
muscade,
thym, laurier, persil.

1. Plusieurs heures d'avance, faites macérer la viande avec les éléments de la marinade.

2. Mettez les oignons épluchés dans une casserole avec une noix de beurre. Couvrez-les tout juste d'eau. Laissez cuire très doucement, couvert à demi, jusqu'à évaporation complète du liquide. Mettez les raisins à l'eau froide, sur feu doux. Retirez du feu dès l'ébullition. Laissez gonfler dans l'eau.

3. Cuisson : essuyez bien la viande avant de la faire dorer (à la poêle) avec 30 g de margarine. Déposez-la ensuite dans le plat à rôtir. Dans la poêle (vidée de sa matière grasse) versez 1 verre de marinade, 1 verre 1/2 d'eau et 1/2 tablette de bouillon. Délayez sur le feu en grattant bien le fond. Puis transvasez dans le plat à rôtir. Mettez à four bien chaud (th. 7-8). Au bout de 20 mn, ajoutez-y les raisins égouttés et les oignons cuits. Remettez au four 10 mn. Salez et poivrez.

4. Retirez le rôti du plat de cuisson. Malaxez à la fourchette 1 noix de beurre et 1 cuil. à café rase de farine. Incorporez ce mélange dans le jus du rôti. Laissez bouillir quelques instants tout en mélangeant avec une cuiller en bois. Présentez le rôti découpé et nappé de cette sauce légèrement liée.

Filet de bœuf sauce madère

Facile / cher / petites et grandes réceptions
Toutes saisons

Préparation et cuisson : 1 h

Pour 8, il faut :
1,500 kg de filet (non bardé),
30 g de beurre ou de margarine,
sel, poivre.

Sauce madère :
40 g de farine,
40 g de beurre ou de margarine,
1 oignon,
1 boîte (1/4) de champignons de Paris,
1/2 litre de liquide (vin blanc + jus des champignons + eau),
1 verre de madère,
sel, poivre.

Cresson.

1. Tartinez la viande de beurre ou de margarine. Déposez-la dans un plat à feu de sa dimension. Glissez dans le four très chaud (th. 8-9) et laissez cuire de 40 à 45 mn (12 à 15 mn par livre). Retournez la viande et arrosez-la en cours de cuisson. Salez et poivrez.

2. Sauce madère : égouttez les champignons mais conservez le jus. Hachez finement l'oignon. Faites-le dorer légèrement avec 40 g de beurre ou de margarine. Saupoudrez de farine. Mélangez sur le feu avec une cuillère en bois jusqu'à ce que la préparation blondisse. Incorporez 1/2 litre de liquide froid (1 verre de vin blanc + jus des champignons + eau), sel, poivre. Remuez jusqu'à ébullition. Laissez mijoter sur feu doux 20 mn environ. En fin de cuisson, ajoutez les champignons en lamelles, juste pour les réchauffer et, au dernier moment seulement, le verre de madère.

3. Découpez le rôti en tranches sur un grand plat chaud, un petit bouquet de cresson à chaque extrémité. Présentez la sauce à part, dans une saucière chaude.

Raffinement : *1 ou 2 cuil. à soupe de fond de sauce ajoutées à la sauce madère. Ce fond de sauce peut être préparé à la maison (recette p. 178) ou acheté, en petits flacons.*

Fricadelles

Très facile / bon marché
Toutes saisons

Préparation et cuisson : 20 mn

Pour 4, il faut :
300 g de steak haché,
30 g de margarine,
125 g de mie de pain frais,
1 verre de lait,
1 œuf,
1 oignon,
farine,
persil,
muscade,
sel, poivre.

1. Mettez la mie de pain à tremper dans une terrine avec le lait.

2. Hachez l'oignon. Faites-le sauter à la poêle avec une grosse noix de margarine.

3. Égouttez et pressez la mie de pain pour ôter l'excès de lait. Ajoutez l'œuf, la viande hachée, persil haché, oignon cuit, une pincée de muscade, sel, poivre. Malaxez bien le tout.

4. Formez 4 boulettes plates. Farinez-les légèrement de toute part. Faites-les cuire à la poêle dans de la margarine bien chaude, de 3 à 4 mn de chaque côté.

Servez avec des légumes verts braisés, une purée de tomates fraîches ou une ratatouille niçoise.

Fondue bourguignonne

Très facile / cher / petites réceptions
Toutes saisons

Le succès de la fondue bourguignonne, c'est que dix minutes de préparation suffisent : coupez la viande en dés, ouvrez des tubes, des boîtes et des flacons de sauces épicées. Préparez poêlon d'huile, réchaud, allumettes et apportez le tout à table ... les invités feront le reste !

Pour 4, il faut :

800 g de filet,
1/2 litre d'huile,
thym, laurier.

Sauces et condiments divers.
Service à fondue :

1 poêlon épais,
1 réchaud,
4 fourchettes à long manche isolant et 4 fourchettes ordinaires.

1. Coupez la viande crue en cubes dans 4 grandes assiettes (ou des assiettes à fondue). Préparez les sauces dans des coupelles.

2. Apportez à table ainsi que les assiettes garnies, le réchaud à alcool et le poêlon empli d'huile aux 2/3. Quand l'huile sera très chaude, chacun y fera frire un morceau de viande piqué sur sa propre fourchette. Puis il l'enrobera de sauce dont il aura déposé un assortiment sur son assiette avant de déguster.

Organisation : *2 fourchettes par convive sont indispensables pour éviter de se brûler : l'une pour cuire (elle est généralement brûlante), et l'autre pour détacher la viande et la porter à la bouche.*
Un seul plat de légume convient à la fondue : une énorme salade la plus panachée possible.

Sauces et condiments

Sans préparation

Toutes les moutardes fortes et aromatisées ; câpres, petits oignons, cornichons, pickles, chutney ; sauce tomate, harissa.

A préparer

Les sauces fortes :

Sauce enragée

Pour 4, il faut :

6 œuf durs,
6 petits piments forts séchés,
6 cuil. à soupe d'huile,
3 cuil. à soupe de vinaigre,
1/2 g de safran,
sel, poivre.

Coupez les œufs durs en deux. Écrasez les jaunes dans un saladier. Incorporez-y peu à peu les piments finement écrasés, huile, vinaigre, safran, sel, poivre. Faites chauffer légèrement la purée obtenue sans cesser de remuer.

(Les blancs d'œufs seront utilisés dans une salade.)

Sauce rouille

Pour 4, il faut :

2 gousses d'ail,
1 petit piment fort,
mie de pain,
1/2 tasse de lait,
6 cuil. à soupe d'huile,
sel, poivre.

Faites tremper une petite poignée de mie de pain dans le lait tiède. Essorez et pressez pour obtenir la consistance d'une bouillie épaisse. Écrasez ensemble gousses d'ail et piment. Mélangez avec la mie de pain, sel, poivre. Incorporez-y, petit à petit, 6 cuil. à soupe d'huile en mélangeant vigoureusement avec une cuillère en bois ou au fouet électrique. La rouille doit prendre consistance, comme une mayonnaise.

Les sauces douces :

Crème fraîche, fines herbes, jus de citron, sel et poivre.

Crème fraîche, estragon.

Yaourt, hachis d'ail et ciboulette.

Mironton

Très facile / bon marché
Toutes saisons

Préparation et cuisson : 1 h

Pour 4, il faut :
500 g de bœuf bouilli,
20 g de beurre ou de margarine,
chapelure,
persil haché,
sel, poivre.

Sauce lyonnaise :
3 oignons,
40 g de beurre ou de margarine,
1/2 verre de vin blanc sec,
1/2 verre de vinaigre,
sel, poivre,
jus de rôti (facultatif).

1. Sauce lyonnaise : coupez les oignons en rondelles. Faites-les dorer légèrement avec le beurre ou la margarine. Puis mouillez-les de vin blanc et de vinaigre, salez, poivrez. Si possible, ajoutez-y du jus de rôti. Laissez mijoter sans couvrir de 15 à 20 mn.

2. Coupez le bœuf bouilli froid en lamelles très fines.

3. Étalez une couche de sauce lyonnaise au fond d'un plat à gratin, les tranches de viande, puis le reste de sauce. Parsemez de chapelure, sel, poivre et de noisettes de beurre ou de margarine. Mettez à four chaud (th. 6-7) de 20 à 25 mn. Présentez le plat tel quel ou ceinturé d'un cordon de purée assez sèche.

Variantes : *La sauce lyonnaise peut s'agrémenter de fondue de tomate ou de concentré, en quantité modérée. Quelques cornichons en rondelles sont également appréciés.*

Le saviez-vous ? *Appelez-le « mironton » ou « miroton » comme vous voudrez, car « miroton » serait une déformation du mot ancien « mironton » qui, vraisemblablement, doit sa notoriété à « Malbrough s'en va-t-en guerre ».*

Sauté de bœuf en marcassin

Facile / raisonnable / petites réceptions
Automne-Hiver

Préparation et cuisson : 2 h 30
Cuisson en autocuiseur : 55 mn + **marinade** : 2 jours

Pour 4, il faut :
1,500 kg de bœuf à bourguignon,
40 g de beurre ou de margarine,
150 g de pruneaux,
1 cuil. à soupe rase de farine,
2 cuil. à soupe de cognac,
sel, poivre.

Marinade :
1/2 bouteille de vin rouge,
1/2 verre de vinaigre,
2 cuil. à soupe d'huile,
1 oignon,
2 carottes,
2 échalotes,
2 gousses d'ail,
1/2 branche de céleri,
bouquet garni,
3 grains de poivre,
2 clous de girofle.

1. Deux jours à l'avance, coupez la viande en cubes. Mettez à mariner au frais. Retournez de temps en temps.

2. Cuisson : égouttez et épongez la viande. Faites-la dorer de toute part dans une cocotte, sur feu vif, avec 40 g de beurre ou de margarine bien chauds. Retirez la viande. A la place, faites revenir sur feu vif les légumes de la marinade préalablement égouttés. Remettez la viande dans la cocotte. Saupoudrez de farine. Mélangez. Laissez roussir. Ajoutez ensuite le cognac. Faites flamber sur le feu. Versez enfin la marinade dans la cocotte. Laissez bouillir doucement 10 mn, sans couvrir.

3. Mettez assez d'eau bouillante dans la cocotte pour couvrir la viande, mais pas davantage. Salez, poivrez. Couvrez. Laissez mijoter 2 h environ (en autocuiseur : 50 mn).

4. Ajoutez enfin les pruneaux et laissez cuire 25 à 30 mn supplémentaires (en autocuiseur : 10 à 15 mn).

Présentez avec de la purée de pommes de terre ou de pois cassés.

Steak flambé au poivre

Facile / cher / petites réceptions
Toutes saisons

Préparation et cuisson : 50 mn

Pour 4, il faut :
4 steaks de 200 g chacun (filet, rumsteak),
25 g de beurre ou de margarine,
3 cuil. à soupe de cognac,
sel,
1 cuil. à soupe de poivre en grains.

Fond de sauce :
voir p. 178, « Tournedos Rossini ».

1. Préparez le fond de sauce : voir « Tournedos Rossini » p. 178.

2. Écrasez le poivre grossièrement à l'aide d'un rouleau à pâtisserie ou avec le fond d'une casserole épaisse. Enrobez-en la viande entièrement.

3. Faites cuire les steaks à la poêle, sur feu vif, avec 25 g de beurre ou de margarine. Tenez-les au chaud.

4. Videz la poêle sans la laver. Verser le cognac dedans. Reportez sur feu vif. Faites flamber. Ajoutez-y le fond de sauce passé. Faites bouillir. Versez un peu de sauce sur chaque steak et le reste en saucière.

Présentez avec des pommes dauphine ou des chips.

Note : *Le poivre ainsi concassé « en mignonnette » est bien moins piquant que finement pulvérisé par le moulin à poivre.*

Le secret *des steaks au poivre qui restent enrobés de poivre après cuisson :* Ils sont saisis à feu très vif au départ. C'est une condition essentielle pour que le poivre concassé « tienne » à la viande.

Steak haché fin-de-mois

Très facile / bon marché
Toutes saisons

Préparation et cuisson : 15 mn

Pour 4, il faut :
400 g de steak haché,
30 g de margarine,
50 g de pain très sec,
moutarde forte,
persil ou ciboulette,
sel, poivre.

1. Écrasez le pain rassis très sec (au besoin, passez-le au four) très finement avec la moulinette ou au rouleau à pâtisserie pour obtenir de la chapelure fine.

2. Hachez le persil ou la ciboulette. Mettez dans une terrine avec la viande hachée, la moitié de la chapelure, sel, poivre, 1 cuil. à soupe de moutarde. Malaxez bien et formez 8 petites croquettes ou 4 grosses. Passez-les entièrement dans le reste de chapelure. Faites cuire dans une grande poêle contenant 30 g de margarine bien chaude, 2 mn de chaque côté, sur feu vif d'abord, puis moyen.

Présentez avec de la purée ou des spaghetti au gruyère.

Steak au poivre vert

Facile / cher / petites réceptions
Toutes saisons

Préparation et cuisson : 15 mn

Pour 4, il faut :
4 steaks de 200 g chacun (filet, rumsteak),
2 cuil. à soupe de grains de poivre vert*,
25 g de beurre ou de margarine,
1 cuil. à soupe d'huile,
2 cuil. à soupe de cognac (ou de rhum),
2 cuil. à soupe de crème fraîche,
sel.

1. Enrobez les steaks de poivre vert légèrement écrasé. Déposez-les dans la poêle très chaude contenant un peu de beurre ou de margarine et 1 cuil. d'huile. Saisissez-les, 1 ou 2 mn de chaque côté, selon votre goût. Retirez les steaks de la poêle et tenez-les au chaud.

2. Égouttez la graisse de la poêle. Ajoutez-y 2 cuil. à soupe de cognac (ou même, de rhum). Faites flamber sur le feu. Incorporez la crème fraîche et salez. Délayez avec une cuillère en bois tout en laissant bouillir 1 ou 2 mn. Versez sur les steaks avant de servir avec des pommes chips ou frites et des tomates grillées, par exemple.

* Le poivre vert est vendu en petits bocaux ou, plus rarement, surgelé. Sa saveur est très agréable et beaucoup moins piquante que celle du poivre séché. Méfiez-vous tout de même !

Steak beurre maître d'hôtel

C'est une préparation simple, à faire d'avance et à conserver dans le réfrigérateur. Il suffit de couper en rondelles au fur et à mesure des besoins.

Les steaks sont cuits à la poêle et présentés avec la présentation ci-contre.

Mélangez à la fourchette 100 g de beurre légèrement ramolli, avec quelques gouttes de jus de citron, sel, poivre, persil haché (ou cerfeuil, estragon, ciboulette). Modelez cette préparation en rouleau dans une feuille d'aluminium et mettez au frais un moment. Vous y découperez des rondelles à l'aide d'un couteau plongé dans de l'eau chaude. Elles seront déposées sur les aliments ou présentées dans une saucière emplie de glaçons pour les garder fermes.

Variantes :

A la moutarde — Travaillez 100 g de beurre assez mou avec 1 cuil. à soupe de moutarde forte.

A l'échalote — Hachez finement 1 échalote et malaxez-la avec 100 g de beurre ramolli, sel, poivre.

A l'anchois — Malaxez le beurre avec 2 cuil. à café de crème d'anchois et jus de citron.

Au raifort — Égouttez avec soin 1 cuil. à café de raifort en conserve (c'est piquant). Incorporez 100 g de beurre assez mou.

A la menthe — Hachez quelques feuilles de menthe fraîche. Malaxez avec 100 g de beurre, sel, poivre.

Au ketchup — Travaillez le beurre avec 3 cuil. à café de ketchup, sel, poivre.

Terrine de queue de bœuf

Très facile / bon marché / petites réceptions
Printemps-Été-Automne

Préparation et cuisson : **4 h 30**
Cuisson en autocuiseur :
1 h 30 à 1 h 45
+ marinade :
1 nuit

Pour 4 ou 6, il faut :

1 queue de bœuf en tronçons,
1 pied de veau,
40 g de beurre ou de margarine,
3 tomates,
2 gousses d'ail,
sel, poivre.

Marinade :

1 bouteille de vin blanc sec,
huile,
1 verre à apéritif de cognac,
1 échalote,
1 oignon,
1 clou de girofle,
1 carotte,
thym, laurier,
muscade,
romarin,
1 petit piment.

1. La veille, mettez à macérer les morceaux de queue et le pied de veau avec tous les éléments de la marinade. Couvrez.

2. Le jour même, égouttez viande et pied de veau. Faites bien dorer de toute part avec du beurre ou de la margarine dans une grande cocotte, en plusieurs fois si nécessaire.

3. Ajoutez ensuite les tomates épluchées, l'ail, la marinade et tous les aromates. Salez et poivrez bien. Fermez hermétiquement la cocotte. Laissez cuire 4 h à petit feu ou mieux dans le four doux (th. 4-5) (en autocuiseur : 1 h 30 à 1 h 45).

4. Laissez tiédir la viande avant de la désosser. Coupez le pied de veau en petits morceaux. Tassez le tout dans 1 ou 2 terrines. Recouvrez avec la sauce et laissez au froid quelques heures. Quand la viande sera prise en gelée, dégraissez la surface. Démoulez sur un plat garni de feuilles de salade. Servez accompagné de cornichons et de moutardes variées.

Le secret *de la queue de bœuf qui « s'épluche » sans difficulté* : Elle doit cuire très longtemps. Alors le décorticage est sans problème. Vous vous impatienterez encore moins en vous servant de 2 fourchettes pour détacher la chair de l'os.

Tournedos Rossini

Facile / cher / petites et grandes réceptions
Toutes saisons

Préparation et cuisson : 1 h (Sans fond de sauce : 15 mn)

Pour 4, il faut :
4 tournedos (filet) épais,
70 g de beurre ou de margarine,
4 tranches de pain de mie rond,
4 tranches de foie gras (ou de mousse),
4 lamelles de truffe,
1/2 verre de porto,
sel, poivre.

Fond de sauce :
1 os de veau,
25 g de margarine ou huile,
1 carotte,
1 oignon,
farine,
vin blanc sec,
1/2 cuil. à café de concentré de tomate,
bouquet garni,
sel, poivre.

1. Fond de sauce : faites revenir, dans un fait-tout, sur feu vif : l'os de veau cassé en deux, carotte et oignon coupés en dés, avec 30 g de margarine ou un peu d'huile. Saupoudrez d'1 cuil. à café de farine. Mélangez jusqu'à épaississement. Ajoutez 1/2 verre de vin blanc, 1 verre d'eau, concentré de tomate, bouquet garni, sel, poivre. Remuez jusqu'à ébullition. Laissez mijoter sur feu très doux, sans couvrir, 30 mn environ.

2. Faites dorer les tranches de pain, des deux côtés, avec 40 g de beurre. Tenez-les au chaud.

3. Cuisez les tournedos à la poêle avec 30 g de beurre ou de margarine, sur feu vif, environ 2 mn sur chaque face. Salez et poivrez.

4. Déposez-les sur les tranches de pain dorées. Dessus, mettez sur chacun une fine tranche de foie gras et de truffe. Gardez au chaud dans le four chaud.

5. Versez le porto dans la poêle, sur le feu. Grattez le fond avec une cuillère en bois pour délayer les sucs de la viande. Ajoutez-y le fond de sauce passé. Goûtez pour vous assurer de l'assaisonnement. Versez un peu de sauce sur les tournedos et le reste dans une saucière chaude.

Le mouton

Gigot : Rarement vendu entier, parce que trop important, il est presque toujours détaillé en gigot raccourci et selle, qui à son tour peut être vendue entière ou en tranches dans le gigot.

Selle.

Filet : Il peut être coupé en tranches épaisses sous le nom de : mutton chop ou côtelettes dans le filet.

Carré couvert : Train de côtes courant de l'échine à l'épaule, il est le plus souvent débité en côtelettes premières (9e à 13e côtes), côtelettes secondes (6e, 7e et 8e côtes).

Épaule : Désossée et roulée, elle se coupe difficilement en tranches, une fois cuite.
Rôtie avec os, elle est plus savoureuse et se découpe un peu comme le gigot. Coupée en morceaux, elle fait de bons ragoûts assez maigres.

Carré découvert : Précède le carré couvert, donne les côtes découvertes, souvent sans manche ou presque, ou basses côtes. (Ce sont les meilleures pour cuire au gril ou au barbecue).

Collier : Ou collet, très osseux. La partie la plus avantageuse parce que la plus charnue, est celle située vers le corps plutôt que vers la tête. Donne de bons ragoûts, assez maigres.

Poitrine : Ou haut de côtelettes avec le gros bout de poitrine. Elle donne des ragoûts « goûteux », mais un peu gras. Morceaux excellents pour griller sur barbecue.

Le mouton

Servez le mouton dans des assiettes chaudes. Sa graisse fige très vite sur la vaisselle froide, c'est désagréable à voir et difficile à digérer.

Piquez l'ail entre la souris et le manche du gigot. Il sera facile d'éviter de servir une tranche à l'ail aux convives qui n'apprécient pas son parfum.

Mais n'en mettez pas trop dans un gigot ou un rôti destiné à être mangé froid. L'arôme de l'ail prend trop d'importance en séjournant dans la viande.

L'épaule roulée est plus avantageuse et plus tendre, braisée à la cocotte. Mais quand elle n'est pas désossée elle est parfaite, rôtie au four comme le gigot.

Le mouton se mange plutôt saignant : il suffit de 10 à 12 mn de cuisson par livre ou mieux encore d'1/4 d'h pour la première livre et 10 mn pour les autres. Tandis que l'agneau doit être plus cuit, rosé dans toute son épaisseur. Il est recommandé de saisir la viande à feu très vif afin que se forme une croûte qui gardera sucs et sang à l'intérieur du morceau.

Les légumes de haut goût conviennent au mouton : navets, oignons, haricots verts et haricots grains, fenouil, céleri, jardinière de légumes, etc.

Gigot et rôti au four

Très facile / cher / petites et grandes réceptions
Toutes saisons

Pour 6, il faut :
1 gigot de 2 kg ou 1 rôti sans os de 1,500 kg environ.

1. Allumez le four (th. 7-8).

2. Glissez l'ail entre le manche et la souris pour le gigot, ou dans le gras et la chair. Salez, poivrez. Déposez dans un plat à four assez grand. Mettez à four bien chaud.

3. Arrosez avec le jus pendant la cuisson. Laissez dans le four éteint 10 mn.

Aide-mémoire de cuisson			
Gigot Selle	Rôti	10/12 mn par livre	Four bien chaud th. 7-8
Carré (7/8 côtes)	Rôti	15 mn au total	Four bien chaud th. 7-8
Épaule	Rôtie à la cocotte	15/20 mn par livre 20/25 mn par livre	Four chaud th. 6-7 Sur feu moyen
Côtelettes	Poêle Gril	3/4 mn sur chaque face 2/3 mn sur chaque face	Sur feu vif Sur feu vif
Ragoût	Cocotte Autocuiseur	1 h 30 de 30 à 40 mn	Sur feu doux Sur feu doux

Le secret *du gigot ou du rôti chaud à cœur et qui se découpe bien :* Il repose de 15 à 30 mn avant d'être découpé. Ainsi les fibres de la viande ont eu le temps de se détendre.

Adjem Pilaf

Très facile / raisonnable
Printemps-Automne-Hiver

Préparation et cuisson : 1 h 10
Cuisson en autocuiseur : 25 mn

Pour 4, il faut :
1,800 kg de collier de mouton,
20 g de beurre ou de margarine,
2 oignons,
1 gousse d'ail,
250 g de riz,
2 pincées de muscade,
bouquet garni,
sel, poivre.

1. Dans une cocotte, faites bien dorer les morceaux de viande de toute part avec 1 noix de beurre ou de margarine. Ajoutez ensuite les oignons coupés en 4, de l'eau bouillante juste à hauteur de la viande, ail, bouquet garni, muscade râpée, sel, poivre. Couvrez. Laissez mijoter 40 mn (en autocuiseur : 15 mn).

2. Au bout de ce temps, ajoutez le riz dans la cocotte. Le bouillon de cuisson doit recouvrir tout juste la viande. Remettez au besoin un peu d'eau bouillante. Laissez cuire très doucement, hermétiquement couvert, 20 mn supplémentaires (en autocuiseur : 5 ou 6 mn). Retirez le bouquet garni avant de servir.

Bitoks d'agneau

Très facile / raisonnable
Toutes saisons

Préparation et cuisson : 30 mn

Pour 4, il faut :

400 g d'épaule crue hachée,
25 g de beurre ou de margarine,
40 g de pain rassis,
40 g de gruyère râpé,
3 cuil. à soupe de lait,
2 cuil. à soupe de farine,
1 œuf,
sel, poivre.

1. Faites tremper le pain avec le lait, dans une terrine. Malaxez-le avec viande hachée, gruyère râpé, l'œuf entier, sel et poivre.

2. Façonnez 4 boulettes. Aplatissez-les en tassant bien. Farinez-les légèrement.

3. Faites chauffer le beurre ou la margarine dans une grande poêle. Mettez à dorer les bitoks dedans, de 3 à 4 mn, de chaque côté.

Présentez les bitoks avec de la sauce tomate toute préparée ou un assortiment de moutardes.

Comme accompagnement : pâtes, couscous ou pommes chips et salades.

Blanquette d'agneau

Facile / bon marché
Printemps-Automne-Hiver

Préparation et cuisson : 1 h 40
Cuisson en autocuiseur : 45 mn

Pour 4, il faut :

1,200 kg de collier ou de poitrine,
30 g de beurre ou de margarine,
1 cuil. à soupe bombée de farine,
1/4 de litre de vin blanc sec,
1 oignon,
2 clous de girofle,
1 carotte,
1 gousse d'ail,
1 jaune d'œuf,
1/2 citron,
bouquet garni,
persil,
sel, poivre.

1. Plongez la viande 2 mn dans de l'eau en ébullition. Égouttez et mettez-la dans une casserole avec vin blanc, oignon, girofle, carotte, ail, bouquet garni, sel, poivre. Complétez avec de l'eau, à hauteur de la viande. Couvrez. Laissez mijoter 1 h.

2. Sauce : mélangez, sur feu doux, 30 g de beurre ou de margarine et 1 cuil. à soupe bombée de farine. Incorporez 1 bol de bouillon de cuisson de viande. Remuez jusqu'à ébullition. Ajoutez les morceaux de viande égouttés. Laissez mijoter ensemble 15 mn.

3. Mélangez jaune d'œuf, citron. Puis quelques cuillerées de sauce. Reversez le tout dans la blanquette. Mélangez et parsemez de persil avant de servir.

Le secret *du mouton* (ragoût ou blanquette) *qui n'a pas le goût un peu fort de... brebis :* Il a subi une courte cuisson à l'eau bouillante, préalablement à sa cuisson proprement dite. Puis il a été rafraîchi sous le robinet. Autrement dit, il a été « blanchi ».

Carré d'agneau persillade

Facile / cher / petites et grandes réceptions
Printemps-Automne-Hiver

cuisson :
15 mn + 5 mn

Pour 4, il faut :
1 carré d'agneau (fendu à la base de chaque côte),
30 g de beurre ou de margarine,
1 gousse d'ail,
chapelure,
persil,
sel, poivre.

1. Faites d'abord dorer le carré à la poêle, sur feu vif, avec un peu de beurre ou de margarine. Mettez-le ensuite dans un grand plat à feu et à four très chaud (th. 8-9) 15 mn seulement. A mi-cuisson, salez, poivrez et retournez.

2. Hachez ail et persil. Mélangez ce hachis avec de la chapelure, sel et poivre. Étalez-le sur le côté gras de la viande. Tapotez avec une spatule pour faire adhérer. Parsemez de noisettes de beurre. Remettez quelques minutes à four très chaud.

Organisation : *Le carré peut être cuit un peu à l'avance (de 15 à 20 mn) et tenu au chaud dans 2 ou 3 épaisseurs de papier d'aluminium (§ 1). Au dernier moment, il sera enrobé de hachis persillé (§ 2) et remis dans le four chaud 5 mn, ce qui sera suffisant pour le réchauffer.*
Le laps de temps pendant lequel votre four sera vide (mais chaud), vous permettra d'y faire cuire une entrée telle que quiche lorraine, soufflé au fromage, gratin, ou d'y réchauffer un plat tout préparé.

Découpage du carré d'agneau : *Selon les mêmes principes que pour le gigot, tranchez avec un couteau solide. Quand vous atteignez l'os, cherchez avec la base du couteau l'articulation ou la brisure de l'os pratiquée par le boucher.*

Côtelettes d'agneau Champvallon

Très facile / cher
Printemps-Automne-Hiver

Préparation et cuisson : 1 h

Pour 4, il faut :
4 côtelettes découvertes,
30 g de beurre ou de margarine,
1 kg de pommes de terre,
2 gros oignons,
2 gousses d'ail,
1 tablette de bouillon,
1/2 litre d'eau,
bouquet garni,
sel, poivre.

1. Épluchez et coupez en rondelles oignons et pommes de terre.

2. Salez et poivrez les côtelettes. Faites-les dorer à la poêle sur les deux faces avec 30 g de beurre ou de margarine. Retirez-les. A leur place, faites sauter rapidement les pommes de terre et oignons.

3. Mettez la moitié des légumes dans une cocotte basse. Dessus, rangez côtelettes, gousses d'ail, bouquet garni. Couvrez avec le reste des pommes de terre et des oignons. Délayez la tablette de bouillon avec 1/2 litre d'eau chaude. Versez dans la cocotte à mi-hauteur seulement de son contenu. Couvrez. Faites cuire à feu doux de 30 à 40 mn.

Le secret *des « Champvallon » parfaites :* Elles commencent de cuire sur le feu mais sont ensuite mijotées dans le four. La bonne température est « four moyen » (th. 5-6). Le temps de cuisson est un peu plus long.

Côtelettes « minute »

Très facile / cher
Toutes saisons

Préparation et cuisson : 10 mn

Pour 4, il faut :

4 côtelettes d'agneau,
30 g de beurre ou de margarine,
1 citron,
persil,
sel, poivre.

1. Faites cuire les côtelettes à la poêle avec un peu de beurre ou de margarine, sur feu assez vif — ou sur le gril très chaud — 3 mn environ de chaque côté. Salez et poivrez en fin de cuisson.

2. Présentez les côtelettes sur un plat bien chaud avec quartiers de citron et persil.

Garnitures express pour côtelettes « minute » : *Pâtes au beurre, purée, chips et tous légumes en conserve, juste réchauffés : petits pois, haricots verts ou blancs, céleris, fenouils, choux de Bruxelles, purée de marrons, macédoine, salsifis, ratatouille, etc.*

Côtelettes de mouton au genièvre

Facile / cher / petites réceptions
Toutes saisons

Préparation et cuisson : 1 h 30

Pour 4, il faut :
4 ou 8 côtelettes,
50 g de beurre ou de margarine,
1 oignon,
1 carotte,
1 gousse d'ail,
10 baies de genièvre,
1 cuil. à café de tomate concentrée,
1 cuil. à soupe rase de farine,
1 verre à dégustation de genièvre,
1 cuil. à soupe de vinaigre,
2 verres de vin rouge,
bouquet garni,
4 grains de poivre,
sel.

1. Sauce : détachez os et déchets des côtelettes. Faites-les revenir (sans la viande) dans une casserole avec une noix de beurre ou de margarine, oignon et carotte en dés. Lorsque le tout est doré, ajoutez ail, baies de genièvre écrasées, tomate concentrée. Saupoudrez de farine, mélangez. Arrosez de genièvre. Flambez. Ajoutez enfin : vinaigre, vin rouge, sel, grains de poivre, bouquet garni. Couvrez. Laissez mijoter très doucement 1 h environ. Passez la sauce.

2. Au moment du repas, faites cuire les côtelettes à la poêle avec une noix de beurre ou de margarine. Tenez-les au chaud dans le plat de service. Dans la poêle restée sur le feu, versez une cuillerée à soupe de genièvre puis toute la sauce. Laissez bouillir quelques minutes. Hors du feu, incorporez quelques noisettes de beurre et versez sur la viande.

Présentez avec des pommes de terre à l'eau ou des pâtes au beurre.

Dolmas

(Petits choux farcis)

Facile / raisonnable
Automne-Hiver

Préparation et cuisson : 2 h
Cuisson en autocuiseur : 45 mn

Pour 4 ou 6, il faut :

1 kg d'épaule de mouton avec os,
30 g de beurre ou de margarine,
1 chou pommé,
60 g de riz,
1 œuf,
8 gousses d'ail,
50 g d'olives noires,
sel, poivre,
poivre de Cayenne,
1 boîte de sauce tomate.

1. Hachez la viande (gardez les os à part). Ajoutez-y le riz cru, bien lavé. Malaxez le tout avec jaune d'œuf, sel, poivre, pointe de cayenne et noix de beurre.

2. Prenez les plus grandes feuilles du chou. Plongez-les 2 mn dans de l'eau bouillante salée. Otez-en les côtes dures.

3. Dans une grande cocotte, faites légèrement colorer les os avec une noix de beurre ou de margarine.

4. Mettez 1 cuil. de farce et 1 ou 2 gousses d'ail (selon goût) sur chaque feuille de chou. Roulez comme un gros cigare en repliant aux deux extrémités. Ficelez. Rangez-les au fur et à mesure dans la cocotte contenant les os. Recouvrez de sauce tomate et laissez mijoter le tout 1 h 30 (en autocuiseur : 45 mn). Ajoutez les olives noires en fin de cuisson, juste pour les réchauffer.

Épaule braisée farcie aux aromates

Facile / cher / petites réceptions
Toutes saisons

Préparation et cuisson : 1 h 15

Pour 4 ou 6, il faut :

1 épaule de mouton désossée de 1,200 kg,
1 verre de vin blanc sec,
thym,
1 cuil. à soupe d'huile.

Farce :

thym, romarin, origan, basilic (facultatif),
50 g de beurre,
persil haché,
2 gousses d'ail,
1 œuf entier,
sel, poivre.

1. Farce : travaillez à l'aide d'une fourchette le beurre avec hachis de persil et d'ail, œuf, sel, poivre et 1 pincée de chaque aromate : thym, romarin, origan et basilic (facultatif).

2. Tartinez cette farce sur l'intérieur de l'épaule. Roulez-la sur elle-même et repliez les extrémités pour enfermer la farce. Ficelez en longueur d'abord, puis tout autour à 2 cm d'intervalle. Déposez sur la plaque du four garnie de branches de thym. Arrosez d'huile.

3. Mettez à four très chaud (th. 8-9) une dizaine de minutes. Retournez la viande entre-temps. Quand elle est bien colorée, égouttez-la et jetez toute la graisse fondue. Remettez la viande dans le four. Arrosez-la d'un verre de vin blanc sec. Laissez cuire à four moyen (th. 5-6) 45 mn environ. Arrosez souvent.

4. Présentez la viande coupée en tranches, accompagnée de son jus de cuisson.

Variante : *L'épaule ainsi préparée peut être braisée ou rôtie à la broche. Dans ce dernier cas, elle sera badigeonnée avec un pinceau trempé dans du vin blanc pendant la cuisson.*
On peut, pendant la saison, ajouter un peu d'estragon frais à la farce.

Gigot boulangère

Facile / cher / petites réceptions
Printemps-Automne-Hiver

Préparation et cuisson : 1 h 15

Pour 8, il faut :
1 gigot de 2 kg,
50 g de beurre ou de margarine,
250 g d'oignons,
1,500 kg de pommes de terre,
bouquet garni,
sel, poivre.

1. Faites d'abord dorer le gigot de toute part, dans une grande poêle, avec une noix de beurre ou de margarine. Mettez-le ensuite dans le four bien chaud (th. 7-8) pendant 10 mn, sans matière grasse.

2. Faites blondir les oignons en rondelles avec 30 g de beurre ou de margarine, sur feu très doux. Coupez les pommes de terre en rondelles fines.

3. Retirez le gigot du plat à four. Étalez les pommes de terre et les oignons au fond de ce plat. Ajoutez bouquet garni, sel, poivre et de l'eau bouillante jusqu'à hauteur des pommes de terre. Remettez le gigot dessus et réenfournez 35 mn environ.

Irish Stew

Très facile / bon marché
Printemps-Automne-Hiver

Préparation et cuisson : 2 h 15
Cuisson en autocuiseur : 35 mn

Pour 4, il faut :
1,500 kg de collier de mouton coupé en morceaux,
1 kg de pommes de terre farineuses,
250 g d'oignons,
1 ou 2 échalotes,
bouquet garni,
sel, poivre.

1. Mettez la viande dans une cocotte avec juste assez d'eau pour la couvrir, bouquet garni, sel, poivre. Portez à ébullition.

2. Épluchez et coupez les pommes de terre en rondelles. Étalez 1/3 seulement des pommes de terre sur la viande. Puis les oignons, les échalotes et le reste de pommes de terre. Salez et poivrez encore. Couvrez et laissez cuire doucement 2 h environ. Mélangez délicatement de temps à autre (en autocuiseur : 35 mn avec un peu moins d'eau).

Mouton à la Grecque

Facile / raisonnable
Printemps-Automne-Hiver

Préparation et cuisson : 3 h 15
Cuisson en autocuiseur : 1 h

Pour 4, il faut :
800 g d'épaule de mouton en dés,
50 g de beurre ou de margarine,
300 g d'oignons,
200 g de raisins de Corinthe,
150 g de riz,
1 cuil. à soupe de concentré de tomate,
1 cuil. à soupe de paprika,
1 feuille de laurier,
sel, poivre.

1. Laissez gonfler les raisins à l'eau tiède.

2. Faites dorer la viande dans une cocotte, avec une noix de beurre ou de margarine. Salez, poivrez. Déposez-la dans un plat. Remettez une noix de beurre ou de margarine dans la cocotte vide avec les oignons hachés. Laissez blondir doucement.

3. Plongez le riz dans de l'eau en ébullition. Laissez bouillir 3 mn. Égouttez. Passez sous l'eau froide. Égouttez à nouveau.

4. Beurrez un moule à soufflé. Disposez dedans, en alternant : le riz, le mouton mélangé avec concentré de tomate et paprika, raisins bien égouttés, oignons, laurier. Recouvrez le moule de papier d'aluminium. Déposez-le dans un plat à feu ou sur la plaque creuse du four contenant de l'eau (bain-marie). Faites cuire à four chaud (th. 6-7) de 2 h 30 à 3 h. Remettez de l'eau dans le plat à feu en cours de cuisson.

Poitrine de mouton farcie aux épinards

Difficile / bon marché
Toutes saisons

Préparation et cuisson : 1 h 15

Pour 4, il faut :

1 poitrine de mouton désossée,
60 g de beurre ou de margarine,
1 kg d'épinards,
1 œuf,
50 g de pain,
1/2 verre de lait,
1 verre d'eau,
sel, poivre.

1. Épluchez et lavez les épinards. Plongez-les 5 mn dans de l'eau en ébullition. Égouttez-les. Coupez-les grossièrement.

2. Versez le lait chaud sur le pain, dans une grande terrine. Ajoutez-y l'œuf entier, sel, poivre, épinards, 30 g de beurre fondu. Malaxez intimement le tout. Tassez à l'intérieur de la poche de la poitrine. Recousez l'ouverture avec du gros fil.

3. Déposez la viande dans un plat à four. Enduisez-la très légèrement de beurre ou de margarine. Salez, poivrez. Mettez à four moyen (th. 5-6) 45 mn environ. A mi-cuisson, retournez et ajoutez 1 verre d'eau chaude. Découpez avec précaution.

Solution express : *Les épinards surgelés offrent 2 avantages : on les trouve en toutes saisons et ils demandent peu de préparation, il suffit de les cuire comme des épinards frais (§ 1).*

Le secret *du découpage d'une viande farcie :* Elle doit attendre un petit moment, après sa sortie du four, afin d'être suffisamment tiédie. Sans cette précaution, la farce a toutes les chances de se défaire.

Ragoût de mouton

Très facile / raisonnable
Toutes saisons

Préparation et cuisson : 1 h 30
Cuisson en autocuiseur : 40 mn

Pour 4, il faut :

1,200 kg de mouton (poitrine, collier),
50 g de beurre ou de margarine,
4 oignons,
1 gousse d'ail,
1 cuil. à soupe de concentré de tomate,
1 cuil. à soupe rase de farine,
bouquet garni,
sel, poivre.

Dans une cocotte, mettez la viande à dorer de toute part avec 50 g de beurre ou de margarine. Ajoutez les oignons coupés. Saupoudrez de farine. Mélangez sur le feu. Ajoutez de l'eau à hauteur de la viande, tomate concentrée, ail, sel, poivre, bouquet garni. Couvrez et laissez mijoter 1 h 15 environ (en autocuiseur : 40 mn).

Variante : *Vous pouvez enrichir votre ragoût en mettant du vin blanc sec plutôt que de l'eau ou bien moitié eau, moitié vin.*

Organisation : Les légumes de votre choix pourront cuire en même temps que le ragoût.
Ils y seront ajoutés en cours de cuisson :
Navets nouveaux, pois frais : 45 mn avant fin de cuisson.
Pommes de terre, pois surgelés : 30 mn avant fin de cuisson.
Haricots secs préalablement cuits à l'eau : 15 mn avant fin de cuisson.
Pois, haricots en boîte : à la dernière minute.

Sauté d'agneau

Très facile / bon marché
Toutes saisons

Préparation et cuisson : 1 h environ
Cuisson en autocuiseur : 20 à 25 mn

Pour 4, il faut :
1,200 kg d'agneau, (poitrine, collet ou haut de côtelettes),
50 g de beurre ou de margarine,
200 g d'oignons,
1 carotte,
2 gousses d'ail,
1 cuil. à soupe de farine,
1 cuil. à soupe de tomate concentrée,
1/4 de litre de vin blanc sec,
1/4 de litre d'eau,
bouquet garni,
sel, poivre.

1. Dans une cocotte, mettez à dorer les morceaux de viande avec du beurre ou de la margarine. Ajoutez des oignons coupés en 4, 1 carotte en rondelles, l'ail écrasé. Saupoudrez de farine. Mélangez sur feu vif pour laisser roussir le tout.

2. Ajoutez ensuite : vin blanc, eau, tomate concentrée, bouquet garni, sel et poivre. Couvrez. Laissez mijoter sur feu doux 1 h environ (en autocuiseur : 20 à 25 mn).

Variantes : *Garniture de fenouil : plongez les bulbes de fenouil, coupés en deux, 20 mn à l'eau bouillante salée. Ajoutez-les ensuite, bien égouttés, à mi-cuisson du sauté.*
Garniture de riz : lavez-le à grande eau. Égouttez-le puis ajoutez-le à la viande 20 mn avant la fin de sa cuisson. Mettez un peu d'eau en même temps si le jus vous paraît insuffisant. Un peu de curry, comme assaisonnement, sera apprécié.

Le porc

Dans le cochon... tout est bon

Le porc peut être vendu frais, salé, demi-sel ou fumé.

Frais : il est parfois moins cher.

Salé : il cuit plus vite.

Fumé : attention, car il communique son goût de fumé aux aliments cuisinés en sa compagnie.

Le porc de qualité est pâle et nacré, le grain de sa chair est fin et serré. Son lard est très blanc et ferme. A l'exception toutefois de l'échine et des tranches de grillade nettement plus rouges et plus molles.

Les grillades (dessus de carré) sont sans déchets. La palette comporte 12 % d'os environ ; le filet, l'échine, le carré (côtes 1res et basses côtes) ont de 18 à 20 % d'os.

Un rôti long et étroit est plus avantageux, les tranches sont plus petites et régulières, et plus faciles à découper.

Préparez :

Le morceau qui convient			
Pour	Quantités par personne		
	Sans os	Avec os	
Un rôti	175 g	250 g	Carré avec filet : d'une belle présentation avec ses manches de côtelettes. Pointe de filet (plus avantageux et plus « goûteux » ; froid se découpe mieux que chaud). Palette : tendre et assez maigre. Échine : moelleuse, économique.
La poêle	150 g 150 g	200 g	Carré (côtes 1res) : assez maigre. Basses côtes : plus moelleuses. Échine : très savoureuse, un peu grasse. Grillades (dessus de carré, travers ou échine).
Un ragoût	200 g	300 g	Poitrine fraîche (gras). Échine.
Une potée		300 g	Palette, plat de côtes, échine, jarret, petit salé.

Le saviez-vous ?

Barde : fine tranche de lard gras.

Barder : envelopper avec une barde suffisamment large, rôti ou volaille ayant tendance à dessécher à la cuisson.

Blanchir : courte cuisson d'un aliment plongé dans l'eau froide pour le raffermir, le dessaler, atténuer son goût de fumé ou pour lui ôter de l'âcreté.

Couenne : peau du porc, assez épaisse. Elle est utilisée pour garnir le fond de la cocotte où braiser de la viande, ou pour protéger le fond d'un pâté. Elle produit de la gelée, au bout d'un certain temps de cuisson.

Lard : le lard gras est la graisse blanche du porc située entre la couenne et la chair, le long de l'échine ;
le lard maigre, ou lard de poitrine, comporte des couches de chair intercalées entre le gras.

Larder : piquer des bâtonnets de lard dans un morceau de viande assez sec (exemple : rôti de porc ou de veau, daube, bœuf mode), de préférence dans le sens des fibres.

Servez-le avec : *Des pâtes, du riz, des pommes de terre en purée, en croquettes, en beignets, au four, à la cocotte.*
Des aubergines, blettes, cardons, céleri-rave, choux verts, choux de Bruxelles, choux-fleurs, choucroute, crosnes, endives, épinards, fenouil, fèves fraîches, haricots verts ou écossés, lentilles, marrons, navets, pois frais, pois cassés, salsifis, topinambours...
Et aussi avec des ananas, des bananes, des pommes-fruits et des pruneaux.

Backenhofen

Très facile / raisonnable
Automne-Hiver

Préparation et cuisson : 3 h
Marinade : la veille
Cuisson en autocuiseur : 1 h

Pour 6 ou 8, il faut :

500 g de bœuf à braiser,
500 g d'épaule de mouton désossée
1 kg de porc (collet ou échine),
1.500 kg de pommes de terre,
sel, poivre.

Marinade :

2 gros oignons,
le blanc de 3 poireaux,
1/2 céleri-rave,
1 carotte,
6 gousses d'ail,
bouquet garni,
3 clous de girofle,
1/2 bouteille de vin blanc sec.

1. La veille, marinage : préparez les légumes de la marinade. Hachez-les grossièrement. Étalez ce hachis dans un grand saladier ainsi que bouquet garni et clous de girofle. Déposez les viandes dessus. Arrosez avec le vin. Couvrez d'une feuille d'aluminium et gardez dans le réfrigérateur jusqu'au lendemain.

2. Le jour même : pelez les pommes de terre et coupez-les en rondelles régulières.

3. Dans la cocotte, étalez par couches : un quart des pommes de terre, la viande de bœuf, un autre quart de pommes de terre, le mouton, un quart des pommes de terre, le porc et le reste des pommes de terre.

4. Couvrez tout juste avec la marinade, ses légumes et aromates, sel et poivre.

5. Portez à ébullition. Puis couvrez et mettez la cocotte dans le four moyen (th. 5/6) de 2 h 30 à 3 h (en autocuiseur : 1 h environ ; diminuez la quantité de liquide).

Le secret *pour obtenir une sauce un peu liée :* farinez très légèrement la viande avant de la déposer dans la cocotte.

Carré de porc braisé à l'orange

Facile / raisonnable / petites réceptions
Toutes saisons

Préparation et cuisson : 2 h

Pour 4, il faut :
1,500 kg de carré non désossé,
30 g de beurre ou de margarine,
2 os de porc,
1 oignon,
1 carotte,
concentré de tomate,
2 gousses d'ail,
1 verre de vin blanc sec,
4 oranges,
liqueur d'orange,
bouquet garni,
sel, poivre.

1. Dans une très grande cocotte, faites dorer de toute part le carré non désossé avec 30 g de beurre ou de margarine. Ajoutez-y oignon et carotte en rondelles, 1 cuil. à café de concentré de tomate, ail, vin blanc, bouquet garni, sel, poivre. Couvrez. Laissez mijoter sur feu doux, de 1 h à 1 h 15.

2. Pelez le zeste (peau colorée) de 2 oranges avec un couteau économe. Coupez-les en fins bâtonnets. Plongez-les 3 mn dans de l'eau en ébullition. Égouttez-les et faites-les bouillir quelques minutes dans le jus des 2 oranges.

3. Retirez la viande de la cocotte. Tenez-la au chaud. Passez la sauce. Remettez-la 5 mn sur le feu avec les zestes et 1 petit verre de liqueur d'orange.

4. Pelez les 2 autres oranges à vif (jusqu'à la pulpe juteuse). Coupez-les en rondelles. Présentez le carré entouré de rondelles d'oranges et arrosé de sauce.

Le saviez-vous ? *Quelques minutes d'ébullition suffisent pour débarrasser le zeste d'orange d'une certaine amertume, peu agréable. Et lorsqu'on le remet à bouillir ensuite dans du jus d'orange, sa saveur naturelle s'en trouve renforcée. Ne négligez donc pas ces deux détails.*

Choucroute

Facile / cher
Automne-Hiver

Préparation et cuisson : 2 h 30

Pour 6 ou 8, il faut :

2,500 kg de choucroute crue,
100 g de saindoux,
500 g d'épaule fumée,
1 palette fumée,
300 g de couennes,
500 g de lard fumé,
1 pied de veau,
12 saucisses de Francfort ou de Strasbourg,
1 saucisson à l'ail,
1 carotte,
1 oignon,
1 clou de girofle,
1/2 litre de vin blanc sec,
500 g de pommes de terre,
20 baies de genièvre,
bouquet garni,
sel, 20 grains de poivre.

1. Mettez la choucroute crue dans une grande bassine pour la rincer à grande eau. Si la choucroute est vieille, laissez-la tremper quelques heures. Renouvelez l'eau. Puis pressez-la fortement, et « désenchevêtrez-la ».

2. Mettez lard, pied de veau fendu et couennes dans une casserole d'eau. Portez à ébullition et égouttez.

3. Étalez la couenne au fond d'un grand fait-tout, la moitié de la choucroute, lard, épaule, palette, pied de veau, saucisson, saucisses, oignon, girofle, carotte, baies de genièvre, bouquet garni, sel, poivre, saindoux, reste de choucroute. Ajoutez vin et eau à hauteur. Couvrez hermétiquement et laissez mijoter 2 h.

4. Au bout d'1/2 heure, retirez saucisson et saucisses. Puis au bout de 1 h 30 : épaule, palette et lard. Ajoutez les pommes de terre épluchées. Laissez cuire ensemble 1/2 h. Ajoutez saucisses, saucisson et viandes pour les réchauffer.

Les secrets *d'une bonne choucroute :* Mettez la garniture (lard, épaule, palette, saucisses, saucisson) dès le début pour parfumer la choucroute, mais le temps de sa cuisson étant moins long, n'oubliez pas de la retirer au moment indiqué (§ 4).

A la fin de la cuisson, le liquide (vin blanc et eau) doit être évaporé en grande partie.

Côtes de porc à l'étouffée

Facile / bon marché
Automne-Hiver

Préparation et cuisson : 1 h
Cuisson en autocuiseur : 15 mn

Pour 4, il faut :
4 côtes de porc,
50 g de beurre ou de margarine,
8 pommes de terre,
8 gousses d'ail,
thym, sel, poivre.

Faites chauffer 50 g de beurre ou de margarine dans une cocotte. Au fond, disposez des demi-pommes de terre avec sur chacune : 1/2 gousse d'ail et du thym. Recouvrez avec les côtes. Salez, poivrez. Couvrez et laissez cuire à feu très doux, 50 mn (en autocuiseur : 15 mn).

Truc : *Mettez quelques petits morceaux de couenne ou de barde de lard au fond de la cocotte avant d'y déposer les pommes de terre. C'est une assurance de ne pas attacher.*

Côtes de porc panées

Facile / bon marché
Toutes saisons

Préparation et cuisson : 40 mn

Pour 4, il faut :
4 côtes de porc,
2 cuil. à soupe de farine,
1 œuf,
4 cuil. à soupe de chapelure,
50 g de beurre ou de margarine,
2 cuil. à soupe de vinaigre,
sel, poivre.

1. Passez les côtes successivement dans la farine, l'œuf battu salé et poivré et la chapelure. Tapotez avec le plat d'un couteau pour faire adhérer.

2. Faites chauffer 50 g de beurre ou de margarine dans une grande poêle. Déposez les côtes panées dedans et laissez cuire, sur feu moyen, de 8 à 10 mn sur chaque face. Mettez dans un plat.

3. Reportez la poêle sur le feu avec 2 cuil. à soupe de vinaigre. Faites bouillir 1 à 2 mn en mélangeant avec une cuiller en bois. Versez sur la viande. Servez aussitôt.

Côtes de porc en saupiquet

Facile / raisonnable
Toutes saisons

Préparation et cuisson : 35 mn

Pour 4, il faut :
4 côtes de porc,
30 g de beurre ou de margarine,
2 oignons,
6 cuil. à soupe de vinaigre,
3 cornichons,
1 cuil. à soupe de moutarde forte,
thym, laurier,
sel, poivre.

1. Faites dorer les côtes des 2 côtés, sur feu vif, avec 30 g de beurre ou de margarine. Retirez-les de la poêle.

2. A la place, mettez 2 oignons hachés, sur feu moyen. Quand ils sont dorés, arrosez-les avec tout le vinaigre. Laissez bouillir 1 ou 2 mn, sur feu vif. Ajoutez ensuite 1/2 bol d'eau, sel, poivre, 1/2 feuille de laurier, thym effeuillé. Remettez la viande. Couvrez et laissez mijoter doucement 30 mn.

3. Coupez les cornichons en rondelles. Ajoutez-les dans la poêle en fin de cuisson. Tartinez les côtes de moutarde. Retournez-les aussitôt. Tartinez le second côté. Retournez encore, pour que la moutarde se délaie dans le jus tout en le liant. Servez aussitôt sans laisser cuire davantage.

Le secret *d'une sauce au vinaigre sans acidité :* Laissez-la bouillir fortement, sans couvrir, après y avoir ajouté le vinaigre, 2 mn suffisent pour que l'acidité excessive du vinaigre disparaisse, en même temps que s'élimine l'alcool. Il n'en reste que l'arôme, mi-acide, mi-doux que l'on recherche pour certaines préparations un peu relevées.

Farci saintongeais

Facile / bon marché
Printemps-Automne-Hiver

Préparation et cuisson : 2 h

Pour 6, il faut :
250 g de porc haché,
30 g de beurre,
250 g de pain,
1 verre 1/2 de lait,
400 g de chou,
250 g d'épinards,
laitue, 60 g d'oseille,
1 oignon, 4 œufs,
fines herbes,
sel, poivre.

1. Faites tremper le pain dans le lait tiède. Faites dorer l'oignon haché avec une noix de beurre ou de margarine.

2. Hachez sur la planche, avec un grand couteau : clou, épinards, quelques feuilles de laitue, oseille, fines herbes. Mélangez avec la mie de pain pressée, le hachis de porc, l'oignon haché et doré, les œufs, sel et poivre. Travaillez le tout énergiquement.

3. Beurrez un plat à gratin. Versez la préparation dedans. Faites cuire à four chaud (th. 6-7) 1 bonne heure.

Goulasch de porc

Facile / raisonnable
Automne-Hiver

Préparation et cuisson : 1 h 30
Cuisson en autocuiseur : 25 mn

Pour 4, il faut :
1,200 kg d'échine en dés,
50 g de beurre ou de margarine,

1. Faites dorer les oignons hachés avec 50 g de beurre ou de margarine, en compagnie des morceaux de viande. Puis ajoutez : 1 ou 2 cuil. à café de paprika, dés de tomates épluchées et épépinées, concentré de tomate, ail haché, sel, poivre, bouquet garni, 1/2 bol d'eau. Couvrez et laissez mijoter 40 mn (en autocuiseur : 12 ou 15 mn — 1/4 de bol d'eau suffit).

4 oignons hachés,
4 tomates,
800 g de pommes de terre,
1 cuil. à soupe de concentré de tomate,
paprika,
1 gousse d'ail,
bouquet garni,
sel, poivre.

2. Épluchez et coupez les pommes de terre en 4. Joignez-les à la viande. laissez cuire 30 mn supplémentaires (en autocuiseur : 10 mn).

Le secret *du goulasch bien fondu :* Il cuit lentement dans le four doux (th. 4-5) dans une cocotte en fonte très épaisse. Ce n'est pas une fantaisie de cordon-bleu d'un autre âge, mais un raffinement dont vous apprécierez la valeur.

Grillades farcies

Facile / raisonnable
Toutes saisons

45 mn

Pour 4, il faut :
4 grillades,
40 g de beurre ou de margarine,
200 g de mie de pain,
1 cœur de céleri-branches,
3 cuil. à soupe de lait,
farine,
sel, poivre.

1. Hachez très finement du céleri pour en obtenir 2 cuil. à soupe. Malaxez-le dans un bol avec de la mie de pain passée à la moulinette (ou de la chapelure), 3 cuil. à soupe de lait, sel, poivre et 1 grosse noix de beurre ou de margarine.

2. Déposez de la farce sur une moitié de chaque grillade. Refermez et maintenez avec des bâtonnets. Salez, poivrez et passez dans la farine.

3. Faites dorer à la poêle des deux côtés, avec 20 g de beurre ou de margarine. Disposez dans un plat à gratin. Couvrez avec une feuille d'aluminium. Glissez dans le four moyen (th. 5-6) 20 mn.

Grillades Lyonnaise

Facile / bon marché
Toutes saisons

Préparation et cuisson : 20 mn

Pour 4, il faut :
4 minces grillades,
30 g de beurre ou de margarine,
2 oignons,
farine,
1 cuil. à café de tomate concentrée,
persil,
sel, poivre.

1. Faites dorer les grillades dans une grande poêle avec 30 g de beurre ou de margarine, sur feu vif, 5 mn de chaque côté. Puis retirez-les et tenez-les au chaud entre deux assiettes posées sur une casserole d'eau bouillante.

2. Mettez les oignons hachés dans la poêle restée sur le feu. Laissez blondir sur feu moyen. Saupoudrez d'1 cuil. à soupe rase de farine. Mélangez. Ajoutez 1 verre d'eau bouillante, tomate concentrée, sel, poivre. Laissez bouillir quelques minutes sur feu vif sans couvrir.

3. Versez cette sauce sur les grillades parsemées de persil haché. Présentez avec des spaghetti ou des pommes de terre à l'eau.

Jambon braisé au madère

Difficile / cher / grandes réceptions
Toutes saisons

Quelques jours avant la réception, commandez au charcutier un jambon « façon Prague ». Demandez-lui de le cuire aux 3/4 seulement et de vous le livrer débarrassé de sa couenne et d'une partie de sa graisse 1 h ou 2 avant le repas. Faites braiser 1/2 h pour terminer sa cuisson.

Préparation et cuisson : 1 h 40

Pour 8 ou 10, il faut :

1 jambon de 3,500 kg,
50 g de beurre ou de margarine,
2 kg d'os de veau cassés,
2 oignons,
2 carottes,
2 échalotes,
2 gousses d'ail,
1 cuil. à soupe de tomate concentrée,
300 g de champignons,
1/2 bouteille de madère,
1/2 bouteille de vin blanc sec,
farine,
bouquet garni,
sel, poivre.

1. Dans une très grande cocotte, faites revenir les os de veau et un hachis d'oignons, de carottes, d'échalotes et 1/3 des champignons avec 50 g de beurre ou de margarine. Saupoudrez d'1 cuil. à soupe de farine. Mélangez. Ajoutez madère et vin blanc, ail écrasé, bouquet garni, poivre, très peu de sel. Portez à ébullition quelques minutes, sans couvrir. Puis déposez le jambon dans la cocotte. Couvrez hermétiquement. Laissez mijoter 1/2 h. Retournez pendant la cuisson.

2. Égouttez le jambon et tenez-le au chaud dans le four doux, enveloppé d'une feuille d'aluminium. Faites bouillir la sauce quelques minutes, à découvert, sur feu vif pour la laisser épaissir légèrement.

3. Coupez le reste des champignons en lamelles. Ajoutez-les dans la sauce préalablement passée. Laissez cuire quelques minutes, pendant que vous découperez le jambon. Présentez les tranches sur un grand plat chaud, accompagnées de barquettes d'épinards et d'une saucière de sauce au madère.

Jambon Florentine

Facile / raisonnable / petites réceptions
Toutes saisons

Préparation et cuisson : 45 mn

Pour 4, il faut :
4 tranches épaisses de jambon cuit,
1 verre de porto,
30 g de beurre ou de margarine,
1,500 kg d'épinards,
3 cuil. à soupe de crème fraîche,
fécule,
sel, poivre.

1. Mettez de l'eau salée à bouillir dans une marmite. Épluchez et lavez les épinards avec soin. Plongez-les dans l'eau en ébullition 5 mn. Égouttez-les en les pressant fortement avec une écumoire pour en exprimer l'eau. Puis coupez-les grossièrement.

2. Déposez le jambon dans un plat à feu. Arrosez de porto. Couvrez d'un couvercle ou d'une feuille d'aluminium et faites réchauffer à four très doux (th. 2-3) 25 mn environ.

3. Pendant ce temps, faites chauffer 30 g de beurre ou de margarine dans une cocotte. Mettez les épinards dedans. Remuez-les avec une cuiller en bois, sur feu vif, 2 ou 3 mn, pour les dessécher. Ajoutez ensuite 2 cuil. à soupe de crème fraîche, sel, poivre. Couvrez et laissez mijoter très doucement 15 mn.

4. Étalez les épinards dans un grand plat. Posez les tranches de jambon égouttées dessus.

5. Délayez 1 cuil. à soupe de crème fraîche avec 1/2 cuil. à café de fécule. Incorporez au jus du jambon resté sur feu doux. Faites bouillir un instant et versez sur le jambon. Servez aussitôt.

Solution express : *Les épinards surgelés, prêts à cuire, vous permettront de préparer ce plat en 30 mn seulement.*

Paupiettes au fenouil

Facile / raisonnable / petites réceptions

Préparation et cuisson : 1 h 30
Cuisson en autocuiseur : 25 mn

Pour 4, il faut :
4 grillades minces,
40 g de beurre ou de margarine,
1 bulbe de fenouil,
1 tomate,
tomate concentrée,
1 oignon,
1 gousse d'ail,
8 lamelles de gruyère,
farine,
1/3 de verre de vin blanc sec,
1 carotte,
1 verre d'eau,
bouquet garni,
sel, poivre.

ficelle fine de cuisine.

1. Déposez sur chaque grillade : 1 lamelle de gruyère, 1 rondelle de fenouil épaisse d'un centimètre, 1 lamelle de gruyère, sel, poivre. Roulez en paupiettes et ficelez en croix.

2. Faites dorer ces paupiettes à la cocotte avec 40 g de beurre ou de margarine. Ajoutez oignon, carotte en rondelles, ail haché, 1 cuil. à café rase de farine, la tomate épluchée en morceaux, 1 cuil. à soupe rase de tomate concentrée, bouquet garni, sel, poivre, vin blanc et eau. Couvrez. Laissez mijoter 1 h 10 sur feu doux, ou à four doux (th. 4-5) (en autocuiseur : 25 mn — moitié de liquide seulement).

Présentez avec des lasagnes au beurre ou des pommes vapeur.

Variante : *Peut-être trouverez-vous plus facile de préparer 2 très grandes grillades en paupiettes et de les couper par moitié au moment de servir.*

Le secret *de l'onctuosité d'un jus de viande mijoté :* Un morceau de couenne, préalablement blanchie à l'eau bouillante, est mis au fond de la cocotte sous la viande pour communiquer, au fur et à mesure de la lente cuisson, un velouté incomparable.

Porc farci aux pruneaux Suédoise

Facile / raisonnable
Toutes saisons

Préparation et cuisson : 1 h 30

Pour 4, il faut :
1 rôti de 1 kg,
50 g de beurre ou de margarine,
1 quinzaine de pruneaux,
1 kg de pommes-fruits,
sel, poivre.

1. Dénoyautez les pruneaux. Glissez-les à l'intérieur du rôti.

2. Faites-le dorer de toute part, dans une poêle, sur feu vif, avec 30 g de beurre.

3. Transvasez-le ensuite dans un plat à feu. Salez et poivrez. Mettez à four chaud (th. 6-7). Au bout de 10 mn, versez un verre d'eau bouillante dans le plat, à côté de la viande. Puis arrosez de temps en temps.

4. Épluchez les pommes en les laissant entières. Retirez le cœur avec un vide-pomme pour glisser à la place 1 ou 2 pruneaux et une noisette de beurre. Disposez-les autour du rôti et laissez cuire 30 mn supplémentaires. La cuisson du rôti doit durer, en tout, une bonne heure.

Note : *Demandez au boucher de transpercer le rôti, ou faites-le vous-même à l'aide d'un fusil à aiguiser ou d'un manche de cuiller en bois.*

Porc laqué

Facile / raisonnable / petites réceptions
Toutes saisons

Préparation et cuisson : 2 h 15 + attente : 2 h

Pour 8, il faut :

2,500 kg d'échine ou de basses-côtes avec os et couenne,
30 g de beurre ou de margarine,
5 épices,
soja,
sucre,
miel liquide,
sel.

1. Frottez la viande avec 4 cuil. à soupe de soja, 2 cuil. à soupe de 5 épices et un peu de sel. Déposez-la, du côté couenne, dans un plat allant au four. Laissez macérer 1 ou 2 h.

2. Faites d'abord dorer la viande à la poêle, avec 30 g de beurre ou de margarine. Remettez-la dans le plat à four, sur le côté couenne. Arrosez avec 1 verre d'eau. Laissez cuire à four moyen (th. 5-6) 30 mn.

3. Retournez la viande (couenne dessus) en la piquant profondément en maints endroits avec un couteau pointu. Mélangez sucre, miel et eau (3 cuil. à soupe de chaque). Badigeonnez-en abondamment la viande, tous les quarts d'heure, ainsi qu'avec le jus de cuisson. Laissez cuire environ 2 h en tout (four moyen, puis doux). Servez avec sauce et riz nature.

Le secret *de la laque de porc laqué :* C'est la qualité du badigeon très sucré... et du badigeonnage qu'il faut effectuer très régulièrement et souvent. Le résultat vaut l'effort de persévérance !

Potées campagnardes

Faciles / raisonnables
Automne-Hiver

Le porc, s'il est très salé, sera préalablement mis à dessaler plusieurs heures à l'eau froide. Au besoin, renouvelez-la pour activer le dessalage.

Cuisson : 2 h 30 environ
Cuisson en autocuiseur : 1 h

Limousine

Pour 6 ou 8 :

500 g de petit salé, 200 g lard maigre, 4 saucisses chipolatas, 1 chou, 250 g de carottes, 800 g de pommes de terre, 250 g de navets, 250 g de poireaux, 2 gousses d'ail, bouquet garni, poivre.

Mettez le chou, en quatre, dans l'eau bouillante, 10 mn. Égouttez. Dans un pot-au-feu d'eau bouillante, jetez petit salé (non dessalé), lard et légumes. Pas de sel.

Laissez cuire 2 h (en autocuiseur : 45 mn). Ajoutez ensuite les pommes de terre. Laissez cuire encore 30 mn (en autocuiseur : 10 mn).

Faites rissoler les saucisses chipolatas à part. Servez avec la potée.

Alsacienne

Pour 6 ou 8 :

Jambonneau ou palette fumé, saucisson à l'ail, mêmes légumes que pour la potée limousine.

Même préparation, mais ajoutez le saucisson avec les pommes de terre.

Lorraine **Pour 6 ou 8, il faut :** 500 g d'épaule fumée, 200 g de lard maigre, 1 saucisson à cuire, 4 carottes, 2 navets, 1 chou, 4 poireaux, 100 g de haricots secs, 125 g de mange-tout, 1 gousse d'ail, 2 oignons, 6 pommes de terre, 3 clous de girofle, laurier, thym, persil, cerfeuil, 1 branche de céleri, sel, poivre.	Dans une marmite : carottes, navets, poireaux, 1 oignon en rondelles, 1 oignon piqué de clous de girofle, ail, laurier, persil, cerfeuil, céleri, thym et l'épaule. Couvrez d'eau. Laissez mijoter 1 h. Ajoutez ensuite : lard, chou effeuillé, mange-tout, haricots secs préalablement blanchis 10 mn à l'eau non salée. Mijoter 1 h supplémentaire. Joignez-y enfin, saucisson et pommes de terre. Salez et poivrez au besoin. Prolongez la cuisson de 30 mn.
Champenoise **Pour 6 ou 8, il faut :** 500 g de lard, 500 g de carré demi-sel, 6 ou 8 saucisses, 250 g de jambon fumé, 3 carottes, 3 navets, 1 chou-pomme, 500 g de pommes de terre, sel, poivre.	Cuisez porc et lard (préalablement dessalés) avec 4 litres d'eau. Laissez bouillir doucement 30 mn. Ajoutez carottes, navets et chou. Cuire doucement 1 h 30. Salez légèrement. Puis mettez : pommes de terre, saucisses et jambon fumé. Prolongez la cuisson de 30 mn. Présentez le bouillon en soupière sur des tranches de pain de campagne : viandes et légumes à part.

Petit salé au lentilles

Pour 6 ou 8 :

800 g de porc demi-sel (échine ou palette),
250 g de lentilles,
1 carotte, 1 oignon,
1 gousse d'ail,
1 clou de girofle,
bouquet garni,
sel, poivre.

Faites bouillir les lentilles 5 mn à l'eau non salée avant de les joindre au porc avec carotte, oignon, girofle, ail et bouquet garni. Couvrez d'eau. Laissez cuire 1 h 30. A mi-cuisson seulement, poivrez. Ne salez que si nécessaire.

Rôti de porc aux aromates

Facile / raisonnable
Toutes saisons

Préparation et cuisson : 1 h 45 + marinade : 12 h

Pour 4, il faut :

1 kg de porc,
25 g de beurre ou de margarine,
12 feuilles de sauge,
sel, poivre.

Marinade :

1 oignon,
4 clous de girofle,
1 cuil. à soupe d'huile,
thym, laurier,
1 verre de vin blanc,
poivre.

1. La veille, mettez la viande à mariner avec l'oignon en rondelles et tous les éléments de la marinade. Retournez de temps en temps.

2. Cuisson : égouttez la viande. Avec le doigt, glissez les feuilles de sauge à l'intérieur du rôti. faites cuire à four moyen (th. 5-6) avec 25 g de beurre ou de margarine, sel, poivre. Au bout de 45 mn environ, retournez la viande. A plusieurs reprises, arrosez avec quelques cuillerées de marinade passée. Laissez cuire encore 45 mn. Aux 3/4 de la cuisson, protégez le dessus du rôti avec une feuille d'aluminium pour l'empêcher de dessécher.
Servez le rôti accompagné de pommes de terre à l'eau, en gratin, avec des pâtes ou des légumes verts de saison.

Rôti de porc boulangère

Facile / raisonnable
Automne-Hiver

Préparation et cuisson : 2 h 30
Cuisson en autocuiseur : 45 mn + à mariner : 12 h

Pour 4, il faut :
1 rôti de 1 kg,
25 g de beurre ou de margarine,
1 kg de pommes de terre,
3 oignons,
2 clous de girofle,
thym, laurier,
sel, poivre.

Marinade :
1 oignon,
4 clous de girofle,
1 cuil. à soupe d'huile,
thym, laurier,
1 verre de vin blanc,
poivre.

1. La veille, faites mariner le rôti (comme dans la recette « rôti de porc aux aromates »).

2. Épluchez et coupez en fines rondelles pommes de terre et oignons. Beurrez généreusement une cocotte assez grande. Au fond, mettez la moitié des pommes de terre et des oignons. Salez légèrement. Déposez le rôti dessus. Recouvrez entièrement avec le reste des pommes de terre et des oignons. Salez et poivrez. Ajoutez 1 brin de thym, 1/2 feuille de laurier et clous de girofle.

3. Versez la marinade passée dans la cocotte. Parsemez de noisettes de beurre ou de margarine. Couvrez la cocotte et laissez mijoter 2 h sur feu doux ou, dans le four moyen (th. 5-6) (en autocuiseur : 45 mn).

Pratique : *Pour éviter que les pommes de terre n'attachent au fond, glissez un diffuseur, en amiante ou en métal, entre la source de chaleur et la cocotte. C'est très efficace contre les accidents de cuisson, toujours possibles avec les plats longuement mijotés que l'on se fatigue de surveiller !*

Rôti de porc braisé

Facile / raisonnable
Toutes saisons

Préparation et cuisson : 1 h 30
Cuisson en autocuiseur : 40 mn

Pour 4, il faut :
1 kg de porc,
30 g de beurre ou de margarine,
2 oignons,
2 cuil. à soupe de vin blanc sec,
bouquet garni,
sel, poivre.

1. Faites chauffer 30 g de beurre ou de margarine dans une cocotte. Mettez le rôti à dorer dedans, sur feu assez vif.

2. Ajoutez les oignons coupés en 4 pour qu'ils dorent à leur tour. Versez ensuite 2 cuil. à soupe de vin blanc sec et autant d'eau bouillante. Mettez le bouquet garni, sel, poivre. Couvrez et laissez cuire doucement de 1 h 15 à 1 h 30 (en autocuiseur : 40 mn). Retournez la viande plusieurs fois.

Le secret *du rôti de porc moelleux et rosé du charcutier :* Faites bien dorer le rôti partout avec du beurre ou de la margarine. Ajoutez ensuite oignons, girofle, carotte, ail, bouquet garni, eau chaude à hauteur de la viande. Couvrez. Laissez cuire le temps voulu. Attendez qu'il soit tout à fait refroidi pour l'égoutter et le découper.

Rôti de porc au four

Facile / raisonnable
Toutes saisons

Préparation et cuisson : 1 h 30

1. Déposez le rôti dans un plat à feu. Salez, poivrez. Parsemez d'1 ou 2 noisettes de beurre ou de margarine. Faites cuire à four moyen (th. 5-6) 15 mn.

Pour 4, il faut :

1 kg de porc,
1 noix de beurre ou de margarine,
sel, poivre.

2. Ajoutez alors 1 verre d'eau bouillante. Laissez cuire 1 h supplémentaire. Arrosez pendant la cuisson.

Laissez 10 ou 15 mn dans le four chaud, mais éteint, avant de découper.

Raffinement : *Les amateurs de saveurs fortes aimeront certainement le rôti de porc piqué de gousses d'ail, comme le gigot. Les autres le préféreront aromatisé de thym, de sauge ou de romarin dont les brindilles seront glissées, à intervalles réguliers, sous la ficelle du rôti.*

Truc : *Si le rôti est destiné à être consommé froid, enveloppez-le, encore très chaud, au sortir du four, dans du papier d'aluminium. Ainsi il restera très moelleux.*

Turban de porc haché

Facile / bon marché
Automne-Hiver

Préparation et cuisson : 1 h 20

Pour 4, il faut :

750 g de chair à saucisse,
30 g de beurre ou de margarine,
1 gros oignon,
2 gousses d'ail,
50 g de mie de pain,
sel, poivre.

Sauce tomate en boîte.

1. Faites dorer un oignon haché, dans une petite casserole, avec une noix de beurre ou de margarine. Mettez-le dans une terrine avec chair à saucisse, mie de pain écrasée, 1/2 cuil. à café de sel, poivre, ail haché, œuf battu. Pétrissez le tout.

2. Beurrez un moule en couronne (diamètre 18 cm). Tassez la préparation dedans. Faites cuire au bain-marie, à four moyen (th. 5-6) 1 h.

3. Démoulez sur un plat chaud. Nappez de sauce tomate. Entourez de purée, de pâtes ou de légumes verts braisés.

Le veau

Vous reconnaîtrez le veau de 1re qualité :

— à sa chair d'un rose très pâle, légèrement nacrée ;
— à sa graisse abondante, ferme et blanche ;
— à la finesse du grain de sa chair ;
— au jus qu'elle rend en abondance pendant la cuisson.

La viande de veau est classée en 3 catégories

Cela ne veut pas dire que les morceaux de 3e catégorie sont de moins bonne qualité que ceux de la 1re catégorie. Ils demandent une préparation différente. C'est tout.

Par exemple :
— les morceaux de 1re et 2e catégories : à rôtir, à braiser et à sauter à la poêle ;
— les morceaux osseux de 3e catégorie : en ragoûts, blanquettes, osso buco, etc.

Le veau

Pour	Choisissez	Caractéristiques
Escalopes, paupiettes et rôtis	Noix .... Sous-noix .... ou noix pâtissière	Tendre et maigre. Un peu plus sec parfois. Belles tranches.
	Quasi ou culotte.	Tendre et moelleux.
Rôtis, braisés et rognonnade.	Longe ou filet.	Très moelleux. Cher.
	Épaule.	Plus ou moins sec selon emplacement.
	Roulé .... ou bas de carré	Assez économique. Maigre.
Côtelettes (poêle et gril)	Carré côtes filet .... côtes premières .... côtes secondes	Très moelleux. Assez sec. Plus moelleux.
Sautés, braisés,	Épaule.	Raisonnable.
Blanquettes, fricassées, ragoûts.	Poitrine .... Tendron .... Flanchet	Économique. Morceaux avec os, moelleux et goûteux.
Pot-au-feu, blanquettes, fricassées, braisés.	Jarret entier ou en rondelles.	Avantageux, viande moelleuse et gélatineuse.

Temps de cuisson (toujours approximatifs)		
		Autocuiseur
Escalopes	4 à 5 mn sur chaque face	
Côtes		
Rôtis : cocotte	1 h 15 par kg	25 mn par kg
Rôtis four chaud		
Rôtis broche	1 h par kg	
Paupiettes	45 mn	15 mn
Sautés, ragoûts	1 h 45	40 mn
Blanquette	1 h 15	20 à 25 mn

Côtes de veau savoyarde

Facile / raisonnable / petites réceptions
Toutes saisons

Préparation et cuisson : 25 mn

Pour 4, il faut :
4 côtes de veau épaisses,
40 g de beurre ou de margarine,
4 tranches de bacon,
4 lamelles de gruyère,
1 citron,
sel, poivre.

1. Demandez au boucher de fendre les côtes de veau dans l'épaisseur, jusqu'à l'os. Glissez à l'intérieur : 1 tranche de bacon, 1 lamelle de gruyère, poivre. Refermez et pressez avec la lame d'un couteau.

2. Dans une poêle, faites chauffer 30 g de beurre ou de margarine. Mettez les côtes à dorer dedans, 5 mn de chaque côté. Salez, poivrez. Couvrez et laissez mijoter 5 mn.

3. Quand les côtes sont cuites, rangez-les dans un plat à gratin. Parsemez-les de gruyère râpé et de noisettes de beurre ou de margarine. Mettez à gratiner dans le haut du four bien chaud (th. 7-8) une dizaine de minutes.

Avant de servir, aspergez de jus de citron. Présentez avec des spaghetti au beurre ou à la tomate.

Blanquette à l'ancienne

Facile / raisonnable / petites réceptions
Printemps-Automne-Hiver

Préparation et cuisson : 1 h 45
Cuisson en autocuiseur : 25 mn

Pour 4, il faut :
1 kg d'épaule en gros cubes,
40 g de beurre ou de margarine,
2 cuil. à soupe pleines de farine,
1 oignon,
2 clous de girofle,
1 carotte,
bouquet garni,
2 bols d'eau,
persil haché,
sel, poivre.

Liaison :
1 jaune d'œuf,
2 cuil. à soupe de crème fraîche.

1. Faites revenir légèrement la viande dans une cocotte avec 40 g de beurre ou de margarine, la carotte et l'oignon coupés. Saupoudrez avec 2 cuil. à soupe pleines de farine. Mélangez pour laisser cuire légèrement cette dernière.
2. Ajoutez 2 bols d'eau chaude, bouquet garni, 2 clous de girofle, sel, poivre. Couvrez. Laissez cuire à feu doux 1 h 15 environ (en autocuiseur : 25 mn).
3. Quand la viande est cuite, égouttez-la avec soin, et tenez-la au chaud dans le plat de service. Laissez la cocotte à découvert sur le feu pour laisser réduire la sauce de cuisson. Otez le bouquet garni et la carotte.
4. Liaison : dans une grande terrine, délayez jaune d'œuf et crème. Puis, petit à petit, incorporez toute la sauce en tournant vivement avec un fouet à sauce ou une cuillère en bois. Versez sur la viande. Saupoudrez avec un peu de persil haché. Servez aussitôt avec pommes de terre à l'eau ou riz.

Le secret *de la liaison de la blanquette :* 1 ou 2 cuil. de sauce très chaude, dans un bol, avec jaune d'œuf et crème en tournant.
Puis incorporez ce mélange à la totalité de la sauce sur feu très doux, en mélangeant vigoureusement avec un fouet à sauce quelques secondes. Retirez du feu et versez sur la viande parfaitement égouttée.

Côtes de veau aux girolles en papillotes

Facile / cher / petites réceptions
Toutes saisons

Préparation et cuisson : 1 h

Pour 4, il faut :

4 minces côtes de veau,
600 g de girolles,
60 g de beurre ou de margarine,
1 cuil. à soupe d'huile,
4 cuil. à soupe de vin blanc sec,
vinaigre,
sel, poivre.

1. Coupez juste une lamelle à la base du pied des girolles. Lavez-les rapidement mais plusieurs fois dans de l'eau vinaigrée. Égouttez-les en les pressant avec la main. Mettez-les, dans une grande poêle, avec 1 cuil. à soupe d'huile. Faites-les cuire sur feu moyen 5 mn, pour leur faire rendre leur jus. Égouttez-les dans une passoire.

2. Faites dorer les côtes dans une grande poêle avec 40 g de margarine ou de beurre bien chaud. Retirez-les de la poêle. A leur place, faites sauter les girolles avec sel, poivre, vin blanc, sur feu assez vif, pendant 5 ou 6 mn.

3. Dans une feuille d'aluminium ou de papier blanc parcheminé, découpez 4 très grands cœurs. Sur une moitié, déposez une côte de veau recouverte du quart des girolles et de 2 noisettes de beurre. Refermez et roulottez pour bien faire adhérer les deux bords ensemble. Faites cuire à four chaud (th. 6-7) 20 mn. Servez dans la feuille d'aluminium que les convives ouvriront dans leur assiette.

Côtes de veau Vallée d'Auge

Facile / cher / petites réceptions
Toutes saisons

Préparation et cuisson : 30 mn

Pour 4, il faut :
4 côtes de veau,
30 g de beurre ou de margarine,
250 g de champignons,
quelques petits oignons,
2 verres à liqueur de calvados,
4 cuil. à soupe de crème fraîche,
un peu de farine,
sel, poivre.

1. Épluchez les oignons. Plongez-les 5 mn dans de l'eau en ébullition. Égouttez. Nettoyez les champignons et coupez-les en morceaux.

2. Salez, poivrez, farinez les côtes de veau. Dans une très grande poêle, faites-les dorer légèrement des deux côtés avec 30 g de margarine ou de beurre assez chaud. Ajoutez oignons et champignons. Laissez mijoter 20 mn environ. Couvrez à mi-cuisson.

3. En fin de cuisson, ajoutez le calvados. Faites flamber sur le feu. Retirez la viande. Versez la crème dans le jus resté dans la poêle. Laissez bouillir quelques instants, tout en tournant sans arrêt avec une cuillère en bois. Salez et poivrez encore si nécessaire. Versez sur les côtes et servez avec des pommes de terre, pâtes ou riz nature qui s'accommodent bien d'une sauce à la crème.

Escalopes Lucullus

Très facile / raisonnable / petites réceptions
Toutes saisons

Préparation et cuisson : 15 mn

Pour 4, il faut :
4 fines escalopes,
30 g de beurre ou de margarine,
1 cuil. à soupe de farine,
2 tranches de jambon,
4 lamelles de gruyère,
1 citron,
sel, poivre.

1. Farinez légèrement les escalopes. Faites-les dorer dans une poêle avec 30 g de margarine ou de beurre bien chaud, 4 mn sur chaque côté.

2. Quand les escalopes sont cuites, arrosez-les de jus de citron. Recouvrez chacune d'une demi-tranche de jambon et d'une lamelle de gruyère.

3. Déposez-les dans un plat à gratin, avec leur sauce de cuisson. Mettez à gratiner sous le grilloir ou dans le haut du four très chaud, de 5 à 10 mn.

Présentez avec des tagliatelle ou avec un légume vert de saison : épinards, petits pois, haricots verts ou endives braisées.

Escalopes à la Normande

Facile / raisonnable / petites réceptions
Toutes saisons

Préparation et cuisson : 25 mn

Pour 4, il faut :
4 escalopes,
30 g de beurre ou de margarine,
estragon,
1 cuil. à soupe de farine,
1/2 verre de vin blanc sec,
3 cuil. à soupe de crème fraîche,
sel, poivre.

1. Faites dorer les escalopes à la poêle avec 30 g de margarine ou de beurre bien chaud, 3 ou 4 mn de chaque côté. Ajoutez le vin blanc, les tiges d'estragon effeuillées (les feuilles seront utilisées plus tard). Couvrez et laissez cuire sur feu doux 10 mn.

2. Mettez les escalopes cuites dans un plat tenu au chaud. Laissez le jus dans la poêle. Délayez dedans 1 ou 2 cuil. à soupe d'eau. Faites bouillir 1 mn. Retirez-en les tiges d'estragon. Incorporez à ce jus la crème et les feuilles d'estragon coupées. Laissez bouillir encore 1 mn. Versez sur la viande.

Servez avec des pommes-fruits épluchées et cuites au four, sans sucre, ou simplement coupées en quartiers et sautées à la poêle avec un peu de beurre.

Variante : *Cette recette peut être préparée avec des côtes de veau. C'est d'ailleurs le cas de toutes les recettes d'escalopes. Une nuance : le temps de cuisson est un peu plus long car les côtes sont généralement plus épaisses.*

Escalopes à l'orange

Très facile / raisonnable / petites réceptions
Toutes saisons

Préparation et cuisson : 20 mn

Pour 4, il faut :
4 escalopes,
40 g de beurre ou de margarine,
1 cuil. à soupe de farine,
2 oranges,
sel, poivre.

1. Salez et poivrez les escalopes puis farinez-les légèrement sur toute leur surface. Faites-les dorer dans une poêle contenant 30 g de margarine ou de beurre déjà chaud, 4 mn de chaque côté.

2. Pendant la cuisson, arrosez-les avec le jus des oranges pressées plus 2 cuil. à soupe d'eau. Couvrez et laissez mijoter 5 mn supplémentaires.

3. Mettez les escalopes dans un plat chaud. Ajoutez une noix de beurre au jus resté dans la poêle. Mélangez vigoureusement avec une cuillère en bois, sur le feu. Versez sans attendre sur les escalopes.

Le riz nature est le plus indiqué pour accompagner ce plat.

Raffinement : *Pour obtenir un plat joliment décoré, hachez finement le zeste d'une orange et mettez une pincée de ce zeste sur chaque escalope.*

Le secret *des escalopes dont les bords ne se recroquevillent pas à la cuisson :* Faites quelques incisions tout autour avec la pointe du couteau. Ainsi les escalopes resteront bien plates.

Escalopes panées

Facile / raisonnable
Toutes saisons

Préparation et cuisson : 20 mn

Pour 4, il faut :
4 escalopes minces,
40 g de beurre ou de margarine,
2 cuil. à soupe de farine,
2 œufs,
2 tasses de chapelure,
1 citron,
sel, poivre.

1. Prenez 3 assiettes. Mettez la farine dans la première, les œufs battus en omelette dans la deuxième et la chapelure dans la dernière. Passez les escalopes successivement dans la farine, les œufs battus, puis la chapelure. Tapotez avec le plat d'un couteau pour bien faire adhérer.

2. Dans une poêle, faites chauffer modérément 40 g de beurre ou de margarine. Laissez cuire les escalopes 5 mn sur chaque côté. Décorez avec une rondelle de citron.

Organisation : *Votre poêle est trop petite ! Faites cuire les escalopes deux par deux. Tenez les premières au chaud. Remettre beurre ou margarine dans la poêle entre chaque cuisson car la chapelure en absorbe beaucoup. Et si elle cuit « à sec », elle brûle vite.*

Le secret *des escalopes panées au sortir de la poêle :* Elles ont été très enrobées de farine, d'œuf et de chapelure, sur toute leur surface sans exception. Aussi ne lésinez surtout pas sur la chapelure. Versez-en en abondance dans l'assiette pour y retourner les escalopes à l'aise.
De plus, laissez reposer les escalopes panées dans le réfrigérateur 1 h avant de les cuire.

Escalopines à la crème et au porto

Très facile / raisonnable / petites réceptions
Toutes saisons

Préparation et cuisson : **15 mn**

Pour 4, il faut :
4 escalopes minces,
40 g de beurre ou de margarine,
un peu de farine,
2 verres à liqueur de porto,
sauge, marjolaine ou herbes de Provence,
3 cuil. à soupe de crème fraîche,
sel, poivre.

1. Coupez les escalopes en petits carrés. Passez-les dans la farine et secouez-les pour qu'elles n'en retiennent pas beaucoup.

2. Faites chauffer le beurre ou la margarine dans une grande poêle. Mettez la viande à dorer dedans, sur feu moyen, 2 à 3 mn de chaque côté. Saupoudrez de 4 pincées de marjolaine séchée, de romarin ou d'un peu de mélange d'herbes de Provence.

3. Retirez les escalopines de la poêle. Tenez-les au chaud dans un plat. Dans la poêle restée sur le feu, versez le porto. Faites bouillir quelques instants en grattant le fond de la poêle avec une cuillère en bois pour délayer les sucs de viande. Ajoutez la crème. Mélangez en laissant bouillir quelques instants. Puis versez sur les escalopines et servez avec des pâtes ou des épinards.

Jarret de veau à la cuiller

Très facile / raisonnable
Toutes saisons

Préparation et cuisson : 3 h 15
Cuisson en autocuiseur : 1 h 10

Pour 4, il faut :
1 jarret de veau,
30 g de beurre ou de margarine,
1 oignon,
2 clous de girofle,
1 échalote,
2 carottes,
1 navet,
3 petites branches de céleri,
citron,
bouquet garni,
sel, poivre.

1. Faites revenir le jarret de veau de toute part dans une cocotte contenant la margarine ou le beurre très chaud.

2. Ajoutez l'oignon piqué de clous de girofle, carottes et navet en rondelles, échalote, céleri, bouquet garni, sel, poivre et 1 verre d'eau. Couvrez et laissez cuire très doucement 1 h 30 (en autocuiseur : 35 mn).

3. Pelez un citron très légèrement pour n'en retirer que la fine peau jaune (zeste). Ajoutez ce zeste dans la cocotte ainsi qu'un peu d'eau si nécessaire. Laissez mijoter encore 1 h 30 (en autocuiseur : 35 mn). Présentez le jarret avec les légumes de cuisson, arrosé de son jus très réduit et débarrassé du zeste de citron. Des pommes de terre à l'eau ou des pâtes l'accompagneront parfaitement.

Paupiettes cordon-bleu

Facile / raisonnable / petites réceptions
Toutes saisons

Préparation et cuisson : 1 h

Pour 4, il faut :
4 escalopes larges et fines,
50 g de beurre ou de margarine,
4 tranches de gruyère,
2 tranches de jambon cuit,
1 cuil. à soupe de moutarde forte,
sel, poivre.

Panure :
2 œufs,
un peu de farine et de chapelure.

1. Salez et poivrez les escalopes. Sur chacune disposez 1/2 tranche de jambon tartinée de moutarde et 1 tranche de gruyère. Roulez et repliez les extrémités pour enfermer la farce. Ficelez en croix avec du gros fil.

2. Passez les paupiettes successivement dans l'œuf battu, la farine, puis la chapelure pour qu'elles soient parfaitement enrobées.

3. Mettez à cuire dans une cocotte contenant 50 g de beurre ou de margarine, de 30 à 40 mn, sur feu moyen, à couvert (ou mieux, dans le four moyen). Présentez-les avec des pommes Dauphine (toutes préparées) ou, plus simplement, avec des pâtes.

Le secret *des paupiettes moelleuses et rondelettes :* A mi-cuisson, la cocotte qui les contient est glissée dans le four moyen pour continuer le mijotage.

Osso buco

Facile / raisonnable / petites réceptions
Toutes saisons

Préparation et cuisson : 1 h 45
Cuisson en autocuiseur : 25 mn

Pour 4, il faut :
1,200 kg de jarret de veau en rondelles,
80 g de beurre ou de margarine,
1 oignon,
un peu de farine,
1 cuil. à soupe de tomate concentrée,
1 verre de vin blanc sec,
3 verres d'eau,
3 tomates fraîches,
1 gousse d'ail,
bouquet garni,
1/2 citron,
sel, poivre.

250 g de spaghetti,
parmesan ou gruyère râpé,
sel.

1. Passez les morceaux de viande dans la farine. Faites-les bien dorer de toute part dans une cocotte avec 50 g de beurre ou de margarine, sur feu assez vif. Puis ajoutez l'oignon finement haché.

2. Ajoutez 1 cuil. à soupe de tomate concentrée, 1 verre de vin blanc. Faites bouillir quelques instants. Puis mettez : 3 verres d'eau, le bouquet garni, la gousse d'ail écrasée, le sel, le poivre. Couvrez. Laissez cuire doucement 1 h (en autocuiseur : 20 mn). Épluchez les tomates, coupez-les en les épépinant. Joignez-les à la viande ainsi que le zeste du citron. Laissez mijoter encore 15 mn (en autocuiseur : 5 ou 7 mn).

3. Faites cuire les spaghetti dans beaucoup d'eau bouillante salée, le temps indiqué sur le paquet. Égouttez-les aussitôt pour qu'ils restent fermes. Mélangez avec du beurre pour éviter qu'ils ne collent les uns aux autres.

4. Retirez le bouquet garni de la cocotte ainsi que le zeste de citron. Hachez celui-ci. Disposez les spaghetti dans un grand plat creux et, dessus, la viande couverte de sauce et garnie du zeste de citron haché. Présentez à part le fromage râpé.

Paupiettes provençales

Facile / raisonnable / petites réceptions
Toutes saisons

Préparation et cuisson : 1 h
Cuisson en autocuiseur : 20 mn

Pour 4, il faut :
4 escalopes,
50 g de beurre ou de margarine,
1 large barde de lard,
100 g d'olives vertes dénoyautées,
sel, poivre.

Farce :
100 g de pain rassis,
4 cuil. à soupe de lait,
100 g de champignons,
1 gousse d'ail,
1 cuil. à soupe de persil haché,
sel, poivre.

1. Farce : émiettez le pain dans un bol. Versez le lait dessus. Nettoyez et lavez les champignons. Hachez-les avec persil et ail. Égouttez et pressez le pain pour qu'il ne soit pas trop mouillé. Incorporez-le au mélange ainsi que sel et poivre.

2. Répartissez la farce dans les escalopes. Pliez chacune d'elles en quatre. Entourez-les de barde de lard et ficelez en croix pour maintenir la farce enfermée.

3. Faites dorer les paupiettes sur toutes les faces dans une cocotte avec 50 g de margarine ou de beurre bien chaud. Salez, poivrez. Couvrez. Laissez mijoter sur feu doux 30 mn (en autocuiseur : 12 mn).

4. Faites bouillir 5 mn les olives. Égouttez-les et passez-les sous l'eau froide. Ajoutez-les dans la cocotte. Laissez mijoter 10 à 15 mn supplémentaires (en autocuiseur : 5 mn). Retirez ficelle et barde de chaque paupiette. Présentez avec des tomates provençales ou grillées et des spaghetti.

Le secret *des paupiettes faciles à farcir :* Elles sont préparées avec des escalopes extrêmement minces et très larges. Demandez au boucher de les tailler dans un morceau qui ne se détache pas, ou de les aplatir au maximum. Il possède l'outil adéquat pour faire cela sur son billot.

Petits pâtés bretons

Très facile / raisonnable
Toutes saisons

Préparation et cuisson : 45 mn

Pour 4, il faut :
300 g de veau haché,
20 g de beurre ou de margarine,
2 gros oignons,
100 g de lard de poitrine,
fines herbes,
1 cuil. à soupe de cognac,
1 œuf,
50 g de pain de mie,
2 cuil. à soupe de lait,
sel, poivre.

1. Faites dorer les oignons hachés avec 20 g de beurre ou de margarine. Humectez légèrement le pain avec du lait.

2. Dans une terrine, mélangez oignons, hachis de veau, de fines herbes, pain émietté et le lard coupé en dés. Pétrissez avec l'œuf, sel, poivre et cognac.

3. Découpez 4 ou 8 carrés de papier d'aluminium. Déposez une part de farce sur chacun. Refermez hermétiquement sans serrer. Mettez à four chaud (th. 6-7) de 20 à 30 mn suivant la grosseur. Servez chaud ou froid dans la papillote d'aluminium.

Variante : *Un mélange de fines herbes de saison, tel que persil, cerfeuil, ciboulette, estragon est tout indiqué. Mais, à défaut, thym, laurier et sauge séchés, utilisés avec modération, peuvent convenir.*

Poitrine de veau farcie

Difficile / raisonnable
Toutes saisons

Préparation et cuisson : 2 h 30
Cuisson en autocuiseur : 40 mn

1. Pratiquez une ouverture à une seule extrémité de la poitrine. Formez une poche en décollant la peau de la chair, presque jusqu'au bout, la poche doit rester fermée.

Pour 8 à 10, il faut :

2 kg de poitrine ou de flanchet désossé,
50 g de beurre ou de margarine,
1 petit oignon,
1 carotte,
1 branche de céleri,
bouquet garni,
sel, poivre.

Farce :

150 g de chair à saucisse,
150 g de mie de pain,
1 verre de lait,
1 œuf,
2 œufs durs,
persil haché,
sel, poivre,
muscade,

ficelle fine,
1 grosse aiguille.

Sauce Mornay :

1 cuil. à soupe pleine de farine,
30 g de beurre ou de margarine,
1 bol de lait,
50 g de gruyère râpé,
1 jaune d'œuf,
sel, poivre.

2. Farce : dans une terrine, malaxez avec une fourchette la mie de pain émiettée (à la moulinette), 1 verre de lait et 1 œuf entier, chair à saucisse, persil haché, sel, poivre, un peu de muscade râpée.

3. Tassez la farce le plus régulièrement possible jusqu'au fond de la poche, les œufs durs étant au centre. Recousez l'ouverture avec une grande aiguille.

4. Faites chauffer 50 g de beurre ou de margarine dans une cocotte. Mettez la viande à dorer dedans. Ajoutez l'oignon coupé en 4, la carotte en rondelles, bouquet garni, céleri, 1 verre d'eau bouillante, sel, poivre. Couvrez et laissez cuire à feu doux de 1 h 30 à 2 h (en autocuiseur : 40 mn environ).

5. Sauce Mornay : délayez 30 g de beurre ou de margarine avec 1 cuil. à soupe pleine de farine jusqu'à ce qu'elle mousse. Versez le lait froid d'un seul coup. Salez, poivrez. Mélangez jusqu'à épaississement et laissez mijoter une dizaine de minutes. Hors du feu, incorporez jaune d'œuf et gruyère.

6. Quand la poitrine farcie est cuite, découpez-la. Disposez les tranches sur le plat de service et recouvrez de sauce Mornay avant d'apporter à table.

Variante : *La poitrine farcie froide est très appréciée pour les pique-niques, buffets et repas froids. Remplacez la sauce Mornay par un accompagnement plus relevé : cornichons, pickles, moutardes variées.*

Poitrine de veau paysanne

Facile / bon marché
Automne-Hiver

Préparation et cuisson : 2 h 30
Cuisson en autocuiseur : 30 mn

Pour 4, il faut :
1,500 kg de poitrine en morceaux,
200 g de lard salé,
1 cœur de chou,
4 carottes,
2 navets,
1 oignon,
1 clou de girofle,
1 gousse d'ail,
bouquet garni,
sel, poivre.

Sauce :
1 cuil. à soupe de farine,
25 g de beurre ou de margarine,
1 jaune d'œuf ou 1 cuil. à soupe de crème fraîche,
1/2 citron,
1 cornichon,
persil haché.

1. Mettez veau et lard dans la cocotte pleine d'eau non salée. Portez lentement à ébullition. Égouttez aussitôt (pour supprimer l'écume qui a tendance à se former pendant la cuisson).

2. Remettez la cocotte sur le feu avec de l'eau bouillante au tiers de la hauteur seulement, carottes, navets, oignon piqué du clou de girofle, ail, bouquet garni, sel, poivre.

3. Lavez le cœur de chou coupé en 4. Otez trognon et grosses côtes. Plongez-le 5 mn dans de l'eau en ébullition. Égouttez, puis ajoutez-le dans la cocotte ainsi que la viande. Couvrez. Laissez cuire doucement 1 h 30 (en autocuiseur : 30 mn).

4. Sauce : mélangez sur feu doux, 25 g de beurre ou de margarine avec 1 cuil. à soupe de farine, 1 bol de bouillon de viande. Remuez avec un fouet à sauce jusqu'à ébullition. Laissez mijoter 5 mn.

Présentez viande et légumes bien égouttés dans un plat creux et la sauce à part.

Le secret *de la sauce réussie est dans la liaison :* Délayez dans un bol le jus de citron avec 1 jaune d'œuf ou crème fraîche, cornichon en rondelles et persil haché. Incorporez à la sauce, sur feu doux, en mélangeant vivement quelques secondes. Retirez du feu aussitôt.

Rôti à la broche

Très facile / cher / petites réceptions
Toutes saisons

Préparation et cuisson : 1 h 15 + à mariner : 12 h

Pour 4 il faut :
1 kg de rôti de veau,
25 g de beurre,
romarin (sauge ou thym),
sel, poivre.

Marinade :
1 oignon,
4 clous de girofle,
1 cuil. à soupe d'huile,
thym, laurier,
1 verre de vin blanc sec,
poivre.

1. La veille, dans une terrine qui le contient juste, mettez le rôti à mariner avec l'oignon en rondelles et tous les éléments de la marinade. Couvrez. Retournez de temps en temps.

2. Cuisson : égouttez le rôti. Glissez des brins de romarin (sauge ou thym) sous les ficelles. Embrochez juste en son milieu pour l'équilibrer. Salez et poivrez. Fixez la broche à mi-hauteur de la rôtissoire ou du four. Le rôti est à point quand il est bien doré (1 h environ). Si le rôti est bardé de lard, dégraissez son jus avant de servir.

Le secret *du rôti à la broche :* Tous les quarts d'heure, frottez-le sur toute sa longueur avec un morceau de beurre qui glissera autour au fur et à mesure de la rotation du rôti. Badigeonnez également de marinade avec un pinceau, pour parfumer.

Rôti au four

Facile / cher / petites réceptions
Toutes saisons

Préparation et cuisson : 1 h 30

Pour 4, il faut :
1 kg de veau,
30 g de beurre ou de margarine,
sel, poivre.

1. Déposez le rôti dans un plat à feu. Tartinez-le de beurre ou de margarine. Salez et poivrez. Mettez à four chaud (th. 6-7) de 1 h à 1 h 15. Arrosez plusieurs fois la viande au cours de la cuisson. Laissez reposer le rôti une dizaine de minutes dans le four éteint avant de le découper.

2. Coupez la viande en tranches. Mettez-les au fur et à mesure sur un plat chaud.

3. Sauce : versez un tout petit peu d'eau bouillante dans le plat de cuisson. Grattez-en le fond pour récupérer les sucs de viande. Faites bouillir. Ajoutez un peu de porto ou de madère et une noix de beurre en tournant vigoureusement sur le feu. Présentez cette sauce dans une saucière chaude.

Le secret *d'un bon jus de rôti :* Mettez dans le plat à rôtir, en même temps que la viande, un oignon en rondelles et une demi-carotte finement coupée. A mi-cuisson, 1 ou 2 cuil. à soupe d'eau bouillante seront ajoutées dans le plat — surtout pas directement sur la viande — de manière à maintenir une certaine humidité dans le four et conserver le rôti moelleux. Il est possible, dans ce cas, que le jus soit suffisant en fin de cuisson, inutile alors de l'allonger avec un peu d'eau, le porto ou le madère suffira pour le corser.

Rouelle de veau aux pruneaux

Très facile / raisonnable / petites réceptions
Automne-Hiver

Préparation et cuisson : 1 h 40
Cuisson en autocuiseur : 40 mn

Pour 4, il faut :

1 rouelle de 1,500 kg,
50 g de beurre ou de margarine,
250 g de pruneaux,
50 g de raisins secs,
1 cuil. à soupe de farine,
2 oignons,
4 carottes,
bouquet garni,
sel, poivre.

1. Faites tremper les raisins pendant 1 h, à l'eau chaude. C'est inutile pour les pruneaux déjà suffisamment humides.

2. Salez, poivrez et farinez légèrement la rouelle. Dans une cocotte, mettez-la à dorer de toute part avec 50 g de beurre ou de margarine et les oignons coupés en 4. Ajoutez 1/2 litre d'eau, les carottes en rondelles, les pruneaux, bouquet garni, sel, poivre. Couvrez. Laissez mijoter 1 h 15 sur feu doux (en autocuiseur : 30 mn).

3. Égouttez les raisins. Ajoutez-les dans la cocotte et laissez cuire doucement 30 mn supplémentaires (en autocuiseur : 10 mn). Dans un plat creux, servez la viande recouverte de la sauce, des pruneaux et des raisins.

Organisation : *Il est indispensable de passer commande au boucher, un peu à l'avance car il est peu courant de nos jours de préparer un morceau de rouelle. La rouelle est une tranche de cuisseau, plus ou moins épaisse et large.*

Sauté de veau à la Mentonnaise

Très facile / bon marché
Toutes saisons

Préparation et cuisson : 2 h 15
Cuisson en autocuiseur : 35 mn

Pour 4, il faut :
1,500 de tendron coupé en 8,
40 g de beurre ou de margarine,
1 cuil. à soupe rase de farine,
1 oignon,
500 g de tomates,
2 gousses d'ail,
100 g d'olives vertes dénoyautées,
1 verre de vin blanc sec,
bouquet garni,
clou de girofle,
persil haché,
sel, poivre.

1. Mettez les olives à l'eau froide. Portez-les doucement à ébullition. Égouttez aussitôt afin de les dessaler en partie et leur ôter de l'âcreté. Épluchez les tomates. Coupez-les et videz-les de leur jus pour n'utiliser que la pulpe.

2. Faites revenir la viande dans une cocotte, avec 40 g de beurre ou de margarine. Saupoudrez d'1 cuil. à soupe rase de farine. Mélangez sur feu vif. Ajoutez : tomates, olives, oignon, girofle, bouquet garni, 1 verre de vin blanc, très peu de sel, mais pas mal de poivre. Couvrez. Laissez mijoter 1 h 45 (en autocuiseur : 35 mn).

3. Saupoudrez la viande de persil haché juste avant de la servir avec du riz nature ou des pâtes au beurre.

Le secret *d'un sauté à base de tomates fraîches qui ne nage pas dans le jus :* Les tomates, choisies mûres à point, sont entièrement vidées de leur eau et de leurs pépins. Cela se fait en même temps qu'on les pèle et qu'on les coupe. Si cette perte vous chagrine, consolez-vous en utilisant ces déchets pour un potage.

Sauté de veau à l'oseille

Facile / raisonnable
Toutes saisons

Préparation et cuisson : 2 h 15
Cuisson en autocuiseur : 35 mn

Pour 4, il faut :
1 kg d'épaule en morceaux,
50 g de beurre ou de margarine,
500 g d'oseille,
2 oignons,
2 gousses d'ail,
1 cuil. à soupe rase de farine,
2 cuil. à soupe de crème fraîche,
1 verre de vin blanc sec,
bouquet garni,
sel, poivre.

1. Faites chauffer 40 g de beurre ou de margarine dans une cocotte. Mettez les morceaux de viande à dorer dedans, de toute part. Ajoutez-y ensuite les oignons hachés et la farine. Mélangez bien. Ajoutez 1 verre de vin blanc, autant d'eau, bouquet garni, gousses d'ail, sel, poivre. Couvrez. Laissez cuire 1 h 45 (en autocuiseur : 35 mn).

2. Retirez les nervures de l'oseille. Lavez-la et coupez-la grossièrement. Mettez-la dans une casserole avec une noix de beurre ou de margarine, sel, poivre. Laissez-la cuire doucement de 8 à 10 mn afin qu'elle rende une grande partie de son jus. Égouttez-la ensuite.

3. Quand le sauté est presque cuit, ajoutez-y la purée d'oseille et la crème fraîche. Salez et poivrez encore si nécessaire. Servez avec des coquillettes, du riz nature ou des pommes de terre.

Raffinement : *Vous pouvez présenter ce plat avec des croûtons grillés ou sautés à la poêle avec un peu de beurre ou de margarine.*

Tendron de veau aux carottes

Très facile / bon marché
Toutes saisons

Préparation et cuisson : 2 h 15
Cuisson en autocuiseur : 45 mn

Pour 4, il faut :
1,500 kg de tendron coupé en 8,
40 g de beurre ou de margarine,
1,500 kg de carottes,
3 oignons,
un peu de farine,
bouquet garni,
persil,
sel, poivre.

1. Coupez les carottes en fines rondelles. Mettez-les à cuire dans une cocotte large (ou une sauteuse) avec 2 oignons coupés et une grosse noix de beurre ou de margarine, sur feu assez vif pour les caraméliser légèrement. Ne couvrez pas.

2. Farinez la viande. Faites-la dorer à la poêle avec une noix de beurre ou de margarine. Puis mettez-la dans une cocotte avec 1 oignon, 2 verres d'eau, bouquet garni, sel, poivre. Couvrez. Laissez mijoter 1 h 45 (en autocuiseur : 45 mn). Ajoutez les carottes en cours de cuisson.

3. Déposez la viande dans un plat creux, carottes et oignons tout autour. Arrosez de jus de cuisson et saupoudrez de persil haché.

Le secret *du tendron de veau aux carottes :* Les carottes doivent commencer de cuire à part. Il faut rapidement les saisir, les caraméliser même sur feu assez vif, avant de les joindre à la viande avec laquelle elles doivent cuire. De cette façon, elles rendront beaucoup moins de jus, néfaste à la cuisson de la viande et au goût final de la sauce. Cela est valable — plus encore — pour la cuisson en autocuiseur.

Veau en gelée

Très facile / raisonnable
Printemps-Été-Automne

Préparation et cuisson : 1 h 45 à 2 h 15
Cuisson en autocuiseur : 35 mn à 45 mn
+ au froid : 12 h

Pour 4 ou 6, il faut :

1,500 kg de jarret de veau,
200 g de couenne,
4 gros oignons,
2 carottes,
bouquet garni,
1 verre de vin blanc sec,
500 g d'os de veau fendus,
2 clous de girofle,
sel, poivre.

1. Mettez les morceaux de couenne et d'os dans une casserole d'eau froide. Portez à ébullition 5 mn. Égouttez et passez sous l'eau froide.

2. Tapissez le fond de la cocotte avec les morceaux de couenne. Disposez dessus carottes et oignons en rondelles, puis la viande. Mettez autour les os cassés, le bouquet garni, clous de girofle. Salez et poivrez.

3. Arrosez d'un verre de vin blanc. Portez à ébullition. Au bout de quelques instants, ajoutez 2 verres d'eau. Couvrez. Laissez cuire très doucement 1 h 30 à 2 h (en autocuiseur : 35 à 45 mn).

4. Déposez la viande désossée et en morceaux dans un plat assez profond et pas trop grand. Recouvrez de jus de cuisson et de carottes. Laissez prendre en gelée jusqu'au lendemain. Présentez avec des cornichons et de la salade.

Le secret *d'une gelée transparente :* Les os et la couenne qui servent à la préparer doivent être, au préalable, blanchis, c'est-à-dire portés à ébullition quelques minutes puis passés sous l'eau froide. Cette opération a pour but de supprimer, en grande partie, l'écume se produisant pendant la cuisson.

Veau Orloff

Facile / cher / petites et grandes réceptions
Toutes saisons

Préparation et cuisson : 1 h 15

Pour 8, il faut :
2 kg de sous-noix,
30 g de beurre ou de margarine,
2 oignons,
2 carottes,
2 os de veau,
2 verres d'eau,
sel, poivre.

Farce et sauce :
500 g de champignons,
90 g de beurre ou de margarine,
3 oignons,
2 jaunes d'œufs,
3 verres de lait,
1 cuil. à soupe très pleine de farine,
sel, poivre.

1. Dans un plat à four, mettez carottes et oignons coupés en dés, le rôti enduit de beurre ou de margarine, os (cassés par le boucher), sel, poivre. Faites dorer le tout à four chaud (th. 6-7) 30 mn. Ajoutez ensuite 2 verres d'eau bouillante au fond du plat. Continuez la cuisson à four moyen (th. 5-6) 1 h.

2. Farce : hachez 3 oignons. Cuisez-les sur feu doux, 30 mn avec une noix de beurre ou de margarine. Couvrez. Ne laissez pas colorer. Passez-les en purée. Lavez et hachez très finement les champignons. Faites mijoter 15 mn avec une noix de beurre ou de margarine. Mélangez souvent pour ne pas laisser brûler. Ajoutez aux oignons.

3. Sauce : préparez une Béchamel épaisse en mélangeant, sur feu doux, 40 g de beurre ou de margarine, 1 cuil. à soupe très pleine de farine, 2 verres de lait, sel, poivre. Mélangez jusqu'à ébullition.

4. Mélangez les 3/4 de la farce avec 3 cuil. de Béchamel. Coupez le rôti en tranches. Tartinez l'entre-deux d'une couche du mélange farce-sauce.

5. Mélangez, sur le feu, le reste de farce avec le reste de Béchamel et 1 verre de lait. Hors du feu, incorporez les jaunes d'œufs. Versez sur le rôti. Vous pouvez mettre quelques instants sous le grilloir pour « glacer » le dessus. Servez le jus à part.

Les légumes d'accompagnement pourront être des pommes sautées, des tomates grillées et des cœurs de céleri (en boîte) mijotés dans du jus de rôti.

Pratique : *Le rôti Orloff peut être complètement cuit et farci 1 bonne heure à l'avance. Enveloppez-le très chaud dans plusieurs épaisseurs de feuille d'aluminium et tenez-le dans le four tiède. Un peu avant de servir, vous le retirerez du papier et le remettrez à four chaud 10 mn, ou sous le grilloir.*

Le secret *du découpage du rôti Orloff :* Avant de le découper, laissez-le reposer dans le four éteint, mais chaud, 1/4 d'heure. Les fibres de la viande auront repris suffisamment de tenue. Alors vous découperez des tranches d'1/2 cm, sans les détacher tout à fait à la base (comme les feuilles d'un livre) et vous les farcirez comme indiqué dans la recette.

Wiener Schnitzel
(Escalopes viennoises)

Difficile / raisonnable / petites réceptions
Toutes saisons

Préparation et cuisson : 45 mn

Pour 4, il faut :
4 escalopes minces,
40 g de beurre ou de margarine,
1 cuil. à soupe d'huile,
1 œuf,
1 œuf dur,
1 citron,
4 olives,
4 filets d'anchois,
câpres,
persil haché,
chapelure,
farine,
sel, poivre.

1. Passez chaque escalope dans la farine, dans un œuf battu salé et poivré puis dans la chapelure. Tapotez avec le plat d'un couteau pour faire adhérer.

2. Faites chauffer 30 g de beurre ou de margarine et 1 cuil. à soupe d'huile dans une très grande poêle. Faites cuire les escalopes dedans, sur feu doux, 5 mn de chaque côté.

3. Présentation : décorez l'extrémité du plat de présentation : en vous aidant avec la lame d'un couteau (ou de 2), formez des rangées nettes de : câpres, blanc et jaune d'œuf dur passés à la moulinette, persil haché. Une olive entourée d'un anchois complète le décor.

Présentez avec des tomates grillées, des épinards, des pommes Dauphine ou sautées.

Le secret *des escalopes panées uniformément dorées :* Il faut une poêle suffisamment grande pour les y cuire à l'aise, toute leur surface étant en contact avec le fond. Si cela n'est pas possible, mieux vaut cuire 1 ou 2 escalopes à la fois et tenir les premières cuites au chaud en attendant les suivantes.

Veau Marengo

Facile / raisonnable
Toutes saisons

Préparation et cuisson : 1 h 50
Cuisson en autocuiseur : 35 mn

Pour 4, il faut :
1 kg d'épaule en morceaux,
40 g de beurre ou de margarine,
3 échalotes,
1 carotte,
1 cuil. à soupe bombée de farine,
2 cuil. à soupe de concentré de tomate,
1/4 de litre de vin blanc sec,
2 gousses d'ail,
125 g de champignons,
bouquet garni,
sel, poivre.

1. Mettez la viande à dorer dans la cocotte, avec 50 g de beurre ou de margarine. Quand elle est dorée de toute part, ajoutez les échalotes et la carotte finement coupées. Saupoudrez avec 1 cuil. à soupe bombée de farine. Mélangez pour mettre toute la farine en contact avec le beurre chaud.

2. Ajoutez ensuite : 2 cuil. à soupe de tomate concentrée, 1/4 de litre de vin blanc, autant d'eau, 2 gousses d'ail, bouquet garni, sel et poivre. Couvrez. Laissez mijoter 1 h 30 sur feu doux (en autocuiseur : 30 mn).

3. Pendant ce temps, ôtez le pied sableux des champignons. Lavez-les et coupez-les en lamelles. Ajoutez-les dans la cocotte. Couvrez. Laissez cuire 15 mn supplémentaires (en autocuiseur : 5 mn).

Présentez avec des pommes de terre cuites à l'eau ou à la vapeur.

Le secret *d'un bon Marengo :* La sauce du Marengo doit être onctueuse et courte. Si, à la fin de la cuisson, elle vous paraît trop liquide, retirez les morceaux de viande et faites bouillir la sauce quelques minutes sans couvrir.
A la bonne saison, utilisez des tomates fraîches. Vous y ajouterez tout de même un peu de concentré de tomate indispensable pour corser le goût.

Le gibier et le lapin

Gibier à plume

Somptueux et savoureux :

Si le faisan a la plus belle robe, c'est la poule faisane qui a la chair la plus douce, la plus savoureuse.
L'un et l'autre devront attendre 3 jours au moins 8 jours au plus — avant d'être utilisés.
Pour ce léger faisandage, conservez la bête, ni plumée, ni vidée, pendue par les pattes, dans un endroit frais et aéré. A la rigueur, si le temps est chaud, enfermez-la dans un réfrigérateur.

Le faisan

Truc :

Enveloppez hermétiquement le gibier dans plusieurs épaisseurs de papier d'aluminium avant de le garder au réfrigérateur. Vous éviterez ainsi que l'odeur ne se répande dans l'appareil et se communique aux autres denrées.

Bien connaître le faisan :

Un faisan de l'année est gras, son bec est souple. Voyez son aile : la première plume finit en pointe. Si elle est arrondie, la bête est plus âgée.

Préparez :

Comme la pintade ou même comme le poulet. Si vous le faites rôtir, entourez-le au préalable d'une barde de lard car sa chair est un peu sèche.

Gibier à plume

Bien que féminin, le terme « perdrix » ne signifie pas du tout que l'oiseau soit une femelle. La perdrix, c'est simplement un perdreau qui a pris un peu d'âge — voyez le vieux dicton : « A la Saint-Rémi, perdreaux sont perdrix » — mais si votre chasseur vous rapporte une vieille perdrix, ne soyez pas déçue pour si peu car la chair de la perdrix a meilleure saveur que celle du perdreau.

La perdrix et sa progéniture : le perdreau

Bien connaître perdrix et perdreaux :

Le perdreau jeune a le bec souple et la mandibule inférieure du bec très fragile. La première plume de ses ailes est pointue. Ses pattes sont presque sans écailles.

La perdrix rouge a la chair plus blanche que la perdrix noire, mais toutes deux se valent.

Préparez :

Ce gibier ne demande aucun faisandage.

La perdrix réclame une cuisson prolongée. Elle peut être bouillie en compagnie de légumes : choux, carottes, navets, champignons ou marrons et des aromates choisis.

Le perdreau se prépare comme le pigeon. C'est rôti qu'il est le meilleur. Un petit perdreau convient pour une personne. S'il est plus charnu, il suffira pour deux.

Gibier à poil

Le chevreuil

Bien connaître le chevreuil :

La selle est le morceau de choix. L'épaule est plus tendre que la gigue continuellement soumise à l'effort.

Il change de nom en prenant de l'âge :

Faon .... jusqu'à 18 mois
Brocard ou chevrette . 2 ans
Daguet .... après 2 ans

Préparez :

La chair d'un jeune chevreuil est trop délicate pour être marinée, elle est souvent consommée immédiatement. Mais si elle doit attendre 2 ou 3 jours, enduisez-la abondamment d'huile, sans ajouter d'aromates d'aucune sorte, et mettez au réfrigérateur.

Par contre, une bête plus âgée pourra être mise à mariner, mais sans excès.

Le chevreuil peut être préparé en côtelettes, noisettes et rôtis.

Gibier à poil

Le sanglier

Bien connaître le sanglier :

La chair du jeune sanglier, jusqu'à l'âge de 6 mois, est à son maximum. Passé 1 an, elle devient coriace et prend un goût sauvage très prononcé.

Suivant son âge, le sanglier est appelé :
Marcassin .... jusqu'à 6 mois
Bête rousse ...... de 6 mois à 1 an
Bête de compagnie entre 1 an et 2 ans
Vieux, c'est un « solitaire » ou « ermite ».

Préparez :

Le marcassin se prépare comme le chevreuil : rôti, en civet, et même en escalopes, rapidement sautées à la poêle et accompagnées d'une sauce relevée.

Plus âgé, le sanglier doit être soumis à un marinage et à une cuisson prolongée.

Gibier à poil

Le lièvre

Bien connaître le lièvre :

Le jeune lièvre a les pattes fines, le poil luisant, et les griffes cachées par les poils.

Selon le sexe ou l'âge, vous l'appellerez :

Bouquin	Mâle
Hase	Femelle
Financier	jusqu'à 3 mois
Trois-quarts	jusqu'à 6 mois
Capucin	à 1 an

Préparez :

Frais ou mariné, il peut être préparé comme un simple lapin de chou ou un lapin de garenne. Il n'est pas indispensable de le faire mariner. Certains l'aiment frais tué, d'autres le préfèrent après 3 ou 4 jours de marinage.

C'est en civet que le lièvre est le plus apprécié.

Le lièvre surgelé est d'un prix avantageux et plus facile à préparer puisqu'il n'y a pas à le dépouiller, ni à le vider. **Il faut d'abord le laisser décongeler complètement,** et comme il a été surgelé très frais il vaut mieux le laisser mariner un peu, comme un lièvre ordinaire, pour augmenter sa saveur.

Il se prépare comme du gibier frais. Une différence toutefois : comme toute viande surgelée, il doit être saisi à feu très vif au début de sa cuisson de manière à

resserrer les fibres de la viande qui souffre toujours un peu de la surgélation.
A défaut du sang de lièvre (inexistant avec le lièvre surgelé) **vous lierez votre sauce avec du sang de porc acheté chez le charcutier.**

Gibier à poil

Le lapin de garenne et le lapin de chou

Préparez :

Leur saveur dépend beaucoup de leur nourriture. Le lapin de garenne, nourri d'herbes aromatiques sauvages, est généralement plus savoureux que le lapin domestique. Cependant, ils s'accommodent de même manière et selon les mêmes recettes.

Les bons lapins de chou doivent peser plus de 3 livres, sinon leur chair est trop fade. Ils sont râblés et leurs rognons sont enrobés de graisse blanche.

Comptez un lapin de 3 livres pour 4 à 6 convives.

Gibier à plume ou à poil

Pour ou contre le faisandage ?

La chair du gibier tué en plein effort est souvent coriace. Aussi, pour l'attendrir et en augmenter la saveur, la coutume a voulu qu'on lui fasse subir, à l'air libre, un faisandage plus ou moins prolongé. Cette opération doit être conduite avec une prudente attention car si le faisandage amollit la chair du gibier, il peut aussi favoriser le développement de toxines, principalement autour des plaies provoquées par les plombs de chasse.

Le gastronome Grimod de La Reynière déclarait que « un faisan tué le Mardi gras est à point d'être mangé le jour de Pâques ». Dieu merci, le goût a évolué depuis cette époque. La voix des hygiénistes leur a fait entendre raison. Un peu de faisandage est parfois nécessaire, mais pas trop...

Une bonne solution : la marinade

On peut faire attendre sans dommage une pièce de gibier pendant plusieurs jours dans une marinade. Cette macération dans un bain acide aura pour résultat de conserver et d'attendrir la viande, de la parfumer ou de « couvrir » un goût de sauvage trop prononcé.

N'abusez pas toutefois de la marinade pour les chairs délicates du chevreuil ou autre jeune gibier. Leur saveur en pâtirait.

Pour gibier et viande de boucherie

Marinade crue

Pour 1 bouteille de vin rouge ou blanc :

1/2 verre de vinaigre,
3 cuil. à soupe d'huile,
1 petite carotte,
1 oignon,
1 ou 2 échalotes,
1 petite branche de céleri,
1 gousse d'ail,
1 queue de persil,
1 brin de thym,
1/4 de feuille de laurier,
3 grains de poivre,
1 clou de girofle.

Mettez la pièce à mariner dans un récipient juste assez grand pour la contenir. Ajoutez-y vin, carotte, oignon, échalotes coupés en rondelles, vinaigre, huile, clou de girofle, ail, thym, laurier, céleri, queue de persil, poivre en grains. Laissez mariner, au frais, 1 ou 2 jours en été et 3 ou 4 jours en hiver. Retournez la pièce fréquemment.

Marinade cuite

On l'emploie généralement pour réduire le temps de marinage.

Mêmes proportions que pour « marinade crue ».

Faites colorer légèrement carotte, oignon, échalotes coupés finement avec une cuillerée à soupe d'huile. Ajoutez-y tous les autres aromates, le vin, le vinaigre, le reste d'huile et laissez cuire doucement 30 mn.

Laissez refroidir complètement avant de la verser sur la viande.

Pour les petites pièces de gibier ou de viande : steaks, tournedos, côtelettes, escalopes

Marinade instantanée

Composition :

1/2 verre d'huile,
jus d'un demi-citron,
un brin de thym,
une feuille de laurier,
une petite branche de fenouil (facultatif),
sel, poivre.

Laissez mariner 1/2 heure au moins.

Les secrets *de la marinade :* Elle ne supporte que du vinaigre de vin, exclusivement.
L'huile assure la conservation des arômes en formant une couche isolante entre l'air et les aromates.
Elle doit être salée légèrement ou pas du tout.
La marinade au vin blanc masque moins le goût de la viande que celle au vin rouge.
La marinade au vin rouge, par contre, permet une sauce plus corsée, plus parfumée.
La viande doit être retournée plusieurs fois dans la marinade.

Temps de cuisson du gibier* :

	Au four chaud (th. 6-7)	**A la cocotte**	**A la poêle**
A plume			
Canard sauvage	25 à 30 mn		
Faisan	20 à 25 mn par livre	30 à 35 mn par livre	
Perdreau	20 à 25 mn	40 mn Perdrix : 2 h à 2 h 30	
Pintade	20 à 25 mn par livre	30 mn par livre	
Petits oiseaux	15 à 20 mn	15 à 20 mn	
A poil			
Chevreuil	Rôti : 15 à 20 mn par livre	Sauté : 1 h 30	noisettes et côtelettes : 2 ou 3 mn de chaque côté
Marcassin	12 à 15 mn par livre	Sauté : 1 h 30 à 2 h	
Lièvre	Râble : 15 à 20 mn par livre A la broche : 30 à 45 mn	Civet : 2 h à 2 h 30	
Lapin de garenne		Sauté : 45 mn	

* Les temps de cuisson sont toujours approximatifs.

Cailles aux raisins

Facile / cher / petites et grandes réceptions
Automne-Hiver

Préparation et cuisson : 30 mn

Pour 4, il faut :
8 cailles bridées et bardées,
100 g de beurre ou de margarine,
1 verre à dégustation de cognac,
250 g de gros raisins muscat,
sel, poivre.

Garniture :
8 tranches de pain de mie,
50 g de beurre.

1. Faites dorer le pain à la poêle avec 50 g de beurre. Pelez les raisins.

2. Saisissez les cailles dans une cocotte avec 30 g de beurre ou de margarine. Puis couvrez et laissez cuire doucement 10 mn.

3. Faites rapidement sauter les foies avec une noix de beurre ou de margarine. Arrosez avec la moitié du cognac. Flambez. Écrasez les foies. Incorporez 20 g de beurre ou de margarine, sel, poivre. Étalez sur le pain. Mettez-les dans un plat tenu au chaud.

4. Détachez les bardes des cailles. Dégraissez la sauce. Remettez les cailles dans la cocotte. Arrosez de cognac. Faites flamber. Ajoutez les raisins. Couvrez. Laissez cuire 2 mn sur feu doux. Présentez les cailles sur le pain tartiné, arrosées de jus de cuisson et accompagnées des raisins.

Truc : *Avec un couteau pointu, la peau du raisin se pèle sans difficulté.*

Variante : *Les perdreaux peuvent être accommodés selon la même recette. Les proportions sont valables pour 4 perdreaux, mais le temps de cuisson sera un peu plus long. Comptez 25 à 30 mn de cuisson, en cocotte.*

Civet de lièvre

Facile / cher / petites et grandes réceptions
Automne-Hiver

Préparation et cuisson : 3 h + marinade : 2 ou 3 jours

Pour 6, il faut :

1 lièvre,
250 g de lard de poitrine maigre frais,
100 g de beurre ou de margarine,
1 cuil. à soupe de farine,
1 verre à liqueur de cognac,
tomate concentrée,
12 petits oignons,
3 tranches de pain de mie,
400 g de champignons de Paris,
sel, poivre.

1. Marinade : videz le lièvre. Recueillez le sang dans une tasse. Gardez le liquide avec quelques gouttes de vinaigre. Retirez le fiel du foie. Mettez les morceaux de lièvre dans une terrine avec le foie et la marinade. Laissez au frais 2 ou 3 jours.

2. Cuisson : faites roussir les morceaux de lièvre bien égouttés (sauf le foie), puis les légumes de la marinade. Saupoudrez de farine. Mélangez. Arrosez de cognac. Faites flamber sur le feu. Ajoutez 1 cuil. à soupe de tomate concentrée, sel, poivre, et juste assez de marinade pour couvrir le lièvre. Laissez mijoter sur feu doux 2 h environ.

3. Coupez le lard maigre en morceaux. Mettez-les à l'eau froide. Portez à ébullition. Égouttez. Faites-les dorer avec 30 g de beurre ou de margarine en compagnie des petits oignons. Couvrez à mi-cuisson.

4. Dans chaque tranche de pain de mie, coupez 4 triangles très pointus. Faites-les dorer avec 40 g de beurre.

5. Tenez les morceaux de lièvre au chaud. Passez la sauce. Remettez-la sur le feu avec les petits oignons et les lardons cuits. Laissez bouillir quelques minutes.

Civet de lièvre

Marinade :

- 1 litre de vin rouge,
- 1 cuil. à soupe d'huile,
- 3 cuil. à soupe de vinaigre,
- 1 carotte,
- 2 échalotes,
- 1 oignon,
- 1 gousse d'ail,
- bouquet garni,
- sauge, estragon,
- 6 grains de poivre,
- 2 clous de girofle.

6. Pendant ce temps, faites sauter rapidement les champignons à la poêle avec 30 g de beurre. Joignez-les au lièvre. Retirez la sauce du feu. Incorporez-y le sang peu à peu en tournant sans arrêt. Versez sur le lièvre. Trempez la pointe des croûtons dans la sauce, puis dans le persil haché. La sauce fait adhérer le persil aux croûtons. Disposez-les autour du plat.

Le civet peut être accompagné de pommes de terre cuites à l'eau ou de nouilles plates simplement préparées au beurre.

Solution express : *Les champignons lyophilisés qu'il suffit de réhydrater quelques secondes avant de les faire sauter à la poêle.*

Le secret *de la liaison au sang :* Pour empêcher le sang de coaguler : versez-le dans un bol contenant un filet de vinaigre et mettez-le au frais en attendant de faire votre liaison.
Passez foie et sang à la moulinette. Ajoutez cognac et, facultatif, crème fraîche. Incorporez-y une louche de sauce chaude du civet.
Puis versez dans la totalité de la sauce en mélangeant sans arrêt sur feu très doux. Ne laissez pas bouillir sinon le sang coagulerait.

Faisan farci

Facile / cher / petites et grandes réceptions
Automne-Hiver

Préparation et cuisson : **1 h 30 + 2 h à l'avance**

Pour 4, il faut :
1 faisan,
60 g de beurre,
1 barde de lard,
1 carotte,
1 oignon,
bouquet garni,
4 tranches de pain de mie,
sel, poivre.

Farce :
250 g de noix décortiquées,
50 g de raisins secs de Smyrne,
2 verres à liqueur de cognac,
50 g de mie de pain,
1/2 verre de lait,
1 œuf,
sel, poivre.

1. Farce : mettez les raisins dans le cognac. Faites tremper la mie de pain dans le lait. Réservez 10 demi-noix et hachez le reste avec foie et cœur du faisan. Incorporez-y œuf, mie de pain, raisins. Salez, poivrez.

2. Tassez la farce dans le faisan. Salez et poivrez. Entourez d'une barde. Ficelez.

3. Faites dorer le faisan dans une cocotte avec 30 g de beurre. Ajoutez carotte et oignon en morceaux, bouquet garni. Mettez la cocotte à four moyen (th. 5-6) 10 mn. Puis couvrez et laissez cuire 1 h.

4. Pendant ce temps, coupez les tranches de pain de mie en triangles. Faites-les dorer à la poêle avec 30 g de beurre.

5. Retirez la barde du faisan. Disposez celui-ci sur un plat chaud. Entourez de croûtons dorés et de demi-noix. Dégraissez la sauce restée dans la cocotte avec une cuiller. Ajoutez le cognac dans lequel les raisins ont macéré. Portez à ébullition et faites flamber. Versez sur le faisan et servez.

Variante : *Les perdreaux peuvent se préparer de la même façon. Les proportions de cette recette sont valables pour 4 perdreaux. Le temps de cuisson, plus court, est ramené à 30 mn.*

Gigue de chevreuil Grand Veneur

Facile / cher / petites et grandes réceptions
Automne-Hiver

Préparation et cuisson : **3 h + marinade** : **2 jours**

Pour 8, il faut :
1 gigue de 2 kg,
2 cuil. à soupe d'huile.

Sauce Grand Veneur :
voir sauce poivrade + 2 cuil. à soupe de crème fraîche,
1 cuil. à soupe de gelée de groseille.

Marinade :
1/2 litre de vin blanc sec,
1/2 verre d'huile,
1 oignon,
1 carotte,
2 échalotes,
1 gousse d'ail,
bouquet garni,
grains de poivre.

1. Au moins 48 h à l'avance, désossez la gigue. Retirez-en les parures (petits déchets et nerfs). Faites mariner avec tous les éléments de la marinade. Retournez la viande de temps en temps.

2. Préparez la sauce poivrade selon la recette p. 275.

3. Faites revenir la gigue sur le feu très vif, avec un peu d'huile. Pendant ce temps, mettez le plat de cuisson à chauffer dans le four très chaud (th. 8-9). Déposez la gigue dedans. Laissez cuire de 40 à 50 mn selon le degré de cuisson désiré.

4. Passez la poivrade. Ajoutez-y 2 cuil. à soupe de crème fraîche. Laissez bouillir un instant. Incorporez 1 cuil. à soupe de gelée de groseille et versez dans une saucière chaude. Servez également de la gelée de groseille, d'airelle ou de myrtille, à part. Présentez avec pommes Dauphine et croûtes à tartelettes emplies de gelée.

Solution express : *Les pommes Dauphine surgelées ou en sachets, prêtes à frire.*

Lapereau à l'oseille

Facile / raisonnable / petites réceptions
Toutes saisons

Préparation et cuisson : 1 h 30

Pour 4, il faut :

1 lapin coupé en morceaux,
40 g de beurre ou de margarine,
2 cuil. à soupe d'huile,
15 petits oignons,
100 g de lard de poitrine (non fumé),
100 g d'oseille,
150 g de crème fraîche,
1 jaune d'œuf,
sel, poivre.

1. Dans une cocotte, faites roussir les morceaux de lapin, de toute part, avec 2 cuil. à soupe d'huile. Ajoutez ensuite lard et oignons dans la cocotte avec 30 g de beurre ou de margarine. Salez, poivrez. Couvrez et laissez mijoter, de 45 mn à 1 h.

2. Nettoyez l'oseille. Hachez-la et faites-la cuire quelques minutes, sur feu vif, avec une noix de beurre. Égouttez-la à fond.

3. Quand le lapin est cuit, déposez-le sur un plat chaud. A la place, dans la cocotte, mettez l'oseille et la crème fraîche. Laissez bouillir 1 mn tout en mélangeant. Puis incorporez le jaune d'œuf, hors du feu, pour ne pas le cuire. Versez sur les morceaux de lapin et servez aussitôt avec des pommes de terre à l'eau ou des pâtes.

Lapin aux échalotes

Très facile / raisonnable / petites réceptions
Automne-Hiver

Préparation et cuisson : 45 mn
Cuisson en autocuiseur : 10 mn

Pour 4, il faut :
- 1 lapin coupé en morceaux,
- 6 échalotes,
- 1 cuil. à soupe rase de farine,
- 1 verre à moutarde de vin blanc sec,
- 4 cuil. à soupe d'huile,
- persil, bouquet garni, sel, poivre.

1. Faites roussir les morceaux de lapin, sur feu vif, avec un peu d'huile.

2. Hachez les échalotes. Ajoutez-les au lapin ainsi que la farine. Mélangez. Puis vin blanc, sel, poivre, bouquet garni. Laissez mijoter très doucement 25 mn bien couvert (en autocuiseur : 8 mn).

3. Hachez le persil. Ajoutez au lapin. Laissez cuire 5 mn supplémentaires.

Solution express : *Gagnez du temps en faisant revenir, dans le même temps, la moitié du lapin dans une grande poêle, l'autre moitié dans la cocotte. Tous les morceaux seront ensuite réunis dans celle-ci pour y mijoter.*

Le secret *du bon goût des échalotes dans la cuisine :* Elles doivent mijoter sans prendre couleur, car les échalotes, en roussissant, deviennent amères.

Lapin farci à la Normande

Difficile / raisonnable / petites réceptions
Toutes saisons

Préparation et cuisson : 2 h 30 + marinade : la veille

Pour 4, il faut :
1 lapin de 3 livres,
petits oignons,
1 verre 1/2 de vin blanc sec,
1/2 verre d'alcool (calvados, eau-de-vie, cognac),
1 morceau de couenne,
125 g de champignons,
bouquet garni,
sel, poivre.

Farce :
2 foies de lapin,
250 à 300 g de jambon cuit, maigre,
1 tasse de mie de pain,
1 tasse de ciboulette,
1/2 cuil. à café de 4-épices,
1 verre à liqueur d'alcool,
1 œuf,
sel, poivre.

1. La veille, faites ôter seulement pattes et tête du lapin. Frottez-le avec les aromates émiettés et un peu d'huile. Enveloppez-le de papier d'aluminium. Laissez dans le réfrigérateur jusqu'au lendemain.

2. Farce : passez à la moulinette : jambon, foies, pain, fines herbes. Mélangez intimement dans une terrine avec l'œuf entier, 1 verre d'alcool, sel, poivre, 4-épices. Vous obtiendrez une pâte légèrement consistante. Étalez-la depuis le thorax du lapin jusqu'à la naissance des cuisses. Pour la maintenir enfermée, rabattez dessus la fine peau du thorax et rapprochez les cuisses. Cousez avec du fil, ou plus simplement épinglez les bords ensemble avec de petites brochettes (la farce tient bien à la cuisson).

3. Coupez le pied sableux des champignons. Lavez-les soigneusement, puis coupez-les menu et faites-les cuire 10 mn avec une noix de beurre ou de margarine, sur feu doux. Épluchez les petits oignons. Mettez-les à dorer légèrement.

4. Tapissez l'intérieur d'une très grande cocotte avec des morceaux de couenne. Au fond, étalez les 2/3 du hachis de champignons et les petits oignons. Déposez dessus le lapin replié sur lui-même.

Lapin farci à la Normande

Marinade :
thym, laurier, romarin, poivre,
1 cuil. à soupe d'huile.

Ajoutez le reste de champignons, 1 verre 1/2 de vin blanc sec, le 1/2 verre d'alcool, le sel et le poivre. Commencez la cuisson sur le feu. Dès ébullition, faites flamber. Couvrez hermétiquement. Glissez la cocotte dans le four moyen (th. 5-6). Laissez cuire doucement 1 h 30 environ. Présentez le lapin découpé.

Les secrets *du lapin farci réussi :* Si possible « blanchissez » la couenne. Autrement dit, placez-la dans une casserole d'eau froide ; portez à ébullition 2 ou 3 mn. Égouttez. Utilisez-la ensuite comme dit dans la recette.
A défaut d'un second foie de lapin, du foie d'agneau ou de porc fera l'affaire.
Si le jus s'évapore un peu vite, ajoutez un peu d'eau bouillante en cours de cuisson. Toutefois, n'oubliez pas que plus courte est la sauce, meilleure elle est...

Lapin à la Flamande

Facile / raisonnable / petites réceptions
Automne-Hiver

Préparation et cuisson : 1 h + marinade : la veille

Pour 4, il faut :

1 lapin coupé en morceaux,
30 g de beurre ou de margarine,
500 g de pruneaux,
1 cuil. à soupe de gelée de groseille ou de myrtille.

Marinade :

2 carottes,
3 oignons,
1 branche de céleri,
2 gousses d'ail,
1 échalote,
2 clous de girofle,
thym, laurier,
1/4 de litre de vinaigre,
1/4 de litre de vin blanc sec,
2 cuil. à soupe d'huile,
sel, poivre.

1. Marinade : la veille, mettez à mariner les morceaux de lapin avec tous les éléments ci-contre, grossièrement hachés. Recouvrez de liquide (moitié vinaigre, moitié vin blanc).

2. Le jour même, égouttez bien le lapin. Faites-le roussir avec 30 g de beurre ou de margarine. Pendant ce temps, faites bouillir la marinade 5 mn. Passez-la et versez-la sur le lapin. Laissez mijoter de 30 à 45 mn. Ajoutez les pruneaux à mi-cuisson.

3. Disposez le lapin sur un plat chaud. Délayez sur feu doux 1 cuil. de gelée de groseille ou de myrtille avec le jus de cuisson un peu onctueux. Servez cette sauce à part.

Des pommes de terre à l'eau en sont le meilleur accompagnement.

Le secret *d'un jus onctueux :* Il doit être suffisamment réduit en fin de cuisson. Si ce n'est pas le cas, transvasez-le dans une casserole et faites-le bouillir à gros bouillons, sans couvrir, quelques minutes pour laisser évaporer.

Lapin mentonnaise

Facile / raisonnable
Été-Automne

Préparation et cuisson : 1 h 30
Cuisson en autocuiseur : 25 mn

Pour 4, il faut :
1 lapin de 1,500 kg coupé en morceaux,
30 g de beurre ou de margarine,
2 cuil. à soupe d'huile d'olive,
2 gros oignons,
2 aubergines,
2 courgettes,
3 poivrons,
750 g de tomates,
1 cuil. à soupe de concentré de tomate,
2 gousses d'ail,
sel, poivre.

Pour décorer :
une dizaine d'olives noires dénoyautées.

1. Coupez les oignons en rondelles, les aubergines et les courgettes en morceaux, les poivrons en lanières. Faites revenir le tout à la cocotte avec 2 cuil. à soupe d'huile, sur feu vif. Ajoutez ensuite les tomates épluchées et épépinées, concentré de tomate, ail, sel, poivre.

2. Avec 30 g de beurre ou de margarine, faites dorer le lapin dans une poêle. Quand les morceaux sont bien colorés, déposez-les sur les légumes. Salez, poivrez et laissez mijoter 45 mn ou 1 h (en autocuiseur : 25 mn).

3. Déposez le lapin dans un plat creux, au chaud. Vérifiez l'assaisonnement de la ratatouille et, si nécessaire, remettez-la quelques minutes sur feu vif pour qu'elle épaississe. Versez-la sur le lapin. Décorez le plat avec quelques olives noires dénoyautées.

Lapin à la moutarde (sauté)

Facile / raisonnable / petites réceptions
Toutes saisons

Préparation et cuisson : 1 h

Pour 4, il faut :
1 lapin coupé en morceaux,
30 g de beurre ou de margarine,
1 cuil. à soupe d'huile,
1 cuil. à soupe rase de farine,
1 oignon,
2 cuil. à soupe de crème fraîche,
3 clous de girofle,
bouquet garni,
1 cuil. à soupe de moutarde forte,
sel, poivre.

1. Faites revenir les morceaux de lapin, à feu vif, avec un peu d'huile très chaude, dans une sauteuse ou une grande poêle.

2. Quand la viande est bien dorée, transvasez-la dans une cocotte sur feu vif. Ajoutez le beurre ou la margarine. Saupoudrez d'1 cuil. à soupe rase de farine. Mélangez avec une cuillère en bois pour que la farine au contact avec la matière grasse blondisse à son tour.

3. Ajoutez l'oignon piqué de 3 clous de girofle, bouquet garni, sel et poivre. Couvrez hermétiquement et laissez mijoter à feu doux 45 mn environ. Quand le lapin est cuit, déposez les morceaux dans un plat de service creux. Tenez au chaud.

4. Dans un bol, délayez 2 cuil. à soupe de crème fraîche avec environ 1 cuil. à soupe de moutarde forte (dosez au goût). Incorporez avec un fouet au jus de cuisson sur feu doux. Versez sur le lapin aussitôt.

Le secret *de la sauce à la moutarde qui ne tourne pas :* Elle ne doit jamais bouillir. Il vaut mieux, généralement, l'incorporer hors du feu, à la sauce. Toutefois, si elle est jointe à une quantité importante de crème fraîche — comme dans le lapin à la moutarde — le mélange peut se faire sur le feu afin de réchauffer l'ensemble sans ébullition.

Lapin aux pruneaux

Très facile / raisonnable / petites réceptions
Printemps-Automne-Hiver

Préparation et cuisson : **2 h + marinade** : **la veille**

Pour 4, il faut :

1 lapin de 3 livres,
250 g de petits oignons,
250 g de pruneaux,
100 g de lard de poitrine fumé,
30 g de beurre ou de margarine,
1 cuil. à soupe bombée de farine,
sel, poivre.

Marinade :

1 bouteille de vin rouge,
1 verre à apéritif de cognac,
2 carottes,
2 gros oignons,
bouquet garni,
poivre.

1. Marinade : coupez le lapin en morceaux et mettez-le à mariner dans un plat contenant vin, cognac, bouquet garni, 2 carottes et 2 oignons en rondelles, poivre.

2. Le jour même, égouttez soigneusement la viande. Faites revenir le lard coupé en dés et les petits oignons, dans une cocotte contenant 30 g de beurre ou de margarine. Retirez-les. A leur place, mettez les morceaux de lapin. Lorsque ceux-ci sont bien dorés, saupoudrez-les de farine. Mélangez. Salez, poivrez. Recouvrez-les tout juste de marinade passée. Couvrez. Laissez mijoter 45 mn.

3. Ajoutez alors lardons, oignons et pruneaux. Laissez mijoter 45 mn supplémentaires, dans la cocotte couverte.

Pratique : *Les pruneaux que l'on trouve à présent ont conservé un taux d'humidité suffisant pour être utilisés au sortir du sachet ou de la boîte, sans trempage préalable.*

Lapin au roquefort

Très facile / raisonnable / petites réceptions
Toutes saisons

Préparation et cuisson : 1 h 15

Pour 4, il faut :
1 lapin coupé en morceaux,
30 g de beurre ou de margarine,
50 g de roquefort,
1 cuil. à soupe d'huile,
2 échalotes,
1 oignon,
2 ou 3 cuil. à soupe de crème fraîche,
sel, poivre.

1. Faites dorer les morceaux de lapin, de toute part, avec un peu d'huile très chaude, si possible dans une grande poêle. Ajoutez l'oignon haché à la moitié de l'opération.

2. Mettez le beurre ou la margarine à fondre dans une cocotte. Transvasez le lapin doré dedans. Saupoudrez avec les échalotes hachées, un peu de sel, poivre. Mélangez. Couvrez et laissez cuire à feu moyen 1/2 h.

3. Râpez le roquefort ou écrasez-le à la fourchette. Délayez-le avec la crème fraîche. Versez sur le lapin. Laissez mijoter ensemble, sur feu doux, de 20 à 30 mn supplémentaires. Si la sauce est trop liquide, découvrez la cocotte pendant le dernier quart d'heure.

Présentez avec de simples pâtes au beurre.

Le secret *des plats au roquefort assaisonnés à point :* Surtout ne les salez pas trop car le fromage de roquefort est assez salé. Toutefois, ne lésinez pas sur le poivre dont il s'accommode fort bien.

Perdreaux sur canapés

Facile / cher / petites et grandes réceptions
Automne-Hiver

Préparation et cuisson : 30 mn

Pour 4, il faut :
2 beaux perdreaux,
50 g de beurre ou de margarine,
2 fines bardes de lard,
2 tranches de pain de mie,
2 feuilles de vigne,
thym,
sel, poivre.

1. Mettez les foies de côté. Tartinez les perdreaux de beurre. Salez et poivrez. Sur le ventre des perdreaux, posez une feuille de vigne, puis une barde de lard. Maintenez avec du gros fil. Mettez à four chaud (th. 6-7) 20 mn. Arrosez souvent pendant la cuisson.

2. Faites dorer le pain à la poêle avec 25 g de beurre ou de margarine. Coupez les foies en dés. Faites revenir rapidement avec un peu de beurre. Ajoutez sel, poivre, thym effeuillé. Écrasez à la fourchette, étalez sur le pain. Déposez les canapés dans un plat.

3. Débarrassez les perdreaux des bardes et des feuilles de vigne. Mettez ces dernières de côté. Remettez les perdreaux 5 mn au four pour dorer. Présentez-les entourés d'une feuille de vigne et déposés sur un canapé. Dégraissez la sauce et présentez-la à part, en saucière.

Organisation : *Si vous comptez 1 perdreau par personne, prévoyez le double de feuilles de vigne, bardes et tranches de pain.*

Le secret *pour dégraisser le jus de cuisson du gibier :* Portez-le à ébullition. Le bouillonnement repousse le gras contre la paroi en une couche plus ou moins épaisse qu'il est facile de recueillir avec une cuillère à soupe.

Perdrix en chartreuse

Très facile / raisonnable / petites réceptions
Automne-Hiver

Préparation et cuisson : 2 h 30

Pour 4, il faut :
2 perdrix,
40 g de beurre ou de margarine,
300 g de lard de poitrine non fumé,
1 chou pommé de 1 kg,
2 carottes,
1 oignon,
1 saucisson à cuire de 200 g,
sel, poivre.

1. Faites bouillir de l'eau dans un grand récipient. Tranchez le chou en 8. Détachez les grosses côtes. Plongez-le 10 mn dans l'eau en ébullition. Égouttez.

2. Faites fondre doucement le lard coupé dans une cocotte avec 30 g de beurre ou de margarine. Puis mettez les perdrix à dorer.

3. Ajoutez-y ensuite : chou, carottes, oignon, saucisson en rondelles, sel, poivre. Couvrez et laissez cuire, à feu très doux, de 1 h 30 à 2 h [mieux : mettez la cocotte fermée dans le four moyen (th. 5-6) et laissez cuire en même temps].

4. Beurrez l'intérieur d'un saladier à fond plat. Plaquez les rondelles de carottes et de saucisson contre cette paroi, avant de tasser le chou dedans. Démoulez ensuite et posez les perdrix dessus avant d'apporter à table.

Variante : Un faisan *peut être accommodé de la même manière, avec les proportions de la recette ci-dessus.*

Sauce poivrade

Facile / raisonnable / petites et grandes réceptions
Automne-Hiver

Préparation et cuisson : **environ 2 h 30**

Il faut :
os et petits morceaux du gibier (parures),
os de veau cassé,
75 g de lard gras,
1 oignon,
1 gousse d'ail,
1 carotte,
2 cuil. à soupe pleines de farine,
2 verres de marinade de gibier,
1/2 litre de bouillon concentré,
bouquet garni,
2 cuil. à café de poivre en grains,
sel.

1. Mettez à fondre doucement le lard coupé en dés, dans une casserole. Ajoutez-y les parures du gibier, l'os de veau (brisé par le boucher), oignon et carotte hachés.

2. Saupoudrez de farine. Faites blondir en mélangeant sur le feu. Ajoutez ail écrasé, marinade de gibier, bouillon, sel, bouquet garni. Laissez 2 h sur feu doux sans couvrir.

3. 1/2 h avant la fin de la cuisson, ajoutez le poivre grossièrement écrasé. Passez la sauce au tamis avant de la servir.

Variantes : Sauce Diane : *sauce poivrade + un peu de crème fraîche incorporée en fin de cuisson.*
Sauce Grand Veneur : *sauce poivrade + un peu de crème fraîche + 1 cuil. à soupe de gelée de groseille délayés sur feu doux.*

Truc : *Écrasez le poivre sur une planche à découper avec un rouleau à pâtisserie ou une bouteille. Vous pouvez interposer un torchon pour éviter que les grains de poivre ne sautent dans tous les sens.*

Le secret *des sauces à gibier veloutées :* Elles doivent être réduites après un long mijotage. Les os de veau cassés sont également indispensables à leur velouté.

Sauté de marcassin

Facile / raisonnable / petites réceptions
Automne-Hiver

Préparation et cuisson : 1 h 30
Cuisson en autocuiseur : 30 mn
+ marinade : 2 ou 3 jours

Pour 4, il faut :

1 épaule de marcassin en morceaux,
3 cuil. à soupe d'huile,
1 cuil. à soupe de farine,
1 cuil. à café de concentré de tomate,
3 tomates,
1 tablette de bouillon,
sel, poivre.

Marinade :

1/2 litre de vin blanc sec,
1/2 verre d'huile,
1 oignon,
1 carotte,
2 échalotes,
1 gousse d'ail,
bouquet garni,
grains de poivre.

1. 2 ou 3 jours d'avance, mettez à mariner la viande avec les éléments de la marinade. Retournez la viande de temps en temps.

2. Le jour venu, égouttez la viande. Épongez-la. Faites-la revenir, sur feu très vif, dans une cocotte avec un peu d'huile. Ajoutez les aromates de la marinade. Saupoudrez de farine. Laissez dorer en mélangeant bien. Ajoutez la marinade passée, concentré de tomate, tomates pelées, sel et poivre. Laissez bouillir 10 mn sans couvrir. Puis ajoutez une tablette de bouillon, délayée avec 1/2 litre d'eau. Couvrez et laissez mijoter, sur feu doux, 1 h 15 (en autocuiseur : 30 mn).

Servez avec croûtons frits, pommes à l'anglaise et compote de pommes non sucrée.

Salmis de faisan

Facile / cher / petites et grandes réceptions
Automne-Hiver

Préparation et cuisson : 1 h 45

Pour 4, il faut :

1 faisan de 1,200 kg coupé en 4 (abattis à part),
60 g de beurre ou de margarine,
1 cuil. à soupe rase de farine,
1 verre de vin blanc sec,
1 oignon,
1 carotte,
1 pois de tomate concentrée,
1 verre à liqueur de cognac,
150 g de champignons,
1 boîte de miettes de truffe,
bouquet garni,
sel, poivre en grains.

Garniture :

8 tranches de pain de mie,
40 g de beurre,
persil haché.

1. Faites dorer tête, ailerons, foie et gésier dans une casserole, avec 1 noix de beurre ou de margarine. Saupoudrez-les de farine. Mélangez. Mouillez avec 1/2 verre de vin et 1 verre d'eau. Couvrez. Laissez mijoter 30 mn. Passez ce jus de cuisson.

2. Coupez le faisan en 4. Faites dorer les morceaux de toute part dans une cocotte avec 30 g de beurre ou de margarine. Jetez-y oignon et carotte coupés en dés, tomate concentrée. Arrosez de cognac. Faites flamber. Ajoutez enfin 1/2 verre de vin, jus de cuisson, bouquet garni, 4 grains de poivre, sel. Couvrez. Laissez mijoter 1 h.

3. Coupez les champignons en 4. Faites-les sauter rapidement avec 1 noix de beurre ou de margarine, sel, poivre.

4. Faites dorer des triangles de pain à la poêle avec 40 g de beurre. Égouttez les morceaux de faisan. Tenez-les au chaud dans le plat creux de service.

5. Dans la cocotte restée sur le feu, ajoutez champignons, miettes de truffe et leur jus. Laissez bouillir quelques minutes sans couvrir. Retirez le bouquet garni et versez sur le faisan. Décorez le plat avec les triangles de pain.

Terrine de faisan
(ou de pintade)

Difficile / cher / petites et grandes réceptions
Automne-Hiver

Préparation et cuisson : 2 h 15 + marinade : de 24 à 48 h

Pour 1 faisan, il faut :

250 g de veau désossé,
250 g de porc désossé,
100 g de lard gras,
1 boîte de miettes de truffe,
15 pistaches,
200 g de barde de lard,
sel, poivre.

Marinade :

1/4 de litre de vin blanc,
1 verre à liqueur de madère (facultatif),
1 carotte,
1 oignon,
1 gousse d'ail,
1 cuil. à soupe d'huile,
bouquet garni,
poivre.

1. Marinade : désossez le faisan. Mettez la chair dans une terrine avec veau et porc en morceaux, carotte, oignon en rondelles et les autres éléments de la marinade. Laissez au frais de 24 à 48 h.

2. Égouttez les viandes. Mettez de côté quelques filets de faisan. Hachez le reste avec le lard gras. Malaxez en incorporant un peu de marinade, jus des truffes, sel, poivre, pour obtenir une farce un peu molle.

3. Découpez la forme du couvercle dans la barde de lard. Pliez en deux et taillez des chevrons dedans. Avec les chutes, tapissez l'intérieur de la terrine. Tassez une partie de la farce dedans, à mi-hauteur seulement. Étalez les filets de faisan, bâtonnets de lard, pistaches, miettes de truffe. Recouvrez avec le reste de farce. Posez le couvercle de barde sur la terrine très pleine. Couvrez.

4. Faites cuire au bain-marie 1 h 45, à four moyen (th. 5-6). 15 mn avant la fin de la cuisson, retirez le couvercle de la terrine pour que le dessus puisse dorer.

5. 30 mn après sa sortie du four : posez une planchette ou une assiette et un poids sur le pâté, pour le tasser.

Les terrines

Les secrets *pour réussir une terrine :* Assaisonnez-la suffisamment. Comptez de 15 à 20 g de sel et 2 g de poivre en grains moulu par kg de viande hachée.
La terrine sera meilleure si vous y incorporez 1 œuf entier cru et 2 cuil. de cognac.
Garnissez la terrine de couennes de lard (préalablement nettoyées à l'eau bouillante) et placez-en une sur le dessus pour la protéger et produire une bonne gelée à la cuisson.
Pour avoir une terrine moelleuse, faites-la cuire, à couvert, au bain-marie. Vous retirerez le couvercle 15 mn avant la fin de la cuisson afin que le dessus puisse dorer.
Pour savoir si la terrine est cuite, enfoncez une brochette jusqu'au fond. La pointe doit en ressortir chaude.
N'utilisez pas de poids trop lourd pour presser la terrine après sa sortie du four. Car sous l'effet d'une pression trop forte, la graisse remonterait à la surface, laissant un pâté sans moelleux.
Attendez 2 ou 3 jours avant de consommer.

Terrine de lapin paysanne
(avec os)

Très facile / bon marché
Toutes saisons

Préparation et cuisson : 2 h 15 + marinade : 12 h

Pour 1 râble de lapin en morceaux, il faut :

750 g d'échine de porc,
1 barde de lard,
1 couenne de lard,
sel, poivre.

Marinade :

1/4 de litre de vin blanc,
1 verre à liqueur de madère (facultatif),
1 carotte,
1 oignon,
1 gousse d'ail,
1 cuil. à soupe d'huile,
bouquet garni,
poivre.

1. Marinade : laissez le lapin macérer, au frais, une nuit entière avec tous les éléments de la marinade.

2. Hachez la viande de porc. Incorporez-y sel, poivre et une partie de la marinade passée pour obtenir un mélange moelleux, mais pas trop liquide. Garnissez le fond de la terrine avec une barde de lard. Tassez dessus une couche de hachis, les morceaux de lapin égouttés, non désossés, bien serrés les uns contre les autres. Recouvrez avec le reste de hachis. Posez une couenne de lard dessus. Faites cuire au bain-marie, à four moyen (th. 5-6) 1 h 30 environ.

Servez froid, dans la terrine.

Le secret *de la qualité toute particulière de cette terrine de lapin :* Les os, cuits dans la terrine même, lui communiquent beaucoup de goût et, en cuisant, produisent un peu de gelée également délicieuse. Un inconvénient : cette terrine ne peut être coupée en tranches, à cause des os. Servez-la avec une fourchette solide (fourchette à rôtir) pour en détacher de savoureux morceaux.

Terrine de lièvre
(ou de lapin)

Difficile / raisonnable / petites réceptions
Automne-Hiver

Préparation et cuisson : 3 h 30 + **marinade** : 48 h

Pour 1 lièvre de 2,500 kg, il faut :

1,200 kg de lard maigre,
400 g de lard gras,
3 œufs,
30 g de fécule,
300 g de barde de lard,
laurier,
sel, poivre.

Marinade cuite :
voir p. 256.

1. La veille ou l'avant-veille, désossez le lièvre. Détaillez la chair du râble en filets. Coupez en morceaux : le reste du lièvre, lard maigre, lard gras. Mettez le tout dans une terrine avec la marinade. Laissez macérer au frais de 24 à 48 h.

2. Égouttez les viandes. Faites cuire la marinade sur feu moyen, sans couvrir, de 30 à 40 mn, jusqu'à ce qu'elle se réduise à un bon verre.

3. Pendant ce temps, épongez les viandes. Hachez-les, sauf les filets. Incorporez-y 3 œufs entiers, 30 g de fécule, sel et poivre. Malaxez énergiquement. Ajoutez quelques cuillerées à soupe de marinade réduite et passée (le pâté ne doit pas être trop mou).

4. Garniture et cuisson de la terrine : voir recette « terrine de faisan ».

Le secret *pour avoir des tranches originales :* Détachez les deux filets. Enveloppez-les chacun dans une fine lamelle de lard et posez-les côte à côte (ou bout à bout) sur la farce, à mi-hauteur de la terrine. Puis terminez le remplissage avec le reste de la farce.

Les volailles

Le canard

Parmi les nombreuses races de canards, voici les 3 principales :
— le *Nantais,* un peu gras ;
— le *Rouennais,* très charnu, rappelle un peu le canard sauvage (le colvert, son ancêtre) par son plumage et par son goût. C'est avec le canard rouennais qu'est, généralement, préparé le canard au sang ;
— le *canard de Barbarie,* le plus important par la taille. Mais quand il est petit et jeune, c'est le moins gras de tous les canards.

Un bon canard devrait être mangé « caneton » aux alentours de 4 mois. Il ne dépasse pas 1,300 kg, une fois plumé et vidé. Son corps, assez étroit, laisse présager qu'il n'est pas gras. Son ventre bombé signifie qu'il est très frais. Sa peau, même quand il est jeune, est toujours granuleuse et d'un blanc tirant nettement sur le jaune. Veillez à ce qu'il soit bien plumé, qu'il ne reste pas de petits fanons noirs plantés dans la peau.

Son bec peut être déjà dur, mais sans excès, il doit fléchir légèrement sous le doigt, tout comme le bréchet (l'os de la poitrine). Les écailles de ses pattes doivent être brillantes.

Préparez :
Le caneton
(de 1,200 kg
à 1,300 kg)

Rôti, au four ou à la rôtissoire, comptez de 40 à 50 mn.

Braisé à la cocotte, 1 h environ.
Et n'oubliez pas de retirer le gras avec une cuiller, tout au long de la cuisson. Le canard est toujours un peu gras. Si vous le laissez mijoter dans sa graisse fondue, il dessèchera et prendra un goût désagréable.
Le gros canard sera meilleur en salmis, en ragoût, en civet (ragoût au vin) qui permettent des cuissons prolongées.
Mais dans le canard ou le caneton, les morceaux de choix sont toujours les filets. Ainsi, les Romains ne mangeaient, dans le canard, que la cervelle et les filets. Pour la cervelle, je n'ai pas d'opinion. Mais quant au reste, je suis bien d'accord avec les Romains, les filets, c'est le meilleur dans le canard !
Les abattis du canard ne sont pas très comestibles. C'est plein d'os. Le mieux est de les utiliser (pattes, bout des ailerons, cou, gésier) pour en faire un fond de sauce. Rien de tel pour corser le jus de cuisson du canard.

Le secret *du fond de sauce moelleux, corsé... et facile à faire :* Faites roussir les abattis du canard et 1 oignon haché avec 25 g de beurre ou de margarine. Ajoutez-y 2 verres de vin blanc sec, 2 verres d'eau, 1 carotte en rondelles, bouquet garni, sel, poivre. Laissez bouillir très doucement, sans couvrir, une petite heure. Il prendra du goût et de la consistance en s'évaporant. Ajoutez-le au jus de cuisson du canard préalablement dégraissé.

La dinde et l'oie

Les grosses volailles, telles que la dinde et l'oie, sont vendues entières ou en morceaux. La dinde est, de plus en plus souvent proposée désossée et roulée en rôti, en escalopes, en brochettes. Plus rarement, surgelée. Autant de cas susceptibles de vous poser un petit problème au moment de l'achat.

Volaille entière

Son poids idéal garantissant une qualité maximum :
— la dinde de 4 kg (bridée) pour 10/12,
— l'oie de 3,5 kg (bridée pour 8/10.

En morceaux

— La dinde et l'oie : 250 à 300 g par personne.

En rôti

— La dinde : 200 g par personne.

Entière et surgelée

Il vous faudra tenir compte d'un temps assez important pour la désurgélation :

— 2 ou 3 jours dans le réfrigérateur ;
— la nuit entière, hors du réfrigérateur ;
— ou, dans son papier d'origine, quelques heures sous l'eau courante du robinet.

La dinde

La femelle est, paraît-il, plus fine que le mâle. Cette réputation est surfaite. L'important est de porter son choix sur une jeune volaille pesant dans les 4 kg net. Elle sera tendre, moelleuse et ne desséchera pas à la cuisson.
Ses caractéristiques sont à peu près les mêmes que celles d'un bon poulet :

— bréchet flexible noyé dans la graisse ;
— pattes noires et brillantes avec des ergots courts ;
— chair élastique sous la pression du doigt ;
— peau souple et transparente.

L'oie

Les volailles jeunes de 3 à 4 kg moyennement grosses sont les meilleures pour rôtir. Elles sont moins grasses et plus vite cuites. Les oies plus âgées gagneront à être braisées.
A éviter : bec et pattes rougeâtres : signe de vieillesse.

Préparez :

La dinde ou l'oie, rôties

La plupart des préparations d'oies, de poulardes et de poules conviennent à la dinde, et vice versa. N'oubliez pas cependant que la chair de la dinde est plus sèche que celle de la poule et du poulet. Sa cuisson est plus lente et doit se faire, de préférence, à couvert.
Glissez un bon morceau de beurre ou de margarine, quelques brins de thym, sel et poivre à l'intérieur. Déposez-la sur une cuisse, dans un très grand plat (ou, à défaut, sur la plaque creuse du four). Enduisez-la de beurre ou de margarine. Salez, poivrez. Mettez à four moyen (th. 5-6) 1 h sur chaque cuisse, puis 30 mn sur le dos, pour une volaille de 4 kg environ. (Comptez 20 mn par livre et 5 mn de plus par livre, si elle est farcie. Le temps de cuisson est toujours approximatif, puisqu'il dépend de la qualité de la bête, du four et de votre goût.)
Dégraissez le jus de cuisson avec une cuiller, au fur et à mesure de la cuisson.
Pendant la cuisson, arrosez souvent de jus dégraissé. Insistez sur les cuisses qui ont tendance à dessécher. Si le jus est insuffisant, vous pouvez ajouter un peu d'eau bouillante dans le plat de cuisson.
Lorsque le dessus de la volaille est suffisamment doré, protégez-le avec une feuille d'aluminium qui l'isolera de la chaleur du four et évitera le dessèchement.
Prévoyez 20 ou 30 mn en plus de la cuisson, afin de laisser la volaille reposer dans le four éteint, avant le découpage. Enveloppez-la complètement de papier d'aluminium. Elle sera encore plus juteuse et plus facile à trancher après.
Si vous faites rôtir une oie à la broche, piquez la peau au cours du rôtissage pour laisser couler le gras.

Découpage

Si la volaille est farcie, découpez-la d'abord. Cassez la carcasse et retirez-en la farce d'un seul bloc. Découpez-la en tranches que vous disposerez sur le plat. Vous pouvez également trancher la farce en même temps que la volaille.

Quels légumes servir avec

La dinde : Cèpes ou girolles sautés, jardinière de légumes, marrons braisés, navets braisés, pois, pommes de terre sautées, purée de marrons et gelée de myrtilles, salsifis sautés.

L'oie : Cœurs de céleris braisés, fonds d'artichauts braisés ou garnis de : haricots verts, pois, tomates grillées ; fonds d'artichauts et pommes sautées ensemble, haricots verts, laitues braisées, carottes, navets et oignons glacés.

La dinde et l'oie : Chou rouge braisé, chou vert braisé, choucroute et pommes à l'Anglaise, pommes dauphine, haricots blancs, pommes-fruits au four ou en marmelade, pommes duchesse, timbales de riz.

Les secrets *de cuisson :* Quand la dinde est cuite aux 3/4, coupez les fils pour laisser gonfler.
Pour vous assurer que la dinde ou l'oie est rôtie à point, tâtez la partie charnue de la cuisse qui doit être très souple. Bougez l'os du pilon de côté et d'autre, il ne doit opposer aucune résistance.

Le pigeon

Le pigeonneau, comme toutes les jeunes volailles, a le bec souple ; son croupion est clair et sa peau rosée ; sa chair est bien rouge.

Quand vous lui ôtez le foie, ne cherchez pas le fiel : le pigeon n'en a pas.

Préparez :

Qu'il soit domestique (biset) ou sauvage (ramier-palombe), le pigeon peut se préparer de la même manière. C'est son âge surtout qui influencera votre choix. A tendre pigeonneau : le rôti. A pigeon adulte : le braisage, le mijotage.

Les vieux pigeons se laissent trahir par leur peau bleuâtre, leurs pattes et leur cou maigrichons. Ne les dédaignez pas pour autant, ils peuvent être excellents mijotés en compagnie de légumes.

Découpage et présentation :

Le pigeon ne se découpe pas comme un poulet. Très petit, il peut être présenté entier (1 par personne). Plus gros, il sera partagé en deux.

Posez le pigeon sur la planche à découper. Puis avec un large couteau, utilisé comme un hachoir : tranchez-le en deux, en longueur, en appuyant fortement avec la paume de la main.

La pintade

(Voir également chapitre « le gibier et le lapin »)

Son bréchet est souple, sa peau transparente. Sa chair serrée, un peu grisâtre, est élastique sous le doigt.

Son poids :

— pintadeau : 800 g pour 2.

— pintade : 1,200 kg pour 4.

La pintade, originaire d'Afrique, autrefois volaille de luxe, est maintenant plus répandue sur nos marchés, donc moins chère.

Son goût délicat justifie son prix plus élevé que celui du poulet. Ajoutons que l'élevage de la pintade nécessite de grands espaces car elle aime courir dans les herbes et se percher sur les arbres.

Préparez :

La finesse de son goût, un peu musqué, la situe entre le faisan et le poulet. Elle se prépare rôtie, farcie. Personnellement c'est simplement braisée à la cocotte que je la préfère, à condition de la débarrasser de la barde de lard dont on l'affuble généralement, ce qui gâte la sauce.

Une pintade âgée gagnera à être préparée en salmis.

Découpage :

La pintade, comme toutes les petites volailles, se tranche en deux ou en quatre, selon sa grosseur.

Le poulet

Le poulet n'est plus le plat du dimanche d'autrefois. C'est une viande de tous les jours que d'aucuns jugent même très ordinaire (je les trouve bien sévères car je suis toujours amateur de poulet).

Reconnaissons que le poulet, qu'il se prétende « d'élevage » ou « de ferme », est une des sources de protides les plus riches et les moins chères, comparée aux bifteck, veau, mouton ou porc.

Choisissez :

Vous êtes sûre d'acheter un bon poulet si vous le choisissez gros, 1,200 kg au moins vidé et bridé. Comme il a eu le temps de courir un peu, ses cuisses doivent être musclées. Sa peau grumeleuse, adhérant bien à la chair, laissant entrevoir une légère couche de graisse sur la poitrine. Une bonne note supplémentaire : s'il a le gésier assez volumineux, cela prouve qu'il a mangé du grain... au moins les derniers temps !

De nos jours, qu'on le veuille ou non, nous consommons des poulets d'élevage.

Une garantie : les appellations.

4 appellations sont reconnues officiellement :
— le *poulet d'élevage* le moins cher, âgé de 8 à 9 semaines,
— le *poulet d'élevage amélioré* (classe A) de 11 à 12 semaines,
— le poulet *sous label* âgé de 12 à 14 semaines,
— le poulet de *Bresse* (plaque d'origine agrafée sous la chair) de 14 à 15 semaines.

C'est principalement la nourriture qui influence la couleur du poulet. Ainsi la couleur jaune est due au maïs dont ils ont été engraissés sur la fin de l'élevage.

Le poulet fumé (cru ou cuit) : est encore une nouveauté dans les magasins, bien que la recette, d'origine solognote, en soit ancienne. Il se présente sous pellicule, emballé sous vide, ce qui permet une conservation de plusieurs jours au réfrigérateur.

Le coquelet : guère plus gros qu'un pigeon, a peu de saveur. Il peut être amusant de servir à chaque convive, ou même à chaque enfant, son petit poulet. Mais c'est là, à mon avis, son seul intérêt.

Préparez :

Accommodez le poulet selon ses mérites. Au beau gros poulet arrivé à maturité, ayant fait ses muscles, au poulet de Bresse, réservez le rôtissage qui n'en trahira pas la saveur. Au petit poulet d'étiquette plus modeste, abattu trop jeune, faites subir une préparation assez relevée qui masquera sa fadeur.

Le « coquelet » individuel mérite d'être traité sans ménagement, à four très vif pour le dorer et le cuire rapidement (20 à 25 mn). Les herbes aromatiques lui seront d'un grand secours.

Le poulet fumé cru, peut cuire en compagnie de légumes traditionnellement associés aux viandes fumées : choux, choucroute, lentilles, haricots.

Le poulet fumé cuit trouve surtout sa place dans les cocktails et buffet, sur toasts ou canapés. Le poulet fumé est une variante économique mais agréable, du saumon fumé.

Canard laqué

Facile / cher / petites réceptions
Toutes saisons

Préparation et cuisson : 1 h 15

Pour 4, il faut :
1 canard de 1,400 kg,
40 g de beurre ou de margarine,
4 épices,
2 cuil. à soupe de sauce soja,
1 cuil. à soupe de miel,
sel, poivre.

1. Salez et poivrez l'intérieur du canard. Enduisez-le de beurre ou de margarine. Mettez à four moyen (th. 5-6) 20 mn.

2. Pendant ce temps, mélangez dans un bol : sauce soja, miel et 1/2 cuil. à café de 4 épices. Badigeonnez-en le canard avec un pinceau. Remettez-le dans le four. Laissez-le cuire 25 à 30 mn supplémentaires. Enduisez-le très souvent de sauce au soja pour obtenir un beau laquage.

3. Avant de découper le canard, laissez-le reposer dans le four éteint, 15 mn. Ou bien, servez-le à la mode chinoise : la chair coupée en petits carrés. Présentez avec du riz nature.

Laquez le canard en donnant des petits coups de pinceau très appuyés.

Canard à la Normande

Facile / cher / petites et grandes réceptions
Toutes saisons

Préparation et cuisson : 1 h

Pour 4, il faut :
1 canard,
40 g de beurre ou de margarine,
4 pommes-fruits,
2 verres à liqueur de calvados,
1 verre de vin blanc sec,
4 ou 5 cuil. à soupe de crème fraîche,
branches d'estragon,
sel, poivre.

1. Détachez les feuilles d'estragon. Glissez les tiges nues dans le canard. Salez et poivrez. Faites-le dorer de toute part, dans une cocotte avec 20 g de beurre ou de margarine. Arrosez de calvados. Dès qu'il bout, faites flamber avec une allumette. Puis couvrez et laissez mijoter, à feu moyen, 3/4 d'heure. Pendant la cuisson, retournez 2 ou 3 fois. Ajoutez 2 ou 3 cuil. d'eau si le jus est vraiment trop court.

2. Quand le canard est cuit, déposez-le dans un plat. Tenez-le au chaud. Dans le jus de cuisson resté sur le feu, versez 1 verre de vin blanc. Laissez bouillir à découvert pour qu'il diminue de moitié.

3. Épluchez et coupez les pommes en tranches épaisses. Faites-les rapidement dorer à la poêle avec 20 g de beurre.

4. Ajoutez crème fraîche et feuilles d'estragon coupées au jus de cuisson du canard. Laissez bouillir quelques instants tout en délayant avec une cuiller en bois. Versez dans une saucière. Présentez-les avec le canard entouré de pommes-fruits sautées.

Canard à l'orange

Difficile / cher / petites et grandes réceptions
Toutes saisons

Préparation et cuisson : 2 h

Pour 4, il faut :
1 canard,
30 g de beurre ou de margarine,
3 oranges,
1/2 citron,
1 verre à liqueur de curaçao,
sel, poivre,
persil.

Fond de sauce :
abattis du canard,
25 g de beurre ou de margarine,
1 oignon,
1 carotte,
2 verres de vin blanc sec,
bouquet garni,
sel, poivre.

1. 1 h à l'avance, préparez le fond de sauce avec les abattis, selon la recette p. 284.
2. Dans une cocotte, faites revenir le canard entièrement, avec 30 g de beurre ou de margarine, sur feu assez vif. Salez, poivrez. Versez dessus le fond de sauce passé. Laissez mijoter doucement 50 mn.
3. Pelez 1 orange pour n'en retirer que la fine pellicule jaune (zeste). Coupez ce zeste en très fins bâtonnets. Mettez-les dans une petite casserole d'eau froide. Portez à ébullition. Égouttez. Laissez macérer avec 1 verre de curaçao. Pelez 2 autres oranges à vif. Puis coupez-les en rondelles.
4. 5 mn avant la fin de la cuisson du canard, ajoutez dans la cocotte les tranches d'oranges, le jus de citron, le zeste et le curaçao dans lequel il a macéré.
5. Présentez le canard sur un grand plat chaud. Faites bouillir quelques instants à feu vif la sauce restée dans la cocotte pour la laisser réduire un peu. Versez-la ensuite sur le canard. Présentez-le avec les rondelles d'oranges disposées autour du plat ou sur le canard même. Des pommes de terre à l'eau ou du riz nature sont (à cause de leur goût neutre) les plus indiqués pour accompagner le canard à l'orange.

Canard rôti au four

Facile / cher / petites réceptions
Toutes saisons

Préparation et cuisson : 1 h 15

Pour 4, il faut :
1 canard de 1,400 kg,
30 g de beurre ou de margarine,
sel, poivre.

1. Mettez le canard à revenir dans une cocotte, avec 30 g de beurre ou de margarine. Lorsqu'il est bien doré de toute part, salez et poivrez. Glissez la cocotte dans le four chaud (th. 6-7) sans la couvrir. Laissez cuire de 40 à 45 mn, en arrosant souvent. Laissez-le dans le four éteint, 10 mn au moins, avant de le découper.

2. Découpez le canard. Mettez les morceaux dans un plat chaud. Délayez le jus de cuisson resté dans la cocotte avec 2 ou 3 cuil. à soupe d'eau bouillante. Reportez sur le feu, en grattant le fond avec une cuiller en bois. Laissez bouillir quelques instants. Dégraissez encore si nécessaire. Versez la sauce dans une saucière chaude.

Des goûts et des couleurs : *On peut aimer le canard plus ou moins cuit, rosé, saignant même. Modifiez un peu le temps de cuisson en conséquence.*

Le secret *du canard rôti moelleux et un peu gras :* Dès que sa graisse commence à se répandre dans le plat de cuisson, il faut la retirer. Et continuer de le faire tout au long de la cuisson car, contrairement à ce que l'on pourrait croire : une viande grasse qui mijote dans sa graisse se dessèche. C'est le cas d'une côtelette de porc et surtout du canard.

Dinde ou oie braisée

(en morceaux)

Très facile / bon marché
Automne-Hiver

Préparation et cuisson : 1 h 30
Cuisson en autocuiseur : 20 mn

Pour 4, il faut :
1, 200 kg de dinde ou d'oie,
50 g de beurre ou de margarine,
1 carotte,
1 oignon,
1 verre à liqueur de cognac,
bouquet garni,
sel, poivre.

1. Faites dorer les morceaux, de toute part, dans une poêle, avec 20 g de beurre ou de margarine, sur feu assez vif.

2. Dans une cocotte, mettez à revenir carotte et oignons coupés en dés avec un peu de beurre ou de margarine. Lorsqu'ils sont bien revenus, ajoutez les morceaux de volaille, cognac. Portez à ébullition et faites flamber. Ajoutez 2 verres d'eau, sel, poivre, bouquet garni. Laissez mijoter hermétiquement couvert 1 h environ (en autocuiseur : 20 mn). Présentez avec des pâtes arrosées de jus.

Dinde en brochettes

Très facile / raisonnable / petites réceptions
Toutes saisons

Préparation et cuisson : 1 h 15

Pour 4, il faut :
700 g de chair de dinde crue,
2 ou 3 tranches (200 g) de lard de poitrine frais,
1 citron,
huile,
thym,
sel, poivre.

Crépine du charcutier,
4 brochettes.

1. 1 h d'avance, coupez la chair en gros dés. Mélangez avec jus de citron, thym effeuillé, sel, poivre, 2 cuil. à soupe d'huile. Coupez le lard en petits carrés. Enfilez sur les brochettes en intercalant dinde et lardons. Enveloppez chaque brochette d'un morceau de crépine. Repliez comme un paquet, la crépine adhère suffisamment toute seule. Enveloppez de papier d'aluminium et laissez macérer au frais 1 h.

2. Faites cuire les brochettes sous le grilloir, ou dans le haut du four bien chaud, 15 mn. Retournez-les plusieurs fois. Laissez reposer au chaud, complètement recouvert, une dizaine de minutes avant de déguster. Servez avec du maïs en boîte réchauffé avec un peu de beurre, des petits pois ou des haricots verts.

Dinde farcie aux cèpes

Facile / cher / grandes réceptions
Hiver

Préparation et cuisson : 3 h + attente : 30 mn

Pour 10, il faut :
1 dinde de 4 kg,
50 g de beurre ou de margarine,
2 cuil. à soupe de porto,
sel, poivre.

Farce :
1 boîte de cèpes,
50 g de pain,
1/2 verre de lait,
1/2 verre de porto,
300 g de farce fine,
1 œuf,
sel, poivre.

1. Farce : rincez et égouttez les cèpes en boîte. Coupez les têtes en dés et hachez plus finement les pieds. Versez le lait tiède sur le pain dans une grande terrine. Ajoutez-y : cèpes, farce fine, porto, œuf entier, le foie de la dinde en dés, sel, poivre. Malaxez le tout ensemble et introduisez à l'intérieur de la dinde par le croupion sans trop tasser. Refermez l'ouverture.

2. Déposez la dinde sur une cuisse, dans un grand plat (ou sur la plaque creuse du four). Enduisez-la de beurre ou de margarine. Salez, poivrez. Mettez à four moyen (th. 5-6) 1 h sur chaque cuisse, puis 30 mn sur le dos. Arrosez souvent.

3. Quand la dinde est cuite et « reposée » 1/2 h dans le four éteint, déposez-la sur un plat chaud. Versez le jus de cuisson dans une casserole. Portez à ébullition. Dégraissez. Laissez bouillir encore pour faire réduire. Ajoutez 2 cuil. de porto. Versez aussitôt dans la saucière présentée en même temps que la dinde découpée.

Le saviez-vous ? *La farce fine est un mélange de porc et de veau finement haché.*

Demi-dinde farcie

Facile / raisonnable / petites réceptions
Hiver

Si vous êtes peu nombreux un jour de Noël et que vous ne voulez pas vous priver de la dinde traditionnelle, cuisez-la de deux façons différentes : préparez-en la moitié, farcie et rôtie, l'autre moitié sera transformée en terrine (recette p. 336) pour attendre les festivités du Jour de l'An.

Préparation et cuisson : 1 h 30

Pour 4 ou 5, il faut :
1/2 dinde.

Farce :
foie de dinde,
2 petites brioches,
lait,
300 g de farce fine,
200 g de jambon cuit,
1 œuf,
sel, poivre.

1. Émiettez les brioches dans une terrine. Versez un peu de lait chaud dessus, juste pour détremper. Coupez le foie de dinde en dés, hachez le jambon. Ajoutez dans la terrine ainsi que la farce fine, l'œuf entier, sel, poivre. Malaxez bien le tout.

2. Transpercez la chair de la poitrine, de bas en haut, avec une grande brochette. Puis cuisse et aile, de part en part, pour les maintenir serrées. Vous formez ainsi une cavité.

3. Tassez la farce dedans. Recouvrez-la d'une feuille d'aluminium pour maintenir la farce. Déposez dans le plat sur le côté papier d'aluminium. Parsemez le dessus de la dinde de noix de beurre ou de margarine. Mettez à four moyen (th. 5-6) de 45 mn à 1 h. A mi-cuisson, retournez et ôtez le papier qui recouvre la farce afin de la laisser dorer à son tour.

Émincé au curry

Facile / raisonnable / petites réceptions
Automne-Hiver

Préparation et cuisson : 1 h 30
Cuisson en autocuiseur : 25 mn

Pour 4, il faut :
1,500 kg de dinde ou d'oie,
1 carotte,
1 oignon,
1 poireau,
1 gousse d'ail,
bouquet garni,
sel, poivre.

Pilaf :
200 g de riz,
30 g de beurre ou de margarine,
1 oignon,
sel, poivre.

Sauce curry :
2 oignons,
30 g de beurre ou de margarine,
1 cuil. à soupe de farine,
1 cuil. à café de curry,
1/2 litre de bouillon,
100 g de crème fraîche.

1. Plongez les morceaux de volaille dans de l'eau en ébullition, pendant 3 mn seulement. Égouttez-les. Passez-les sous l'eau froide aussitôt. Remettez-les dans la casserole avec 1 litre 1/4 d'eau, 1 carotte, 1 oignon, 1 poireau, ail, bouquet garni, sel, poivre. Laissez bouillir doucement 1 h environ (en autocuiseur : 25 mn).

2. Pilaf : faites dorer 1 oignon haché avec 30 g de beurre ou de margarine. Ajoutez le riz. Mélangez, et sans attendre, ajoutez deux fois son volume d'eau, sel, poivre. Couvrez et laissez cuire sur feu très doux de 15 à 17 mn.

3. Sauce curry : dans une petite casserole, faites sauter 2 oignons hachés menu avec 30 g de beurre ou de margarine. Saupoudrez d'1 cuil. à soupe bombée de farine et d'1 cuil. à café de curry. Mélangez bien. Mouillez avec 1/2 litre de bouillon de la volaille. Remuez jusqu'à épaississement. Laissez mijoter 10 mn sur feu très doux. A la fin de la cuisson incorporez la crème fraîche.

4. Tassez le riz dans un moule en couronne. Retournez-le dans un plat chaud. Disposez au centre la chair de la volaille coupée en fines tranches. Recouvrez de sauce et servez.

Farces pour dinde et oie

(de 4 kg environ)

Périgourdine 250 g de foies de dinde ou de volailles, 4 petites brioches, 25 g de beurre, 2 échalotes, 1 boîte de cèpes, 3/4 de verre de lait.	**1.** Faites sauter à la poêle les foies coupés en dés et les échalotes hachées avec le beurre ou la margarine. **2.** Rincez et égouttez les cèpes, hachez les « jambes » et coupez les têtes en dés. Mélangez avec les brioches coupées et trempées dans le lait ainsi que les foies sautés.
Aux foies de volailles 500 g de foies de volailles, 50 g de beurre, 200 g de lard de poitrine, 2 oignons, 200 g mie de pain, sel, poivre.	**1.** Faites frire les lardons à la poêle. Ajoutez les oignons hachés, les foies en petits dés. Laissez mijoter 10 mn. **2.** Versez le tout dans une terrine contenant la mie de pain fraîche, 50 g de margarine ou de beurre fondu, sel, poivre. Malaxez. Laissez refroidir.
Aux marrons 1 boîte de marrons, 100 g de veau, 100 g de porc, 100 g de lard frais, le foie de la volaille, 1 œuf, 1 tasse mie de pain, 1 ou 2 échalotes, 1 verre à liqueur de cognac, sel, poivre.	Hachez toutes les viandes, l'échalote. Malaxez dans une terrine avec l'œuf entier, la mie de pain émiettée, sel, poivre, cognac et les marrons écrasés à la fourchette.

Aux noix

60 g de noix décoquillées,
30 g de noix de cajou,
30 g de noix du Brésil (à défaut de ces variétés : 125 g de noix ordinaires),
50 g de beurre,
2 oignons,
200 g de champignons,
250 g mie de pain,
2 œufs, persil,
sel, poivre.

1. Hachez les oignons. Faites-les cuire doucement 5 mn avec le beurre ou la margarine.

2. Coupez finement les champignons. Ajoutez aux oignons. Laissez cuire 5 mn, à couvert.

3. Hachez toutes les noix grossièrement. Mélangez-les avec : 1 cuil. à soupe de persil haché, mie de pain, œufs battus, mélange champignons-oignons, sel et poivre (au besoin, mouillez avec un peu de bouillon de volaille).

Aux saucisses-céleri

4 branches de céleri,
25 g de beurre,
800 g de chair fine,
2 oignons, persil,
1 œuf,
sel, poivre.

Hachez finement céleri-branches, oignons et persil. Malaxez avec la margarine ou le beurre ramolli, l'œuf, sel et poivre. Incorporez intimement à la farce fine.

Pour servir la farce joliment :

Une fois la volaille découpée, cassez la carcasse et retirez-en la farce d'un seul bloc. Puis, découpez-la en tranches et disposez-les sur le plat autour des morceaux de dinde ou d'oie.

Farces pour poulet

(pour un beau poulet)

Un poulet farci fait davantage de profit et d'effet qu'un poulet simplement rôti.
Voici 5 recettes de (bonnes) farces auxquelles vous pourrez encore apporter votre touche personnelle.

Ingrédients	Préparation
A l'Anglaise 100 g de pain de seigle, 50 g de beurre, 2 oignons, 50 g de moelle de bœuf, 2 foies de poulet, muscade, sel, poivre.	Émiettez le pain à la moulinette. Mettez-le dans une poêle avec le beurre ou la margarine et les oignons hachés. Laissez cuire sur feu très doux. Plongez la moelle dans de l'eau juste frémissante pour la faire pocher 5 mn, feu éteint. Mélangez ensemble, hors du feu : mie de pain, oignons dorés, la moelle et les foies coupés, sel, poivre et 2 pincées de muscade râpée.
A l'estragon 200 g de champignons, 125 g de porc, foie de poulet, 1 échalote, 1 gousse d'ail, estragon, sel, poivre.	Hachez finement le tout ainsi que les feuilles de plusieurs branches d'estragon. Salez et poivrez généreusement.

Aux foies 3 foies de volailles, 25 g de beurre, 1 œuf, 250 g de champignons, 100 g de pain, 1 verre de lait, 1 cuil. de cognac, sel, poivre.	Faites tremper le pain dans du lait tiède. Nettoyez et hachez les champignons. Faites-les sauter, ainsi que les foies coupés menu, 5 mn, à la poêle avec le beurre ou la margarine, sel, poivre et, à la fin, cognac. Laissez sur feu vif quelques instants. Puis mélangez avec le pain bien essoré et émietté.
Au maïs (en boîte) 1 boîte de maïs, 30 g de beurre, 10 olives vertes, 1 poivron, laitue, 50 g de chair à saucisse fine, foie de poulet, 1 œuf, sel, poivre.	Faites revenir avec un peu de beurre ou de margarine la chair à saucisse, foie, olives et poivron hachés et quelques feuilles de laitue ciselée. Salez, poivrez. Au bout de quelques minutes, ajoutez le maïs, juste pour le réchauffer. Puis, hors du feu, l'œuf battu.
Riche 30 g de beurre, 100 g de porc, 100 g de veau, foie et gésier, 2 oignons, 1 œuf, thym, laurier, muscade, sel, poivre.	Faites mijoter les oignons hachés, une dizaine de minutes, avec le beurre ou la margarine. Hachez finement toutes les viandes. Malaxez avec l'œuf, sel, poivre, une pincée de muscade râpée, thym effeuillé, demi-feuille de laurier effritée et les oignons revenus.

Tassez la farce à l'intérieur de la volaille. Pour qu'elle ne ressorte pas pendant la cuisson, recousez l'ouverture avec du gros fil ou refermez hermétiquement en ficelant tout autour des pattes et du croupion maintenus ensemble, ou introduisez du papier d'aluminium froissé.

Fricassée de poulet froid

Facile / raisonnable / petites réceptions
Printemps-Été

Préparation et cuisson : 2 h + une nuit
Cuisson en autocuiseur : 30 mn

Pour 4, il faut :
1 poulet en morceaux,
30 g de beurre ou de margarine,
125 g de champignons,
1/2 citron,
farine,
2 jaunes d'œufs,
3 cuil. à soupe de crème fraîche,
sel, poivre.

Décor :
têtes de champignons.

Bouillon :
2 jeux d'abattis,
carcasse,
1 pied de veau,
1 oignon,
3 clous de girofle,
bouquet garni,
1 litre 1/2 d'eau,
sel, poivre.

1. Bouillon : mettez à cuire tous les éléments du bouillon avec 1 litre 1/2 d'eau pendant 1 h 30 (en autocuiseur : 30 mn, avec 1 litre d'eau seulement).

2. Farinez légèrement les morceaux de poulet. Faites-les dorer dans une cocotte, avec 30 g de beurre ou de margarine, sur feu moyen. Salez, poivrez.

3. Versez ensuite le bouillon passé sur le poulet. Laissez bouillir doucement 20 mn.

4. Faites bouillir les champignons 3 ou 4 mn, avec 1 verre de bouillon et jus de citron. Ajoutez-les, avec le jus, dans la cocotte en fin de cuisson.

5. Disposez les morceaux de poulet bien égouttés sur un grand plat, légèrement creux.

6. Sauce : délayez, dans un bol, jaunes d'œufs et crème fraîche. Incorporez au bouillon resté sur le feu en mélangeant vivement avec un fouet à sauce, jusqu'au premier bouillon. Versez sur le poulet. Laissez prendre au froid jusqu'au lendemain.
Décorez avec quelques têtes de champignons cuites 5 mn dans très peu d'eau additionnée de citron.

Oie farcie de la Saint-Michel

Facile / raisonnable / grandes réceptions
Automne-Hiver

Préparation et cuisson : **3 h 45**

Pour 10, il faut :
1 oie de 4 kg,
50 g de beurre ou de margarine,
1 kg de pommes-fruits,
sel, poivre.

Farce :
1 kg de gros oignons doux,
mie de pain,
lait,
50 g de sauge fraîche (ou 2 cuil. à soupe de sauge séchée),
muscade,
sel, poivre.

1. Farce : mettez les gros oignons à cuire avec leur peau dans le four chaud (th. 6-7) 45 mn environ. Puis pelez-les et hachez-les grossièrement. Pesez un poids égal de mie de pain. Trempez-le dans du lait tiède. Pressez-le et malaxez-le avec le hachis d'oignons, sel, poivre, 2 pincées de muscade râpée et la sauge hachée ou émiettée. Introduisez cette farce dans l'oie. Recousez et ficelez l'ouverture.

2. Beurrez les cuisses de l'oie. Salez, poivrez et mettez à four bien chaud (th. 7-8). Au bout d'un quart d'heure, ajoutez quelques cuillerées d'eau dans le plat. Réduisez la chaleur du four (th. 5-6). Laissez cuire 2 h 30 environ. Dégraissez la sauce en cours de cuisson (comme pour le canard).

3. Épluchez et coupez les pommes. Préparez-les en marmelade, non sucrée, en les cuisant, à couvert, 30 mn à feu doux.

Présentez l'oie découpée, avec la marmelade de pommes non sucrée à part. Seules des pommes de terre vapeur ou, mieux, des pommes Dauphine seront bienvenues avec cette oie farcie.

Coq au chambertin

Facile / raisonnable / petites et grandes réceptions
Printemps-Automne-Hiver

Préparation et cuisson : 2 h 30
Cuisson en autocuiseur : 45 mn environ + à mariner : 2 h

Pour 6 ou 8, il faut :

1 coq en morceaux,
40 g de beurre,
100 g de couenne,
1 verre à liqueur de cognac,
1 cuil. à soupe de concentré de tomate,
125 g de lard de poitrine,
250 g de champignons,
1 cuil. à soupe de farine,
persil, sel, poivre.

Marinade :

1 bouteille de chambertin,
2 cuil. à soupe d'huile,
1 oignon,
2 échalotes,
1 petite carotte,
3 gousses d'ail,
bouquet garni,
1 clou de girofle,
3 grains de poivre.

1. La veille, mettez les morceaux de coq avec la marinade, dans un récipient pas trop grand pour qu'ils soient recouverts.

2. Le jour même, égouttez séparément la viande et les aromates. Conservez la marinade.

3. Dans une cocotte, faites chauffer 40 g de beurre ou de margarine et la couenne coupée en morceaux. mettez la volaille à dorer de toute part — sauf le foie. Ajoutez alors les aromates de la marinade. Saupoudrez de farine. Mélangez. Arrosez de cognac. Portez à ébullition. Faites flamber sur le feu. Mouillez avec la marinade passée, 1 verre d'eau, concentré de tomate, salez, poivrez. Couvrez. Laissez mijoter de 1 h 30 à 2 h.

4. Faites fondre le lard en dés sur feu doux, et sauter les champignons en lamelles.

5. Déposez les morceaux de coq dans un plat, ainsi que champignons et lardons. Si la sauce est trop liquide, faites-la réduire sur feu vif. Incorporez-y le foie cru écrasé à la moulinette. Retirez du feu aussitôt et versez sur le plat. Parsemez de persil.

Note : *Ne laissez plus bouillir après la liaison sinon la sauce tournerait.*

Coq au riesling

Facile / raisonnable / petites et grandes réceptions
Toutes saisons

Préparation et cuisson : **2 h 30**
Cuisson en autocuiseur : **30 à 40 mn**

Pour 6 à 8, il faut :

1 coq (ou 1 gros poulet) coupé en morceaux,
1 bouteille de Riesling,
50 g de beurre ou de margarine,
3 échalotes,
2 cuil. à soupe rases de farine,
250 g champignons,
1 citron,
200 g de crème fraîche,
bouquet garni,
1 brin de céleri,
sel, poivre.

1. Dans une grande cocotte faites revenir les morceaux de volaille, sans les laisser colorer.

2. Ajoutez-y les échalotes hachées. Saupoudrez de farine. Mélangez. Arrosez de riesling, avec au besoin un peu d'eau pour arriver à hauteur des morceaux. Ajoutez bouquet garni, céleri, sel, poivre. Couvrez. Laissez mijoter de 1 h 30 à 2 h (la fourchette doit pénétrer facilement dans la cuisse) (en autocuiseur : 30 à 40 mn).

3. Coupez le pied sableux des champignons. Lavez-les rapidement. Mettez-les aussitôt dans une petite casserole d'eau froide avec une noix de beurre, un peu de citron, sel, poivre. Laissez bouillir 5 mn. Égouttez.

4. Après cuisson, retirez le coq de la cocotte. Tenez au chaud. Faites bouillir la sauce restée sur le feu, 10 mn, sans couvrir, pour qu'elle diminue d'un tiers environ. Passez-la à travers une passoire fine. Ajoutez-y les champignons cuits et la crème fraîche. Faites bouillir 1 mn. Versez sur le coq.
Présentez ce plat simplement accompagné de riz nature, de pommes de terre vapeur, de nouilles plates aux œufs ou, pour une réception, avec des pommes Dauphine.

Pâte pour « pie »
(recette anglaise)

Il faut :
250 g de farine,
125 g de margarine,
2 ou 3 cuil. à soupe d'eau froide,
1/2 cuil. à café de sel.

1 plat de 25 cm de ∅.

1. Dans un grand saladier, mettez farine, sel et la moitié de la margarine en petits morceaux. Travaillez avec deux couteaux pendant quelques minutes, jusqu'à ce que l'ensemble prenne l'apparence de très gros sable.

2. Incorporez le reste de margarine, toujours de la même manière, jusqu'à ce qu'elle paraisse mélangée à la farine de façon homogène (sable plus gros).

3. Aspergez, petit à petit, avec 2 ou 3 cuil. à soupe d'eau froide (selon la farine), tout en triturant avec une fourchette.

4. Avec la main, mettez la pâte en boule en la pétrissant un peu pour lui donner de la consistance. Laissez reposer au frais en attendant de l'étaler et de la mettre dans le moule.

Note : *Vous obtenez une pâte sèche assez cassante qui a même tendance à se déchirer quand on l'étale. C'est sans importance : il suffit d'humecter les bords de la déchirure et de ressouder avec les doigts. Une fois cuite, la croûte sera très sablée, friable sous la dent.*

Chicken pie

Facile / raisonnable / petites réceptions
Printemps-Automne-Hiver

Préparation et cuisson : 1 h 30

Pour 6, il faut :
1 poulet en morceaux,
60 g de beurre ou de margarine,
2 oignons,
2 carottes,
30 g de farine,
2 verres de vin blanc sec,
1/2 tablette de bouillon de poulet,
150 g de champignons,
fines herbes,
sel, poivre,
1 œuf.

Pâte pour pie :
p. 310.

1. Préparez la pâte pour pie (recette p. 310).

2. Faites dorer les morceaux de poulet avec 40 g de beurre ou de margarine. Ajoutez les oignons et les carottes coupés en dés. Laissez dorer également. Saupoudrez de farine, mélangez. Recouvrez de vin blanc et d'un verre de bouillon (tablette + eau). Salez modérément, poivrez, laissez mijoter 30 mn. Nettoyez et coupez les champignons en lamelles. Faites-les sauter avec 20 g de beurre ou de margarine. Ajoutez-y les fines herbes hachées.

3. Préparation du pie : étalez la pâte en une rondelle pas trop mince, un peu plus grande que le plat. Piquez-la de part en part avec une cuiller à café.

4. Mettez le poulet cuit et toute sa sauce dans le plat à pie. Humectez-en le bord. Déposez la pâte dessus. Pressez et pincez le pourtour pour faire adhérer. Badigeonnez avec très peu d'œuf battu pour que la croûte dore à la cuisson.

5. Faites cuire à four bien chaud (th. 7-8), puis chaud (th. 6-7) de 25 à 30 mn. Servez chaud dans le plat de cuisson.

Tourte de poulet aux olives

Facile / raisonnable / petites réceptions
Printemps-Automne-Hiver

Préparation et cuisson : 1 h 30

Pour 4 ou 6, il faut :
1 poulet en morceaux,
40 g de beurre ou de margarine,
200 g de lard frais,
125 g de petits oignons,
500 g de tomates,
200 g d'olives vertes,
1 cuil. à soupe rase de farine,
bouquet garni,
sel, poivre.
1 œuf.

Pâte pour pie : p. 310.

1. Faites dorer les morceaux de poulet de toute part avec 40 g de beurre ou de margarine, puis le lard coupé en dés et les petits oignons. Saupoudrez de farine. Mélangez. Ajoutez les tomates épépinées et coupées, les olives (dénoyautées si possible), bouquet garni, pas de sel (à cause des olives), poivre. Couvrez et laissez mijoter 30 mn environ. La sauce doit être peu abondante en fin de cuisson.

2. Procédez maintenant de la même façon que pour le chicken pie (voir p. 311).

Pigeonneaux à la diable

Difficile / cher / petites et grandes réceptions
Toutes saisons

Préparation et cuisson : 45 mn

Pour 4, il faut :

4 pigeonneaux,
40 g de beurre ou de margarine,
2 échalotes,
1 verre de vin blanc sec,
farine,
1 cuil. à café rase de tomate concentrée,
4 cornichons,
sel, poivre.

1. Sur la planche à découper, ouvrez les pigeonneaux par le dos, sans séparer les deux moitiés. Aplatissez-les avec la paume de la main.

2. Tartinez de beurre ou de margarine. Salez, poivrez. Faites cuire sous le grilloir (ou dans le haut du four chaud) 15 mn de chaque côté.

3. Faites cuire, sur feu doux, les échalotes hachées avec une noix de beurre ou de margarine (ne laissez surtout pas roussir). Ajoutez 1 cuil. à café de farine, tomate concentrée, 1 verre de vin blanc, autant d'eau. Salez et poivrez généreusement. Laissez mijoter 20 mn. Ajoutez-y cornichons en rondelles et jus de cuisson des pigeonneaux.

Présentez avec chips et cresson non assaisonné.

Variante : *Vous pouvez enrober les pigeonneaux de moutarde, puis de chapelure avant de les faire griller.*

Façon d'ouvrir et d'aplatir un pigeon : *Le pigeon doit être ouvert par le dos. Pour y arriver, enfilez à l'intérieur du pigeon la lame du couteau par le croupion jusqu'à l'autre extrémité.*
Puis fendez en donnant un mouvement de scie à la lame.
Retournez le pigeon complètement ouvert et aplatissez-le avec la paume de la main.

Pigeons cocotte grand-mère

Facile / raisonnable / petites réceptions
Toutes saisons

Préparation et cuisson : 1 h
Cuisson en autocuiseur : 15 mn

Pour 4, il faut :
2 gros pigeons,
75 g de beurre ou de margarine,
750 g de pommes de terre,
250 g de petits oignons,
250 g de champignons de Paris,
persil haché,
sel, poivre.

1. Épluchez oignons et pommes de terre. Coupez celles-ci en dés. Plongez le tout, 5 mn, dans de l'eau en ébullition. Égouttez.

2. Flambez les pigeons. Salez et poivrez l'intérieur.

3. Mettez les pigeons dans une grande cocotte. Faites-les dorer de toute part avec 40 g de beurre ou de margarine. Retirez-les de la cocotte. A la place, faites revenir oignons et pommes de terre.

4. Lorsque les légumes sont bien dorés, mettez les pigeons dessus, sel, poivre. Couvrez la cocotte et laissez cuire 45 mn sur feu moyen (en autocuiseur : 15 mn).

5. Nettoyez les champignons. Coupez-les en 2 ou en 4. Faites-les sauter rapidement à la poêle avec une noix de beurre ou de margarine. Salez, poivrez. Ajoutez-les dans la cocotte. Parsemez de persil haché et servez.

Raffiné : *Quelques lardons, préalablement blanchis à l'eau bouillante ou sautés à la poêle, sont ajoutés à mi-cuisson dans la cocotte.*

Pigeons farcis aux raisins

Facile / cher / petites réceptions
Toutes saisons

Préparation et cuisson : 1 h

Pour 4, il faut :
2 gros pigeons,
30 g de beurre ou de margarine,
100 g de raisins secs,
50 g d'amandes,
1 boîte de couscous cuit,
60 g de barde de lard,
sel, poivre.

1. Faites gonfler les raisins en les plongeant dans de l'eau chaude, pendant 30 mn.

2. Égouttez-les puis mélangez-les avec les amandes hachées et 2 grosses cuil. à soupe de couscous, un peu de sel et poivre. Introduisez cette farce dans les pigeons. Cousez l'ouverture. Ficelez un carré de barde sur l'abdomen des pigeons. Enduisez de beurre ou de margarine.

3. Mettez les pigeons à rôtir, à four moyen (th. 5-6) 15 mn sur chaque cuisse. Salez et poivrez. Au bout de cette demi-heure de cuisson, ôtez les bardes. Laissez rôtir 10 mn supplémentaires pour dorer la chair qui était cachée sous la barde. Présentez les pigeons coupés en deux, en longueur, avec du couscous ou du riz nature.

Solution express : *On trouve du couscous cuit nature en boîte ou surgelé. Il suffit de le faire réchauffer à la vapeur et d'y mélanger quelques noix de beurre, en égrenant sur le plat.*

Pintade sur canapé

Très facile / raisonnable / petites et grandes réceptions
Toutes saisons

Préparation et cuisson : 45 mn

Pour 4, il faut :
2 pintades bardées,
60 g de beurre ou de margarine,
4 tranches de pain de mie,
sel, poivre.

1. Retirez le foie et le cœur des pintades. Salez et poivrez l'intérieur. Déposez-les dans un plat à four beurré. Faites cuire à four chaud (th. 6-7) 35 mn environ.

2. Farce : coupez les foies et les cœurs en dés. Faites-les revenir dans une poêle avec une noix de beurre ou de margarine. Égouttez-les, puis écrasez-les finement à la moulinette. Salez, poivrez. Dans la même poêle, remettez à fondre 50 g de beurre ou de margarine. Faites dorer dedans les tranches de pain sur les 2 faces. Tartinez-les ensuite de farce. Déposez-les dans le fond d'un grand plat. Tenez au chaud.

3. Découpez les pintades en 2. Déposez les morceaux sur les canapés de pain de mie et servez aussitôt.

Raffinement : *1 ou 2 pincées de muscade râpée accentuent encore la saveur légèrement poivrée de la chair de la pintade, mais sans la dénaturer.*

Pintade à l'estragon aux nouilles

Facile / raisonnable / petites réceptions
Toutes saisons

Préparation et cuisson : 45 mn

Pour 4, il faut :
2 pintades,
50 g de beurre ou de margarine,
4 branches d'estragon,
1 cuil. à café de farine,
1 verre de vin blanc sec,
crème fraîche,
bouquet garni,
sel, poivre.

250 g de nouilles plates,
25 g de beurre.

4 tranches de pain de mie,
50 g de beurre.

1. Glissez une branche d'estragon dans les pintades. Faites-les dorer de toute part, dans une cocotte, avec 30 g de beurre.

2. Ajoutez ensuite : vin blanc, 1/2 verre d'eau, bouquet garni, sel, poivre, 2 tiges d'estragon (sans les feuilles). Portez à ébullition quelques minutes. Couvrez. Mettez à four moyen de 30 à 35 mn (th. 5-6). Retournez à mi-cuisson.

3. Jetez les nouilles dans une grande casserole d'eau bouillante salée. Mélangez. Laissez bouillir sans couvrir, de 12 à 15 mn. Goûtez pour vérifier la cuisson. Aussitôt cuites, égouttez-les et mélangez avec du beurre pour qu'elles ne collent pas. Tenez-les au chaud.

4. Retirez les pintades de la cocotte. Tenez-les au chaud. Passez le jus de cuisson.

5. Malaxez 1 cuil. à café de farine avec autant de beurre. Mélangez par petits morceaux, au jus resté sur le feu. Ajoutez les feuilles d'estragon hachées et 1 cuil. à soupe de crème fraîche. Laissez bouillir 5 mn.

6. Canapés : mettez les tranches de pain de mie à dorer des 2 côtés, à la poêle, avec 50 g de beurre.

Pintade à l'estragon

7. Découpez les pintades en 2. Disposez chaque morceau sur un canapé. Présentez sur les nouilles bien égouttées et beurrées.

Pintade farcie

Facile / raisonnable / petites réceptions
Toutes saisons

Préparation et cuisson : 1 h + marinade : la veille

Pour 4, il faut :
1 grosse pintade,
30 g de beurre ou de margarine,
3 cuil. à soupe de cognac,
thym,
2 cuil. à soupe d'huile,
sel, poivre.

Farce :
100 g de mie de pain,
1/2 verre de lait,
125 g de chair à saucisse fine,
2 cuil. à soupe de cognac,
1 œuf,
fines herbes,
sel, poivre.

1. La veille, faites tremper le pain avec le lait. Pressez-le légèrement avant de le malaxer avec : fines herbes hachées (ciboulette, estragon, persil, cerfeuil), 1 œuf entier, chair à saucisse, 2 cuil. à soupe de cognac, sel, poivre. Tassez dans la pintade. Mettez dans une terrine qui la contient juste. Arrosez avec 2 autres cuil. de cognac, un peu d'huile, thym. Couvrez. Laissez mariner jusqu'au lendemain. Retournez la pintade de temps en temps.

2. Le jour même, faites dorer la pintade farcie, salée et poivrée, dans une cocotte avec 30 g de beurre ou de margarine. Puis glissez la cocotte dans le four bien chaud (th. 7-8). Laissez cuire 30 mn sans couvrir.

3. Au bout de ce temps, ajoutez le reste d'alcool et la marinade. Couvrez. Laissez cuire 20 mn supplémentaires. Présentez la pintade arrosée de jus de cuisson et accompagnée de pommes de terre sautées ou de légumes verts braisés.

Poule en daube

Très facile / bon marché
Toutes saisons

Préparation et cuisson : 3 h 15
Cuisson en autocuiseur : 1 h

Pour 6 ou 8, il faut :

1 grosse poule en morceaux,
1 pied de veau,
250 g de lard de poitrine frais,
2 carottes,
1 oignon,
1 verre de vin blanc sec,
1 verre à liqueur de cognac,
bouquet garni,
sel, poivre.

1. Dans une cocotte, mettez les morceaux de poule, le lard en dés, le pied de veau fendu par le boucher, bouquet garni, carottes et oignon en rondelles, sel, poivre.

2. Ajoutez 1 verre de vin blanc sec, 1 verre à liqueur de cognac et suffisamment d'eau pour couvrir la viande. Portez à ébullition. Couvrez et laissez cuire très doucement environ 3 h (en autocuiseur : 1 h).

3. Après cuisson, disposez les morceaux de poule dans un récipient creux. Versez dessus le bouillon de cuisson passé à travers une passoire.
Vous pouvez présenter la daube chaude avec des pommes vapeur.
Si vous la préférez froide, laissez prendre en gelée au réfrigérateur jusqu'au lendemain pour la servir avec salade et cornichons.

Poule farcie marocaine

Facile / raisonnable / petites réceptions
Toutes saisons

Préparation et cuisson : 3 h
Cuisson en autocuiseur : 45 mn

Pour 6, il faut :
1 grosse poule,
1 noix de beurre,
huile d'olive,
100 g de semoule à couscous,
1 oignon,
75 g d'amandes épluchées,
150 g de raisins de Smyrne,
1 pincée de gingembre,
1 pincée de safran,
1 cuil. à soupe rase de ras-el-hanout,
sel, poivre.

1. Humectez la semoule à couscous avec de l'eau salée (1 verre environ). Faites-la cuire dans une passoire couverte, au-dessus d'une casserole d'eau en ébullition, jusqu'à ce que la vapeur passe à travers. Elle ne doit pas être en contact avec l'eau. Écrasez grossièrement les amandes. Lavez et épongez les raisins.

2. Farce : mélangez bien couscous cuit, raisins, amandes, ras-el-hanout, sel, noix de beurre. Tassez à l'intérieur de la poule. Cousez ou ficelez soigneusement les ouvertures.

3. Dans une grande cocotte, déposez la poule farcie ainsi que : poudre de gingembre, safran, oignon haché, 1 cuil. à café rase de sel, poivre, 4 cuil. d'huile d'olive. Arrosez d'eau bouillante jusqu'à mi-hauteur de la poule. Mettez sur feu vif. Laissez bouillir mi-couvert 2 h (en autocuiseur : 45 mn — moitié du liquide seulement). Servez la poule avec son délicieux jus de cuisson réduit au volume d'un grand bol.

Pour accompagner : du couscous bien sûr, du riz nature ou des pâtes.

Note : *Tous ces produits exotiques se trouvent dans les grands magasins ou les épiceries spécialisées.*

Poule au pot farcie béarnaise

Facile / raisonnable / petites réceptions
Automne-Hiver

Préparation et cuisson : 4 h
Cuisson en autocuiseur : 1 h

Pour 6, il faut :
1 poule,
1 jarret de veau,
1 oignon,
2 clous de girofle,
2 os,
4 carottes,
4 navets,
1 branche de céleri,
6 poireaux,
1 citron,
bouquet garni,
6 tranches de pain,
sel, poivre.

Farce :
100 g de pain rassis,
1 verre de lait,
150 g de jambon cru,
100 g de chair à saucisse,
100 g de veau,
5 gousses d'ail,
30 g de pâté de foie,
1 œuf,
persil, thym,
muscade,
sel, poivre.

1. Mettez à bouillir dans un demi fait-tout d'eau. Quand elle bout, plongez les os et le jarret de veau dedans, 5 mn. Égouttez-les.
2. Rincez le fait-tout. Emplissez-le d'eau froide. Remettez sur le feu avec sel, jarret de veau, os, gésier, cœur et abattis de la poule, 1 oignon piqué de 2 clous de girofle, céleri, bouquet garni, sel et poivre. Écumez.
2. Farce : émiettez le pain dans une terrine. Aspergez-le de lait. Hachez : jambon, veau, foie de poule, ail, persil. Malaxez énergiquement le tout avec chair à saucisse, pâté de foie, 2 pincées de thym effeuillé, 1 pincée de muscade, œuf, sel et poivre.
4. Tassez dans la poule cette farce épicée. Cousez l'ouverture et maintenez ailes et cuisses avec un long morceau de fil. Plongez-la dans le bouillon en ébullition. Laissez bouillir à petit feu de 2 h 30 à 3 h (en autocuiseur : 1 h).
5. Ajoutez carottes, navets, poireaux dans le fait-tout, au bout d'1 h de cuisson.
6. Faites griller quelques fines tranches de pain. Mettez-les dans une soupière. Versez le bouillon très chaud dessus. La poule au pot sera présentée dans un grand plat creux, coupée en morceaux ainsi que le jarret de veau, la farce et les légumes du bouillon.

Poule au pot

Très facile / bon marché
Automne-Hiver

Préparation et cuisson : 3 h
Cuisson en autocuiseur : 1 h

Pour 4 ou 6, il faut :

1 poule,
2 os de veau,
1 oignon,
2 clous de girofle,
4 carottes,
4 navets,
1 branche de céleri,
6 poireaux,
bouquet garni,
sel, poivre.

Pain grillé.

1. Dans une grande marmite d'eau froide, mettez les os, les abattis de la poule, 1 oignon piqué de 2 clous de girofle, céleri, bouquet garni, sel, poivre. Laissez bouillir en écumant.

2. Plongez la poule dans le bouillon en ébullition. Laissez cuire très doucement, de 2 h 30 à 3 h (en autocuiseur : 1 h environ). Ajoutez carottes, navets et poireaux à mi-cuisson.

3. Servez le bouillon avec du pain grillé. La poule sera présentée découpée sur un grand plat creux entourée des légumes de cuisson, du gros sel et des cornichons. Si vous l'accompagnez de riz nature, préparez en plus une sauce blanche avec une partie du bouillon de poule dégraissé.

Les secrets *de la poule au pot :*
— une volaille suffisamment faite pour supporter une douce cuisson prolongée, sans toutefois laisser détériorer sa chair ;
— pas trop d'eau pour la cuire ;
— un bouillon bien dégraissé ;
— pour que la poule reste bien blanche, frottez-la entièrement de citron avant de la plonger dans le bouillon ;
— et pour que le bouillon ait une couleur dorée : faites colorer un gros oignon, sans matière grasse, jusqu'à ce qu'il soit très brun. Il teintera le bouillon auquel il sera joint, en début de cuisson.

Poulet frit

Facile / bon marché / petites réceptions
Toutes saisons

Préparation et cuisson : 40 mn

Pour 4, il faut :
1 petit poulet coupé en 4,
farine,
1 œuf,
chapelure,
1 citron,
sel, poivre.

Bain de friture.

1. Otez la peau du poulet cru ainsi que les os les plus gros et les plus faciles à détacher. Salez et poivrez.

2. Disposez 2 cuil. à soupe de farine, 1 œuf battu et 125 g de chapelure dans trois assiettes. Roulez les morceaux dedans, dans l'ordre : farine-œuf-chapelure. Tapotez pour faire adhérer.

3. Plongez les morceaux dans la friture moyennement chaude (170°). Laissez cuire 10 mn environ. Le poulet est frit quand il présente une légère croûte, dorée uniformément.

4. Égouttez les morceaux sur du papier absorbant. Présentez-les avec bouquets de cresson non assaisonnés et citron.

Variante : Le poulet frit à l'Américaine *est simplement roulé dans la farine, après que les morceaux aient mariné 1/4 d'heure dans du lait salé et poivré. La cuisson est la même que pour le poulet frit précédent.*

Poulet en gelée

Facile / raisonnable / petites et grandes réceptions
Toutes saisons

Préparation et cuisson : 45 mn + au froid : 1 h

Pour 4, il faut :
1 poulet rôti,
1 sachet de gelée,
1 cuil. à soupe de porto,
estragon,
tomates,
salade.

1. Découpez le poulet froid. Disposez les morceaux sur une grille.

2. Préparez la gelée. Aromatisez-la avec 1 cuil. à soupe de porto. Lorsqu'elle a la consistance de l'huile, versez-en un peu sur les morceaux de poulet, à l'aide d'une cuillère. Laissez prendre au frais.

3. Décor : trempez les feuilles d'estragon dans la gelée et disposez-les sur le poulet. Recouvrez d'un peu de gelée. Laissez prendre au frais, à nouveau, quelques minutes.

4. Versez le reste de gelée au fond du plat de service. Laissez prendre au frais.

5. Déposez les morceaux de poulet sur la couche de gelée au fond du plat. Décorez le tour avec tomates et salade verte.

Des fonds d'artichauts, pommes chips, pointes d'asperges, œufs farcis aux œufs de poisson font également un décor agréable.

Poulet à la diable

Facile / bon marché / petites réceptions
Toutes saisons

Préparation et cuisson : 40 mn

Pour 4, il faut :
1 poulet moyen ou 2 petits,
40 g de beurre ou de margarine,
moutarde forte,
100 g de mie de pain rassis.

Sauce diable :
2 échalotes,
20 g de beurre ou de margarine,
1/2 verre de vin blanc sec,
1/2 verre de vinaigre,
jus de poulet ou 1 tablette de bouillon,
sel, poivre.

1. Faites griller les poulets ouverts par le dos et aplatis.

2. Sauce diable : hachez 2 échalotes, faites-les cuire doucement avec un peu de beurre ou de margarine. Ajoutez 1/2 verre de vin blanc, autant de vinaigre, le bouillon délayé avec 1/4 de verre d'eau (ou mieux, du jus de poulet), très peu de sel et de poivre. Laissez mijoter 10 mn, sans couvrir.

3. Passez la mie de pain à la moulinette. Retirez les poulets du four. Badigeonnez-les soigneusement de moutarde forte. Passez-les de part et d'autre dans la mie de pain écrasée. Remettez-les dans le four quelques minutes pour faire dorer la panure.

4. Présentez les poulets avec cresson non assaisonné, pommes chips ou sautées, tomates grillées. La sauce diable sera servie à part, en saucière.

Poulet rôti

Facile / bon marché
Toutes saisons

Préparation et cuisson : 1 h 15

Pour 4, il faut :
1 beau poulet,
50 g de beurre ou de margarine,
sel, poivre.

Les secrets *du poulet rôti :*
— Pour que le poulet ait de la saveur, glissez dedans quelques brins de thym, du romarin ou un bouquet d'estragon.
— Pour savoir si le poulet est suffisamment cuit, soulevez-le de la pointe d'une fourchette. Penchez-le au-dessus du plat : le jus qui s'écoule du croupion doit être incolore. Si les dernières gouttes sont légèrement rosées, remettez à cuire.
— Le poulet cuit peut attendre un moment dans le four très doux, ou encore chaud. Il sera même meilleur, plus moelleux, plus savoureux, s'il a reposé une dizaine de minutes dans le four éteint.
— Un poulet rôti destiné à être consommé froid sera meilleur s'il est hermétiquement enveloppé d'aluminium aussitôt cuit, mais découpé à la dernière minute.

Au four :

Cuisson : 1 h 15

— Il est préférable de déposer le poulet sur une petite grille (type grille à pâtisserie) plutôt que directement sur le fond du plat de cuisson où il frirait dans son jus gras.
— Arrosez souvent en cours de cuisson.
— Jamais d'eau dans le plat du poulet. Son propre jus suffit pour l'arroser.
— Pour la sauce : une fois le poulet retiré du plat, délayez un tout petit peu d'eau en grattant les sucs de viande collés au fond. Laissez bouillir quelques instants.

A la broche :

— Il vaut mieux glisser le beurre à l'intérieur du poulet, plutôt que de l'enduire.
— Arrosez souvent si la broche est dans un four et, plus encore, sur un barbecue.
— Si la broche ne tourne pas automatiquement, donnez-lui, vous-même, un quart de tour toutes les 10 mn.
— Dans le four, laissez rôtir porte ouverte.

Acheté tout rôti... mais accommodez chez vous

Très facile / bon marché
Toutes saisons

Ah ! ce rôtisseur qui embaume toute la rue de ses poulets dorés à point... Allez, pas de complexe ! Vous en rapporterez un pour le dîner et vous en ferez peut-être un poulet de votre façon...

Prenez un petit bocal fermé pour le faire emplir de jus par le rôtisseur.

Pour conserver le poulet chaud assez longtemps (de 30 à 45 mn), enveloppez-le, aussitôt cuit, dans une double épaisseur de feuille d'aluminium.

Pour le réchauffer, s'il est tiède, glissez-le, feuille d'aluminium entrouverte, dans le four moyen (th. 5-6) pendant 15 mn.

Le poulet

Poulet à la fondue

10 mn

Faites bouillir ensemble : jus du poulet et 1/2 verre de vin blanc à gros bouillon, 2 ou 3 mn. Délayez 1 cuil. à soupe de moutarde forte avec 2 cuil. de crème fraîche, sel, poivre, 1 poignée de gruyère râpé. Incorporez au jus, hors du feu.

Le poulet est découpé en morceaux dans un plat à four, la « fondue » au gruyère est versée dessus, puis le plat est mis sous le grilloir pour gratiner.

Poulet à la Niçoise

15 mn

Faites chauffer à feu vif une boîte de ratatouille niçoise avec 1 gousse d'ail coupée finement, persil haché, 1 verre de vin blanc, thym, laurier, sel, poivre, une quinzaine d'olives noires et des champignons en boîte (ou lyophilisés). Laissez cuire 15 mn en tout, sans couvrir. En fin de cuisson, posez les morceaux de poulet dessus juste pour les réchauffer, si besoin est.

Poulet en pilaf

15 mn

2 oignons hachés sont mis à revenir avec un peu de beurre. Du riz, à cuisson rapide, y est ajouté, mouillé d'eau bouillante (double volume), salé et poivré. Un peu de tomate concentrée et un petit piment ou pointe de cayenne pour relever le goût.

Le poulet découpé est présenté sur ce lit de riz pilaf, arrosé de jus de poulet.

Poulet au roquefort

15 mn

Des nouilles plates sont mises à cuire dans beaucoup d'eau bouillante salée, 8 ou 10 mn.
Pendant ce temps, 3 ou 4 cuil. à soupe de crème fraîche sont intimement mélangées avec 100 g de roquefort et 3 pincées de cayenne. Le tout est incorporé aux pâtes très bien égouttées, reportées quelques instants sur le feu.
Les morceaux de poulet, arrosés de jus, sont présentés dessus.

Poulet à l'espagnole

Très facile / raisonnable / petites réceptions
Printemps-Été-Automne

Préparation et cuisson : 1 h

Pour 4, il faut :
1 poulet en morceaux,
30 g de beurre,
150 g de pois,
150 g de poivrons,
125 g de riz,
100 g de chorizo fort,
tomate concentrée,
1 gousse d'ail,
1 verre de vin blanc sec,
bouquet garni, sel.

1. Dans une cocotte, faites dorer les morceaux de poulet de toute part, avec 30 g de beurre ou de margarine. Ajoutez ensuite les poivrons épépinés et coupés en lanières, l'ail haché, 1 verre de vin blanc et 1 verre d'eau, 1 cuil. à café de concentré de tomate, bouquet garni, sel. Couvrez. Portez doucement à ébullition. Laissez mijoter 15 mn.

2. Ajoutez : riz, pois écossés, frais ou surgelés, chorizo en rondelles et un deuxième verre d'eau. Couvrez et laissez mijoter 30 mn supplémentaires. Retirez le bouquet garni. Servez immédiatement sinon le riz absorberait toute la sauce.

Poulet à la Martiniquaise

Très facile / bon marché
Toutes saisons

Préparation et cuisson : 1 h

Pour 4, il faut :

1 poulet en morceaux,
30 g de beurre ou de margarine,
1 carotte,
2 oignons,
1 gousse d'ail,
150 g de riz,
bouquet garni,
1/2 g de safran,
1/2 cuil. à café de curry,
sel, poivre.

1. Faites rapidement dorer les morceaux de poulet dans une grande cocotte, avec le beurre ou la margarine. A la moitié de l'opération, ajoutez carotte et oignons coupés pour qu'ils dorent également.

2. Ajoutez curry, safran, gousse d'ail écrasée, bouquet garni, sel, poivre et 1/2 litre d'eau. Portez à ébullition. Laissez mijoter couvert, 20 mn.

3. Lavez le riz à grande eau. Ajoutez-le dans la cocotte. Laissez sur feu doux 17 à 20 mn supplémentaires (si besoin est, ajoutez un peu d'eau pour terminer la cuisson).

Poulet sauté à la Provençale

Très facile / raisonnable / petites réceptions
Printemps-Été-Automne

Préparation et cuisson : 1 h

Pour 4, il faut :
1 poulet en morceaux,
30 g de beurre ou de margarine,
farine,
3 tomates,
1 gousse d'ail,
1/2 bouteille de vin blanc sec,
basilic,
bouquet garni,
sel, poivre.

125 g de champignons,
20 olives noires.

1. Faites dorer le poulet de toute part avec 30 g de beurre ou de margarine. Saupoudrez d'1 cuil. à soupe rase de farine. Mélangez. Ajoutez les tomates en morceaux, ail, quelques feuilles de basilic (frais ou séché), 1/2 bouteille de vin blanc, 1/4 de litre d'eau, bouquet garni, sel, poivre. Couvrez à demi. Laissez mijoter 30 mn.

2. Nettoyez les champignons. Coupez-les en lamelles. Ajoutez-les dans la cocotte avec les olives. Laissez cuire 15 mn supplémentaires. Retirez le bouquet garni. Versez le poulet et sa sauce dans un plat creux. Parsemez de persil haché.

Solution express : *Les champignons lyophilisés que vous ajouterez dans la cocotte, après les avoir simplement réhydratés 2 mn.*

Poulet à la va-vite

Très facile / bon marché
Toutes saisons

Préparation et cuisson : 45 mn
Cuisson en autocuiseur : 12 mn

Pour 4, il faut :
1 poulet en morceaux,
50 g de beurre ou de margarine,
1 échalote,
1/2 verre de vin blanc sec,
1 tomate,
champignons (lyophilisés ou en boîte),
bouquet garni,
persil,
sel, poivre.

1. Faites dorer sur feu vif une partie des morceaux de poulet, à la poêle, avec 30 g de beurre ou de margarine. Déposez-les, au fur et à mesure, dans la cocotte contenant un peu de beurre ou de margarine pour qu'ils continuent d'y cuire sans perdre de temps.

2. Ajoutez l'échalote hachée, sel, poivre, bouquet garni, tomate en morceaux et vin blanc. Faites bouillir à feu vif quelques instants. Puis laissez mijoter, couvert, 30 mn (en autocuiseur : 12 mn).

3. A la dernière minute, ajoutez les champignons de conserve ou lyophilisés, juste pour les réchauffer. Saupoudrez de persil haché avant de servir avec des pois ou des haricots en boîte.

Poulet sauté mexicaine

Facile / raisonnable / petites réceptions
Toutes saisons

Préparation et cuisson : 1 h 15
Cuisson en autocuiseur : 25 mn

Pour 4, il faut :

1 poulet en morceaux,
3 cuil. à soupe d'huile d'olive,
farine,
1 oignon,
3 gousses d'ail,
1/2 bouteille de vin blanc sec,
2 petits piments forts,
250 g de tomates,
250 g de champignons,
150 g d'olives vertes dénoyautées,
50 g d'amandes effilées,
sel, poivre.

1. Passez les morceaux de poulet dans la farine. Faites-les dorer dans une cocotte, sur feu vif, avec de l'huile d'olive. Lorsqu'ils sont colorés de toute part, ajoutez l'oignon haché. Laissez revenir un peu.

2. Versez dessus 1/2 bouteille de vin blanc, autant d'eau, un peu de sel, piments, ail. Couvrez et laissez mijoter de 30 à 35 mn (en autocuiseur : 12 mn).

3. Coupez les tomates en morceaux. Nettoyez les champignons sans les couper. Ajoutez le tout ainsi que les olives et les amandes dans la cocotte. Laissez mijoter 25 mn supplémentaires (en autocuiseur : 10 mn). Servez avec des haricots rouges (en boîte) simplement réchauffés avec un peu de beurre et relevés de sauce au piment.

Raffinement : *Pour atténuer l'excès de saveur (sel et âcreté) des olives, mettez-les dans une casserole d'eau froide et portez-les juste à ébullition avant de les joindre à votre plat.*

Poulet sauté Vallée d'Auge

Facile / raisonnable / petites réceptions
Toutes saisons

Préparation et cuisson : 1 h 15
Cuisson en autocuiseur : 20 à 25 mn

Pour 4, il faut :

1 poulet en morceaux,
30 g de beurre ou de margarine,
1 verre à liqueur de calvados,
1 tasse de crème fraîche,
2 jaunes d'œufs,
sel, poivre.

1. Faites revenir les morceaux de poulet à la cocotte dans le beurre ou la margarine, sans laisser dorer. Salez, poivrez. Couvrez et laissez mijoter sur feu doux, dans son propre jus, 1 h environ (en autocuiseur : de 20 à 25 mn).

2. Arrosez le poulet cuit de calvados. Portez à ébullition. Faites flamber sur le feu. Déposez aussitôt le poulet dans un plat chaud.

3. Délayez les jaunes d'œufs avec la crème fraîche. Incorporez-les au jus resté sur le feu, sans laisser bouillir, en délayant sans arrêt avec une cuillère en bois. Versez une partie de cette sauce un peu onctueuse sur le poulet, et le reste dans une saucière chaude.

Du riz ou des pommes de terre à l'eau sont le meilleur accompagnement du poulet Vallée d'Auge.

Le secret *d'une sauce liée à la crème bien onctueuse* : Un jus de cuisson soigneusement dégraissé avant incorporation de la crème et des jaunes d'œufs. Sinon, le mélange, trop gras, ne se lie pas : il tourne.
Pour éviter ce désagrément de la dernière minute, ne négligez jamais d'ôter, avec une cuillère, la plus grande partie de la graisse du poulet surnageant à la surface du jus.

Ragoût d'oie

Très facile / raisonnable
Automne-Hiver

Préparation et cuisson : 2 h
Cuisson en autocuiseur : 30 mn

Pour 4, il faut :

1,200 kg d'oie,
25 g de beurre ou de margarine,
4 carottes,
4 ou 5 navets,
2 oignons,
1 cuil. à soupe rase de farine,
1 gousse d'ail,
800 g de pommes de terre.

1. Épluchez et coupez carottes, navets et oignons.

2. Dans une cocotte, faites bien dorer les morceaux d'oie avec 25 g de beurre ou de margarine. Puis ajoutez les légumes. Laissez revenir quelques minutes. Saupoudrez de farine. Mélangez. Ajoutez ail, bouquet garni, sel, poivre et de l'eau à hauteur des morceaux. Couvrez. Laissez mijoter 1 h environ (en autocuiseur : 20 mn).

3. Au bout de ce temps, ajoutez les pommes de terre épluchées, coupées en 4. Laissez cuire 35 mn supplémentaires (en autocuiseur : 12 mn).

Truc : *N'ajoutez les pommes de terre qu'en dernier lieu, sinon vous les retrouveriez en purée... ce qui n'est pas mauvais, mais peu esthétique.*

Terrine de dinde

Facile / raisonnable / petites réceptions
Hiver

Préparation et cuisson : 3 h + marinade : 24 h

Pour 10 ou 12, il faut :

1/2 dinde,
500 g de gorge de porc,
300 g de lard gras,
500 g de barde,
1 morceau de couenne,
sel, poivre.

Marinade :

1/4 de litre de vin blanc sec,
1 verre de porto,
huile,
1 carotte,
1 oignon,
2 échalotes,
4 gousses d'ail,
2 clous de girofle,
thym, laurier, persil,
poivre.

1 terrine de 23 cm.

1. Plusieurs jours à l'avance, désossez la dinde crue. Faites-la mariner ainsi que les viandes de porc (sauf la barde) avec rondelles de carotte, d'oignon, d'échalotes et d'ail, girofle, poivre, persil, thym, laurier, vin blanc, porto, 2 cuil. d'huile. Couvrez et laissez mariner 24 h au frais.

2. Cuisson : égouttez les chairs. Réservez quelques bandelettes de blanc. Passez le reste au hachoir (grille fine), deux fois au besoin, pour obtenir un hachis très homogène. Malaxez avec la margarine, sel, poivre.

3. Tapissez la terrine avec la barde de lard. Tassez le hachis dedans en intercalant les bandelettes de blanc. Mettez le morceau de couenne à la surface. Couvrez la terrine. Déposez-la dans la plaque creuse du four emplie d'eau. Mettez à four bien chaud (th. 7-8) 1 h 30 environ. Retirez la couenne.

Gardez plusieurs jours au frais avant de consommer.

Le secret *pour démouler une terrine :* Grattez d'abord l'excès de gras, en surface. Glissez la lame d'un couteau à l'intérieur du moule, tout autour du pâté sans entamer celui-ci. Puis, plongez le fond de la terrine dans de l'eau chaude pendant 3 ou 4 mn seulement. Retournez enfin la terrine sur le plat.

Terrine de foies de volailles au porto

Facile / raisonnable / petites réceptions
Toutes saisons

Préparation et cuisson : 1 h 30 + marinade : la veille

Il faut :

350 g de foies de volailles,
125 g de porc frais (échine ou gorge),
125 g de veau (épaule),
100 g de barde de lard,
50 g de couenne,
thym, laurier,
2 pincées de muscade,
1 verre de porto,
1 verre à liqueur de cognac,
1 cuil. d'huile,
sel, poivre.

1 terrine n° 6.

1. La veille, mettez les foies à macérer avec : porto, cognac, thym, laurier, muscade, poivre, 1 cuil. à soupe d'huile.

2. Le jour même, passez toutes les viandes au hachoir, sauf 3 ou 4 foies. Malaxez le hachis avec le jus de la marinade. Salez et poivrez généreusement. Coupez les 3 ou 4 foies restants en petits dés.

3. Tapissez l'intérieur de la terrine (fond et tour) avec de la barde. Tassez dedans la moitié du hachis, puis une couche de foies coupés. Terminez avec le reste de hachis. Garnissez le dessus avec laurier, thym et la couenne. Fermez avec le couvercle. Faites cuire dans la plaque creuse du four emplie d'eau, à four moyen (th. 5-6) 1 h environ.

Note : *Le foie de toutes les volailles convient pour préparer une terrine : poulet, dinde, canard, et... foie d'oie, bien entendu.*

Terrine de foies

Les secrets *pour bien réussir une terrine :*
— Une terrine doit être bien épicée. N'hésitez pas à la goûter crue (mais oui !) pour vous assurer que l'assaisonnement est au point.
— La couenne (peau épaisse du porc) fournit un peu de gelée. Mais ne la laissez pas sur la terrine, une fois cuite. Retirez-la au sortir du four.
— Pour savoir si la terrine est cuite, enfoncez une brochette jusqu'au fond. Elle doit en ressortir chaude jusqu'à l'extrémité.
— Pour presser la terrine, après sa sortie du four, n'utilisez pas d'objet trop pesant, car sous l'effet d'une trop forte pression, la graisse remonterait en surface, laissant un pâté sec.
— Attendez 2 ou 3 jours avant de consommer.

Les légumes frais

L'A.B.C. des légumes frais

Artichauts

Cuisson : 45 mn (en autocuiseur : 15 mn)

Par personne : 1 (ou 2 petits)

Choisissez :
Les artichauts lourds, aux feuilles vertes jusqu'à la pointe, sans taches. La tige grosse, fraîchement tranchée.

Préparez :
Coupez-en la tige. Plongez-les 5 mn dans beaucoup d'eau vinaigrée, tête en bas pour déloger les pucerons. Lavez ensuite sous l'eau courante en écartant les feuilles.

Plongez les artichauts dans l'eau bouillante. Couvrez et laissez-les bouillir de 40 à 45 mn. Détachez une feuille pour vous assurer que la cuisson est à point. Égouttez-les aussitôt cuits dans une passoire à pied, la pointe des feuilles en bas, pour que l'eau s'écoule.

Crus : à la croque au sel ou à la vinaigrette.

Artichauts	**Cuits :** avec vinaigrette simple ou additionnée de fines herbes, de jaune d'œuf dur haché ; ou crème fraîche salée, poivrée et vinaigrée ; braisés. **Les fonds :** frais ou en boîte : garnis de macédoine, petits pois, haricots verts, champignons, pointes d'asperges, en salade et à la Grecque. Chauds : avec une sauce. Sautés à la poêle : seuls ou avec des pommes de terre et champignons coupés. Ne pas conserver les artichauts cuits plus d'une journée : ils deviennent très indigestes et, même, toxiques. Les fonds en boîte sont très pratiques.

Asperges

Cuisson : 15 à 20 mn à partir de l'ébullition

Par personne : 400 à 500 g

Choisissez :

Les asperges fermes, brillantes, fraîchement coupées, à têtes rosées. Grosses et courtes, elles laissent moins de déchets.

Préparez :

Pelez-les avec un couteau-économe, à partir de la base de la tête. Cassez la tige près de la coupure (elle se brise à l'endroit où elle cesse d'être tendre). Lavez rapidement et, si possible, liez en bottillons de 5 ou 6. Elles peuvent être conservées épluchées, dans un linge humide, au réfrigérateur jusqu'au lendemain.

Plongez-les dans de l'eau salée en ébullition. Laissez bouillir doucement de 15 à 20 mn. Dès que la fourchette pénètre facilement à la base des asperges, arrêtez la cuisson et égouttez. Tenez au chaud à l'entrée du four ou au-dessus d'une casserole d'eau en ébullition.

Tièdes ou froides avec vinaigrette, avec ou sans fines herbes, mayonnaise, crème fraîche assaisonnée de citron.

Chaudes avec sauces hollandaise, mousseline, blanche.

Pointes d'asperges (en boîte) : réchauffées ou froides, mélangées avec mayonnaise, pour garnir : tartelettes, fonds d'artichauts, œufs brouillés, omelettes, volailles, ris de veau, tournedos ou canapés.

Les asperges cuites sont moins bonnes après un passage au réfrigérateur. Par contre, elles peuvent être épluchées à l'avance, enveloppées dans un linge humide et gardées crues, sans dommage, dans le réfrigérateur.

Aubergines

Cuisson :
30 à 40 mn

Par personne :
1 grosse

Choisissez :

Les aubergines lisses, fermes, brillantes. Leur couleur normale va du violet clair au prune foncé. Refusez les vertes car elles ne sont pas assez mûres, et les jaunâtres car, trop mûres, elles sont indigestes.

Préparez :

Inutile de les éplucher avant cuisson. Si possible, faites-les dégorger 30 mn, après les avoir coupées en rondelles, avec du sel car elles contiennent beaucoup d'eau.
Faites-les cuire avec beaucoup d'huile : sautées, farcies, grillées, frites.
Les aubergines accompagnent toutes les viandes, la volaille et certains poissons meunière.

Carottes nouvelles

Cuisson :
45 mn à 1 h
(en autocuiseur :
15 à 20 mn)

Par personne :
250 g

Choisissez :
Les carottes propres, lisses, roses, aux fanes fraîches.

Préparez :
Inutile de les éplucher. Brossez-les sous l'eau. Entières ou coupées en rondelles, elles peuvent être conservées au réfrigérateur hermétiquement enveloppées, jusqu'au lendemain.
Mettez-les dans une casserole. Ajoutez-y 50 g de beurre ou de margarine, 1 cuil. à café de sucre, sel et assez d'eau pour qu'elles soient juste recouvertes. Posez le couvercle et faites cuire sur feu très doux jusqu'à évaporation presque complète du liquide (45 mn environ, suivant les carottes). Persil haché dessus, avant de servir.

Crues : à la croque au sel, dans « panier de crudités ». Râpées, en salade, avec citron ou vinaigrette, olives vertes et noires, fines herbes, œufs durs.

Cuites : braisées (seules ou avec viande), en purée, en soufflé, avec Béchamel, crème, etc.

Nettoyez et coupez les carottes au moment de les faire cuire seulement, sinon prenez la précaution de les ranger dans le bas du réfrigérateur, hermétiquement enfermées.
Les carottes crues peuvent être râpées un peu à l'avance (et mises au réfrigérateur) mais ne doivent être assaisonnées qu'à la dernière minute.

Céleris-branches

Cuisson :
10 mn à l'eau bouillante
+ 30 à 60 mn de mijotage

Par personne :
250 g environ

Choisissez :

Les céleris-branches aux côtes fermes et aux feuilles fraîches et pâles.

Préparez :

N'utilisez que les branches tendres. Coupez-en l'extrémité feuillue. Épluchez en ôtant les gros fils (comme la rhubarbe). Lavez et essuyez.

Cuits : à l'eau bouillante salée 10 mn. Puis longuement braisés avec du jus de viande ou mijotés avec Béchamel, Mornay, crème ou sauce tomate.

Crus : finement coupés : à la vinaigrette ou ajoutés à une salade composée.
Coupés en tronçons avec anchoïade ou farcis à la crème d'anchois, au roquefort.

Assaisonnez le céleri cru à la dernière minute seulement. Il ramollit rapidement au contact du sel.

Céleris-raves

Cuisson : 20 ou 30 mn

Par personne : 100 g

Choisissez :

Les céleris-raves lourds pour un petit volume. Pour vous assurer qu'ils ne sont pas creux, cognez la boule avec le doigt : elle doit sonner « plein ».

Préparez :

Pelez le céleri comme une pomme de terre. Posez-le sur une planche et fendez-le en quartiers à l'aide d'un grand couteau.
Cuisez-le à l'eau bouillante salée de 20 à 30 mn.
Ou utilisez-le cru, coupé en fins bâtonnets ou râpé avec une râpe à trous moyens. Mélangez-le sans attendre avec vinaigrette ou mayonnaise.

Cru : à la vinaigrette, rémoulade (mayonnaise à la moutarde).

Cuit : sauté à la poêle, gratiné au gruyère, à la Béchamel, au jus, à la sauce tomate, en purée avec pommes de terre.

Le secret *pour que le céleri rémoulade reste blanc :* aspergez-le de citron au fur et à mesure que vous le râpez. Ajoutez également du citron à la mayonnaise allongée d'eau (mais oui !) pour l'obtenir assez liquide et éviter qu'elle ne prenne, au bout d'un moment, un aspect cireux.

Choux de Bruxelles

Cuisson :
pré-cuisson
5 mn à l'eau
+ 30 à 45 mn
de braisage

Par personne :
250 g

Choisissez :

Les choux de Bruxelles assez petits, aux feuilles serrées et bien vertes.

Préparez :

Otez 1 ou 2 feuilles externes de chaque chou en tranchant la base du trognon. Lavez, puis jetez dans beaucoup d'eau bouillante salée jusqu'à ce que l'eau se remette à bouillir. Égouttez et passez sous l'eau froide.

Cette pré-cuisson sera suivie d'une seconde cuisson à l'eau ou d'un mijotage plus ou moins prolongé.

Cuits : sautés à la poêle, au jus de viande, à la Béchamel, au gratin.

Ou froids : en salade avec fines herbes.

Ne négligez pas de faire subir aux choux une courte pré-cuisson à l'eau. C'est grâce à cette opération qu'ils seront plus faciles à digérer.

Choux-fleurs

Cuisson :
15 mn à partir
de l'ébullition

Par personne :
250 g

Préparez :

Otez trognon, feuilles et grosses côtes. Coupez en bouquets égaux. Lavez rapidement dans de l'eau vinaigrée.

Plongez-les dans beaucoup d'eau salée en ébullition. Laissez bouillir 15 mn.

Choisissez :
Les choux-fleurs blancs, sans taches, aux fleurs serrées.

Piquez une fourchette dans une tige pour vous assurer du degré de cuisson. Égouttez aussitôt cuits.

Crus : en très petits bouquets avec vinaigrette moutardée.

Cuits : en salade, avec vinaigrette ou mayonnaise, à la Grecque, au gratin, sautés, en purée (avec pommes de terre), en soufflé, en beignets.

Le chou-fleur ne doit pas séjourner dans l'eau de cuisson : il continuerait d'y cuire et ses fleurs se détacheraient.

Concombres

Par personne :
100 g

Choisissez :
Les concombres fermes, pesants, à la peau luisante d'un vert foncé. Évitez-les lorsqu'ils sont ternes, mous, jaunâtres car ils sont trop avancés.

Préparez :

Crus : en salade, une fois épluchés.
Ne les faites pas dégorger si vous les aimez très croquants ou s'ils sont jeunes, donc sans pépins. Sinon, faites-les dégorger, en rondelles fines, tassées dans une terrine avec pas mal de sel. Mettez au froid 1 h environ.
Juste avant de les consommer, égouttez-les et assaisonnez-les avec vinaigrette ou crème fraîche citronnée.

Pour faire dégorger plus vite : mettez-les en fines rondelles, dans un torchon. Serrez fort en tordant. Le jus sort et le concombre est prêt pour l'assaisonnement.

Courgettes

Cuisson : 30 à 40 mn

Par personne : 1 grosse

Choisissez :

Les courgettes fermes, vertes, de taille moyenne. Si elles sont jaunâtres, fendues ou très grosses, elles sont défraîchies ou trop mûres.

Préparez :

Crues, en salade : épluchez-les et coupez-les en fines rondelles. Mettez-les à dégorger au froid plusieurs heures pour les débarrasser de leur eau, puis assaisonnez-les de vinaigrette et fines herbes. Attendez quelques heures avant de les consommer.

Cuites : inutile de les éplucher. Cuisez-les à la poêle, farcies au four ou en beignets.
Toutes les préparations de l'aubergine conviennent à la courgette.

Si possible, avant de les accommoder, laissez-les dégorger 1 h avec du sel. Elles rendront beaucoup d'eau et auront meilleur goût.

Crosnes

Cuisson : 15 à 20 mn

Par personne : 200 g

Choisissez :

Les crosnes bien blancs. S'ils sont brunâtres c'est qu'ils ont été arrosés d'eau pour retrouver un semblant de fraîcheur.

Préparez :

Coupez les extrémités. Puis, pour les peler, frottez-les vigoureusement en vrac dans un torchon, avec du gros sel. Lavez-les ensuite à grande eau.
Cuits à l'eau, ils sont ensuite accommodés au jus, aux fines herbes, à la crème, à la sauce blanche, et même en salade avec une mayonnaise légère.

Le secret *pour que les crosnes restent blancs :* faites-les cuire dans de l'eau additionnée d'une cuillerée à soupe de farine ou d'un jus de citron.

Endives
(chicorée de Bruxelles ou chicons)

Cuisson : 1 h

Par personne : 250 à 300 g

Choisissez :
Les endives bien blanches, sans taches (ou presque), aux feuilles serrées, bordées de jaune.
Toutes les endives sont calibrées et normalisées : dans la catégorie extra : étiquette rouge, ou la 1re catégorie : étiquette verte.

Préparez :
Lavez-les rapidement et essuyez-les aussitôt, car les endives, en séjournant dans l'eau, prennent de l'amertume.
Faites-les d'abord dorer dans une cocotte avec du beurre ou de la margarine, en compagnie d'oignons en rondelles, sel et poivre. Elles mijotent ensuite de 50 à 60 mn sur feu doux, bien couvertes et sans eau.

Crues : coupées en tronçons : en salade accompagnées d'anchoïade à la mayonnaise.

Cuites : braisées (voir ci-dessus) ou meunière avec un peu d'eau, puis accommodées avec Béchamel, au gratin, enroulées de jambon.

Égouttez-les bien à fond avant de les accommoder à la Béchamel ou au gratin. Sinon les endives communiqueraient leur jus à la sauce au détriment de cette dernière.
Conservez-les enveloppées au frais à l'abri du jour qui les ferait verdir rapidement.

Le secret *pour ôter l'amertume des endives :*
Le jus d'un citron ajouté aux endives en début de cuisson les garde bien blanches et en atténue efficacement l'amertume. Un peu de sucre peut également corriger l'amertume mais en modifiant légèrement le goût du plat.

Épinards

Cuisson :
5 mn à partir de l'ébullition + 30 mn de mijotage

Par personne :
400 à 500 g

Choisissez :

Les épinards frais et jeunes, non montés en graines.

Préparez :

S'ils sont tendres, ôtez seulement les queues. S'ils sont plus avancés, ôtez aussi les nervures des feuilles. Lavez-les abondamment.

Plongez-les dans de l'eau salée en ébullition. Laissez bouillir quelques minutes, sans couvrir. Égouttez en pressant fortement. Hachez grossièrement. Dans une cocotte, faites-les mijoter avec 40 g de beurre, une gousse d'ail coupée, sel, poivre. Couvrez et laissez cuire doucement de 20 à 30 mn.

Les épinards surgelés se préparent de la même façon.

En boîte, il suffit de les faire mijoter.

Cuits : en salade, recouverts d'œufs durs, au jus de citron et crème fraîche, dés de jambon. Braisés au jus, au gratin, à la crème. En soufflé, en tarte, dans des crêpes, etc.

Inutile de mettre beaucoup d'eau pour cuire les épinards ce qui les ferait déborder. Un couvercle plus petit que le récipient, posé à même les épinards, les empêchera de « monter » dans le fait-tout.

Pour ôter l'eau des épinards, pressez-les avec la main. Si vous devez y ajouter de la crème, une sauce ou une préparation à soufflé qui aura pour effet de les allonger, faites-les, en plus, dessécher sur le feu en mélangeant sans arrêt avec une cuiller.

Fenouils

Cuisson : 30 mn environ

Par personne : 1 ou 2 bulbes

Choisissez :
Les fenouils sans taches. Fraîchement coupés. Pas trop gros.

Préparez :

Otez, au besoin, quelques feuilles externes très filandreuses. Grattez et lavez les bulbes et coupez-les en deux dans l'épaisseur.
Plongez les demi-fenouils dans de l'eau salée en ébullition. Laissez bouillir 15 mn. Égouttez et pressez pour faire sortir le plus d'eau possible. Remettez à mijoter 15 mn avec jus de viande et fines herbes hachées.

Crus : finement coupés, à la vinaigrette ou à la crème et jus de citron.

Cuits à l'eau, puis braisés, gratinés, à la crème.
Mariez le fenouil avec les viandes blanches, volailles et même avec des poissons tels que : dorade, mulet, bar.

Fèves fraîches

Cuisson : de 20 à 45 mn selon degré de maturité

Par personne : 500 g (non écossées)

Préparez :

Écossez-les et lavez-les.
Plongez-les 5 mn dans de l'eau en ébullition, non salée. Égouttez et ôtez la peau. Faites cuire à nouveau à l'eau bouillante salée avec bouquet garni, sariette (facultatif) jusqu'à ce qu'elles soient tendres (de 20 à 45 mn).

Choisissez :

Les fèves vertes, fraîches, lourdes.

Servez-les avec sariette, persil ou cerfeuil haché et crème fraîche.

Crues : à la croque au sel.

Cuites : en ragoût, en purée, panachées avec des artichauts, au jus de viande, à la Béchamel.

A défaut de sariette fraîche, utilisez de la sariette en poudre, plus facile à trouver.

Haricots verts

Cuisson : de 20 à 30 mn à partir de l'ébullition (en autocuiseur : 8 à 10 mn)

Par personne : 250 g

Choisissez :

Les haricots verts très frais. Verts. Pas trop épais (exception faite pour les gros mange-tout tendres bien que contenant de grosses graines).

Préparez :

Cassez les deux extrémités en entraînant le fil — s'il y a lieu — tout le long des haricots. Cassez-les en deux pour vérifier qu'il n'y a plus de fil. Lavez en frottant dans les mains, sous l'eau.

Plongez-les dans de l'eau bouillante salée. Laissez cuire à gros bouillons de 20 à 30 mn sans couvrir. Égouttez-les encore un peu fermes.

Froids : en salade, à la mayonnaise moutardée, aux fines herbes ou à l'ail.

Sautés : au jus de viande, à la crème, avec hachis d'ail et de fines herbes, panachés de flageolets, etc.

Surgelés : mêmes préparations.

En boîte : rincez avant d'accommoder.

Le secret *pour obtenir des haricots verts bien verts :* Jetez-les dans de l'eau fortement salée, quand elle bout très fort. Laissez bouillir sans jamais couvrir la casserole.

Navets

Cuisson :
30 à 40 mn
(en autocuiseur : de 10 à 14 mn)

Par personne :
250 g

Choisissez :
Les navets fermes et pleins, ronds ou allongés et sans taches.

Préparez :
Pelez-les. S'ils sont petits, laissez-les entiers, ou s'ils sont gros, coupez-les en quatre ou en rondelles. Couvrez-les d'eau froide salée. Faites bouillir de 30 à 40 mn.

Crus : râpés à la vinaigrette.

Cuits : braisés, glacés, au jus, au gratin, en ragoût, farcis.

Leur peau étant épaisse, l'hiver surtout, n'hésitez pas à faire de grosses épluchures.
Pour atténuer le goût prononcé des navets avancés, faites-leur subir une pré-cuisson de quelques minutes à l'eau bouillante.

Oseille

Cuisson : quelques minutes

Par personne :
300 g (en garniture)

Choisissez :
L'oseille très fraîche, très verte.

Préparez :
Faites-la cuire doucement quelques minutes avec du beurre, à couvert, jusqu'à ce qu'elle soit « fondue ». Découvrez. Salez et laissez évaporer le jus sur feu doux. Mélangez pour réduire en purée. Ajoutez crème fraîche et croûtons dorés.
En potage, en purée, en omelette.
En garniture d'œufs durs, de viande blanche, de volaille. Ou avec du poisson (alose, saint-pierre, congre) car elle a la réputation de « digérer » les fines arêtes.

Pour gagner du temps, une fois l'oseille « fondue » sur le feu, pressez-la et laissez-la égoutter dans une passoire plutôt que de la laisser évaporer sur le feu.

Petits pois

Cuisson : 45 mn (en autocuiseur : 12 à 15 mn)

Par personne : 500 g (non écossés)

Choisissez :
Les petits pois à cosses brillantes, lisses, vertes et lourdes. Des cosses fripées signifient que les pois sont farineux.

Préparez :
Écossez-les et lavez-les au moment de les cuire. Pour les conserver, du jour au lendemain, au réfrigérateur, mettez-les dans un bol en plastique fermant hermétiquement.
Mettez-les à cuire dans une casserole avec 30 g de beurre, petits oignons blancs, cœur de laitue, persil, sel, poivre. Couvrez avec une assiette creuse emplie d'eau froide. Faites cuire doucement 45 mn environ. Renouvelez l'eau dans l'assiette plusieurs fois en cours de cuisson.
Froids : avec mayonnaise pour garniture de fonds d'artichauts, cornets de jambon, tartelettes.
Chauds : braisés, en garniture de tartelettes, fonds d'artichauts ou omelette. Ou cuisez-les à l'eau s'ils sont un peu avancés.
Surgelés : même préparation que les pois nouveaux.
En boîte : les présentations froides conviennent toutes, ainsi que les chaudes.

Si le couvercle ferme hermétiquement et si la cuisson est menée assez doucement, il est inutile d'ajouter de l'eau aux petits pois.

Poivrons

Cuisson : 45 mn

Par personne :
1 moyen

Choisissez :

Les poivrons très lisses, brillants et lourds. Ils peuvent être vert foncé, jaune d'or ou rouge vif.
Leur forme est plutôt rebondie.
Ne pas confondre avec les piments allongés, dit « piments enragés », extrêmement piquants.

Préparez :

Crus : en salade, mélangés à d'autres crudités, à du riz ou des pâtes.

Cuits : farcis, sautés ou grillés.
Il n'est pas indispensable de les peler, mais il faut les épépiner.
Ouvrez-les pour les débarrasser de leurs pépins.
Coupez-les en lanières assez fines. La peau est plus facile à entamer par l'intérieur. Assaisonnez-les un peu à l'avance avec de la vinaigrette riche en huile.

Trois manières de peler un poivron.

Mettez-le :

— au four chaud,
— directement sur le feu,
— ou dans l'huile très chaude.

Au bout de quelques instants, la peau cloquera et vous l'ôterez facilement en la frottant avec un linge rugueux.

Tomates

Cuisson :
15 à 30 mn

Par personne :
1 ou 2

Choisissez :

Les tomates fermes, lisses et bien rouges.
Évitez les tomates éclatées ou tachées de brun : elles sont trop avancées et probablement fermentées et amères.
La petite tomate olivette, de forme allongée, très ferme, convient pour la cuisine car, toute en chair, elle contient très peu d'eau.

Préparez :

Crues : en salade, pelées ou non. Farcies de crudités ou de poisson.
Elles sont meilleures après avoir dégorgé au sel, une demi-heure. Mais assaisonnez-les à la dernière minute de vinaigrette ou de mayonnaise assez fluide.

Cuites : sautées à la poêle, avec hachis d'ail et de persil. Au four (farcies). En sauce, en potage ou ajoutées en petite quantité à d'autres préparations.

Les tomates en salade :

Il y a les amateurs de tomates épluchées et dégorgées au sel et les amateurs de tomates « nature », tranchées telles quelles, juste avant la vinaigrette. A vous de choisir.
Pour peler une tomate, frottez la peau avec le fil du couteau. Elle se ride légèrement et se décolle facilement si la tomate est mûre.
Coupez-les en rondelles dans le sens de la hauteur. Elles sont plus fermes sous le couteau et d'un dessin inhabituel.
Pour les faire dégorger, saupoudrez-les de sel fin après les avoir coupées. Mettez au froid une demi-heure avant d'assaisonner.
Pelées ou non, les tomates « à la vinaigrette » sont assaisonnées au dernier moment.
« A la crème » elles sont préparées 2 h d'avance. Très serrées dans un ravier qui les contient juste, elles sont baignées de crème fraîche assaisonnée de vinaigre, sel, poivre, fines herbes et mises au frais.

Artichauts à la Barigoule

Facile / bon marché
Toutes saisons

Préparation et cuisson : 1 h 15
Cuisson en autocuiseur : 25 mn

Pour 4, il faut :
4 ou 6 artichauts tendres,
100 g de lard de poitrine frais ou fumé,
50 g de beurre ou de margarine,
1 gros oignon,
2 tomates ou 1 cuil. à soupe de tomate concentrée,
1 verre de vin blanc sec,
sel, poivre.

1. Lavez les artichauts. Tranchez-les en deux, dans la hauteur. Retirez les feuilles violettes et le foin avec un couteau aiguisé.

2. Faites revenir ces demi-artichauts dans une cocotte, avec 30 g de beurre ou de margarine. Salez et poivrez légèrement.

3. Coupez le lard en dés. Hachez l'oignon. Faites dorer le tout dans une poêle, avec une noix de beurre. Ajoutez-y les tomates en morceaux ou, à défaut, la tomate concentrée. Salez légèrement mais poivrez bien.

4. Tassez cette farce dans les demi-artichauts. Mouillez avec 1 verre de vin blanc. Couvrez. Laissez mijoter 1 h environ (en autocuiseur : 25 mn).

Cuisson : elle se fait dans un « blanc ». C'est très simple : faites bouillir une grande casserole d'eau salé. Ajoutez-y 1 cuil. à café de farine délayée avec un peu d'eau froide. Faites cuire les fonds dedans, pendant 30 mn environ. Égouttez et retirez le foin.

Le secret *des fonds d'artichauts qui ne noircissent pas aussitôt coupés :* Coupez-les avec un couteau à lame inoxydable et frottez-les entièrement de citron, au fur et à mesure du découpage. Et s'ils doivent attendre, plongez-les carrément dans un récipient empli d'eau additionnée de citron.

Artichauts à la Romaine

Très facile / raisonnable
Toutes saisons

Préparation et cuisson : 20 mn

Pour 4, il faut :
8 fonds d'artichauts en conserve,
50 g de beurre,
1 tranche de jambon cuit,
100 g de semoule,
1/2 litre de lait,
40 g de gruyère râpé,
sel, poivre.

1. Faites bouillir le lait. Jetez la semoule en pluie dedans. Salez, poivrez. Remuez jusqu'à épaississement. laissez cuire environ 10 mn, sur feu très doux.

2. Incorporez ensuite le jambon en petits morceaux et 30 g de beurre.

3. Égouttez les fonds d'artichauts. Faites-les chauffer quelques minutes dans une casserole avec une noix de beurre. Garnissez-les ensuite avec de la semoule tassée en dôme. Déposez-les, côte à côte, dans un plat à four beurré. Saupoudrez-les de gruyère râpé, sel et poivre. Faites gratiner 5 ou 6 mn sous le grilloir ou dans le haut du four très chaud (th. 8-9).

Raffinement : *Avant de cuire les artichauts, vous pouvez couper leurs feuilles avec des ciseaux le plus près possible de la base, de manière à ne laisser que la partie charnue.*

Artichauts sauce rose

Très facile / raisonnable / petites réceptions
Toutes saisons

Préparation et cuisson : 40 mn + temps de refroidissement

Pour 4, il faut :
4 artichauts,
sel.

Sauce rose :
100 g de roquefort,
2 ou 3 cuil. à soupe de ketchup,
quelques gouttes de tabasco (sauce forte au piment),
1 cuil. à café de cognac,
1 cuil. à soupe de vinaigre ou de jus de citron,
2 cuil. à soupe de crème fraîche,
poivre, très peu de sel.

1. Cuisson des artichauts : lavez-les soigneusement. Coupez l'extrémité des feuilles pour obtenir des bords bien nets. Puis ceinturez chaque artichaut d'un morceau de gros fil. Mettez à cuire, de 20 à 25 mn, à l'eau bouillante salée. Égouttez aussitôt cuit. Laissez refroidir.

2. Sauce rose : râpez le roquefort à la moulinette. Mélangez avec tous les ingrédients indiqués ci-contre. Mettez au froid.

3. Otez le foin ainsi que la plupart des feuilles, pour ne laisser qu'une couronne de feuilles épaisses tout autour. Versez la sauce à l'intérieur.

Variante : *La sauce rose peut convenir pour farcir œufs durs, tomates, tronçons de céleri-branche, ou pour accompagner des asperges.*

Le secret *des artichauts aux feuilles bien serrées après cuisson :* Pour que les feuilles ne s'écartent pas en cuisant — comme cela se produit quand l'artichaut est trop cuit — ceinturez-les d'un morceau de gros fil noué assez serré, avant de les mettre à cuire.
Vous couperez ce fil lorsqu'ils seront tout à fait refroidis.

Asperges Milanaise

Très facile / cher / petites et grandes réceptions
Printemps-Eté

Préparation et cuisson : 40 mn

Pour 4, il faut :
1 kg d'asperges,
30 g de beurre,
50 g de parmesan,
sel, poivre.

1. Pelez les asperges avec un couteau économe. Lavez-les. Faites-les cuire de 12 à 15 mn à l'eau bouillante salée. Égouttez-les parfaitement, aussitôt cuites.

2. Disposez-les, côte à côte, encore très chaudes sur un plat supportant le four. Saupoudrez-les de parmesan, depuis la pointe jusqu'à mi-hauteur. Arrosez-les de beurre fondu. Mettez dans le haut du four chaud (th. 6-7) quelques minutes pour gratiner.

Solution express : *Les asperges en conserve peuvent très bien être accommodées de cette façon. C'est un gain de temps et un bon résultat assurés.*

Le secret *des asperges tendres à couper au couteau :* Elles sont soigneusement pelées (presque comme une pomme de terre) et non simplement grattées :
Avec un couteau économe, pelez-les à plat pour ne pas les briser, depuis la base de la pointe jusqu'à l'autre extrémité. Puis cassez près de la queue (l'asperge se brise net à l'endroit où elle cesse d'être tendre).

Aubergines farcies

Facile / raisonnable
Été-Automne

Préparation et cuisson : 50 mn

Pour 4, il faut :
4 aubergines,
60 g de beurre ou de margarine,
200 g de jambon cru ou cuit,
250 g de poivrons,
500 g de tomates,
1 gousse d'ail,
sel, poivre.

Bain de friture.

1. Essuyez les aubergines avec soin. Otez la queue. Coupez-les en deux en longueur. Puis, à l'aide d'un couteau pointu, entaillez profondément la chair sans percer la peau, à 1/2 cm du bord, tout autour de l'aubergine. Incisez le dessus jusqu'au fond. Plongez les demi-aubergines dans un bain de friture chaude, pendant 2 mn, pour ramollir la chair. Égouttez-les.

2. Avec une petite cuiller, détachez la chair sans percer la peau.

3. Faites revenir dans une casserole avec un peu de beurre ou de margarine le jambon en petits dés, les poivrons et les tomates épépinés, pelés et en petits morceaux, la gousse d'ail. Mélangez le tout. Laissez cuire 10 mn sur feu moyen. Incorporez la chair des aubergines hachée grossièrement au couteau. Salez, poivrez. Laissez cuire 5 mn. Remplissez les coques de peau avec cette farce. Déposez-les dans un plat à feu beurré. Parsemez de noisettes de beurre et faites cuire 20 mn à four chaud (th. 6-7).

Bettes (ou blettes) à la crème

Très facile / bon marché
Toutes saisons

Préparation et cuisson : 1 h 30

Pour 4, il faut :
1 kg de bettes,
1 cuil. à soupe de vinaigre,
50 g de beurre,
3 cuil. à soupe de crème fraîche épaisse,
sel, poivre.

1. Mettez de l'eau à bouillir. Débarrassez les bettes de leurs feuilles. Ne conservez que les côtes dont vous ôtez les gros fils. Coupez les côtes en tronçons. Plongez-les dans l'eau bouillante additionnée de sel et d'1 cuil. à soupe de vinaigre. Laissez bouillir 1 h environ.

2. Égouttez très soigneusement les bettes cuites. Faites-les sauter quelques minutes avec du beurre. Puis recouvrez-les de crème fraîche. salez et poivrez. Laissez bouillir le tout, sans couvrir, afin que le jus mélangé à la crème ne prenne pas une apparence trop liquide. Présentez dans un légumier.

Variantes : *Les bettes, préalablement cuites à l'eau, comme dans le § 1, sont simplement mélangées avec du jus de viande. Ou encore recouvertes de Béchamel au fromage, elles sont mises à gratiner dans le four chaud.*

Chou rouge à la Bernoise

Très facile / bon marché
Printemps-Automne-Hiver

Préparation et cuisson : 1 h 50
Cuisson en autocuiseur : 35 mn

Pour 4, il faut :
1 chou rouge de 1 kg,
30 g de beurre ou de margarine,
100 g de lard de poitrine,
2 oignons,
1 verre de vin rouge,
2 pincées de muscade,
sel, poivre.

1. Coupez les oignons en rondelles et le lard en dés. Faites dorer le tout dans une grande cocotte avec 30 g de beurre ou de margarine.

2. Lavez les feuilles externes du chou. Roulez-les sur elles-mêmes pour les couper en lanières fines. Tranchez le cœur sur la planche à découper. Ajoutez-le finement coupé dans la cocotte. Mélangez. Laissez cuire un peu sans couvrir pour ramollir le chou. Arrosez ensuite avec un verre de vin rouge, sel, poivre, 2 pincées de muscade râpée. Couvrez et laissez mijoter 1 h 30 (en autocuiseur : 35 mn).

Le secret *du chou braisé qui n'attache pas :* On peut mettre un peu de couenne de lard au fond de la cocotte. Mais il est surtout utile d'interposer un diffuseur entre la source de chaleur et le fond de la cocotte.

Courgettes à la Lyonnaise

Très facile / bon marché
Été-Automne

Préparation et cuisson : 30 mn

Pour 4, il faut :
4 courgettes,
3 cuil. à soupe d'huile,
20 g de beurre ou de margarine,
2 gros oignons,
40 g de gruyère râpé,
sel, poivre.

1. Lavez et coupez les courgettes en rondelles épaisses. Inutile de les peler. Faites-les dorer des 2 côtés, à feu vif, dans une grande poêle avec de l'huile. Salez, poivrez. Couvrez et laissez cuire doucement 20 mn.

2. Pendant ce temps, faites mijoter les oignons en rondelles avec un peu de beurre ou de margarine, 1/4 d'heure, à couvert.

3. Disposez, par couches, dans un plat à gratin : courgettes sautées, oignons et gruyère râpé. Mettez au four très chaud 5 mn pour gratiner.

5 recettes de carottes

Faciles / bon marché
Toutes saisons

Préparation et cuisson : 1 h environ

Carottes à la Bourguignonne

Pour 4, il faut :

1 kg de carottes,
40 g de beurre ou de margarine,
2 oignons,
1 cuil. à soupe pleine de farine,
sel, poivre.

1. Faites cuire les carottes entières, à l'eau bouillante salée, 30 mn.

2. Coupez les oignons en rondelles. Faites-les dorer dans une grande casserole avec 40 g de beurre ou de margarine.

3. Égouttez les carottes cuites. Coupez-les en rondelles. Ajoutez-les aux oignons dans la casserole. Saupoudrez de farine. Mélangez sur feu vif jusqu'à ce que les carottes brunissent. Mouillez avec 2 verres d'eau bouillante. Salez, poivrez. Laissez mijoter 15 mn.

Carottes en soufflé

Pour 4, il faut :

500 g de carottes,
2 oignons,
2 œufs, sel.

Béchamel sucrée :

30 g de beurre,
1 cuil. à soupe très pleine de farine,
2 verres de lait,
1 pincée de sucre,
sel, poivre.

1. Faites cuire carottes et oignons dans 1/2 litre d'eau salée, 30 mn. Puis égouttez et passez au moulin à légumes.

2. Préparez une Béchamel très épaisse avec les proportions indiquées. Incorporez-la à la purée de carottes ainsi que les jaunes d'œufs. Puis les blancs en neige ferme.

3. Versez dans un moule à soufflé beurré. Mettez à four chaud (th. 6-7) 35 mn environ. Servez au sortir du four.

Carottes braisées

Pour 4, il faut :

1 kg de carottes,
250 g de petits oignons blancs ou 2 gros coupés,
40 g de beurre,
1 ou 2 gousses d'ail,
bouquet garni, persil,
sel, poivre.

1. Dans une cocotte contenant 40 g de beurre ou de margarine, mettez les carottes en rondelles, les oignons, l'ail, bouquet garni, sel, poivre.

2. Couvrez hermétiquement et laissez cuire sur feu doux 1 h (en autocuiseur : 25 mn).

3. Otez le bouquet garni et incorporez la crème fraîche avant de servir.

Carottes à la crème

Pour 4, il faut :

1 kg de carottes,
30 g de beurre,
4 petits oignons blancs,
1 gousse d'ail,
1 clou de girofle,
crème fraîche,
bouquet garni,
sel, poivre.

1. Grattez et lavez les carottes. Coupez-les en minces rondelles.

2. Faites fondre 30 g de beurre ou de margarine dans une grande casserole. Jetez-y les carottes, les oignons en 4, l'ail, le bouquet garni, clou de girofle, sel, poivre. Couvrez d'une assiette creuse emplie d'eau. Laissez cuire doucement 1 h (en autocuiseur : 25 mn).

3. Otez le bouquet garni, incorporez 1 ou 2 cuil. à soupe de crème fraîche.

Carottes à la Pompadour

Pour 4, il faut :

500 g de carottes,
500 g de pommes de terre, sel.

Béchamel :

1 cuil. de farine,
30 g de beurre,
1/2 litre de lait,
sel, poivre.

1. Faites cuire séparément carottes et pommes de terre en dés, à l'eau bouillante salée, 30 mn.

2. Préparez une Béchamel en mélangeant sur feu doux beurre ou margarine et farine. Incorporez le lait froid d'un seul coup. Remuez jusqu'à épaississement. Salez, poivrez. Laissez mijoter.

3. Égouttez les légumes dans un plat creux. Recouvrez de Béchamel et servez.

Courgettes à l'Orientale

Facile / raisonnable
Été-Automne

Préparation et cuisson : 2 h 15
Cuisson en autocuiseur : 30 mn

Pour 4, il faut :
800 g de courgettes,
4 cuil. à soupe d'huile,
20 g de beurre ou de margarine,
200 g de mouton,
3 oignons,
3 cuil. à soupe de riz,
200 g de champignons,
400 g de tomates,
1 gousse d'ail,
2 poivrons,
1 verre de vin blanc sec,
1 ou 2 cuil. à café de curry,
sel, poivre.

1. Jetez le riz dans de l'eau en ébullition et laissez-le cuire 5 mn seulement. Égouttez.

2. Lavez les courgettes mais ne les pelez pas. Tranchez-les aux extrémités. Puis coupez-les en tronçons de 6 cm environ. Creusez-les sans abîmer la peau pour retirer les graines et même une partie de la chair.

3. Hachez la viande et les oignons crus. Ajoutez-y le riz partiellement cuit, sel, poivre. Tassez cette farce dans les tronçons de courgettes. Faites-les dorer légèrement pour saisir la peau, dans une grande cocotte avec 3 cuil. à soupe d'huile. Ajoutez les poivrons épépinés et finement coupés, le curry, 1 verre de vin blanc, 1/2 litre d'eau, sel, poivre. Couvrez. Laissez mijoter 1 h (en autocuiseur : 20 mn ; diminuez le liquide de moitié).

4. Nettoyez et hachez les champignons et l'ail. Pelez et coupez les tomates en morceaux. Faites sauter le tout 5 mn dans une poêle avec 1 cuil. à soupe d'huile et ajoutez aux courgettes. Laissez cuire encore de 20 à 30 mn (en autocuiseur : 10 mn).

Servez très chaud ou complètement froid.

Croustade froide à la tomate

Facile / raisonnable / petites réceptions
Printemps-Été

Préparation et cuisson : 1 h + attente

Pour 1 grande croustade ou 6 petites, il faut :

Pâte et préparation des fonds.

Garniture :
6 belles tomates,
1 ou 2 cuil. à soupe d'huile,
1 gros oignon doux,
bouquet garni,
sel, poivre.

Décor :
8 cœurs d'artichauts (en boîte),
2 poivrons à l'huile,
12 filets d'anchois,
10 olives noires.

1. Faites cuire les tomates épluchées et épépinées avec 1 ou 2 cuil. d'huile, l'oignon coupé finement, sel, pas mal de poivre, bouquet garni, jusqu'à ce que la purée soit assez épaisse, 1/2 h environ. Laissez refroidir complètement.

2. Versez la purée de tomates sur la croustade. Dessinez dessus des croisillons à l'aide d'anchois et de poivrons coupés en lanières. Disposez les cœurs d'artichauts et les olives dans les losanges ainsi formés.

Solution express : *Les tomates entières, en boîte, sont tout indiquées pour cet emploi, mais sans le jus qui donnerait une fondue beaucoup trop liquide. Cependant ne jetez pas ce jus qui est une boisson agréable, qui peut servir à enrichir un potage ou à accompagner des pâtes.*

Fenouils à l'Orientale

Très facile / raisonnable / petites réceptions
Printemps-Automne-Hiver

Préparation et cuisson : 1 h

Pour 4, il faut :
2 ou 3 bulbes de fenouil,
3 cuil. d'huile,
2 oignons,
2 échalotes,
300 g de tomates,
2 cuil. à café de sucre en poudre,
1/3 de cuil. à café de safran,
1 verre de blanc sec,
zeste de citron,
sel, poivre.

1. Grattez les bulbes de fenouil. Coupez-les en 4. Plongez-les 5 mn dans de l'eau salée en ébullition. Égouttez-les aussitôt.

2. Épluchez et coupez en rondelles oignons et échalotes. Pelez et coupez les tomates. Videz-les de leurs pépins. Faites revenir le tout, à feu assez vif, quelques minutes dans une cocotte contenant de l'huile chaude.

3. Ajoutez-y ensuite fenouil, sucre, vin blanc, safran, un morceau de zeste de citron, sel, pas mal de poivre. Couvrez. Laissez mijoter sur feu doux 3/4 d'heure. Laissez refroidir avant de servir.

Gratin de légumes

Très facile / bon marché
Été-Automne

Préparation et cuisson : 1 h 20

Pour 4, il faut :
2 courgettes,
50 g de beurre ou de margarine,

1. Épluchez et coupez en rondelles : courgettes, aubergines, pommes de terre, tomates et oignons. Épépinez, puis tranchez les poivrons en lanières.

2. Mettez tous ces légumes dans une cocotte avec 50 g de beurre ou de margarine, 1/2 verre d'eau, persil haché, sel,

2 aubergines,
500 g de pommes de terre,
750 g de tomates,
2 poivrons,
2 ou 3 oignons,
25 g de gruyère râpé,
persil, sel, poivre.

poivre. Couvrez et mettez la cocotte dans le four chaud (th. 6-7) 40 mn. Retirez le couvercle pour laisser évaporer une partie du jus. Laissez cuire encore 20 mn.

3. Transvasez les légumes cuits dans un plat à gratin. Parsemez de gruyère râpé. Faites gratiner 5 mn sous le grilloir ou dans le haut du four très chaud.

Jardinière de légumes

Très facile / raisonnable
Printemps-Été

Préparation et cuisson : 1 h 15
Cuisson en autocuiseur : 20 mn

Pour 4, il faut :
30 g de beurre ou de margarine,
500 g de petits pois,
200 g ou 1 botte de carottes nouvelles,
3 ou 4 navets,
125 g de haricots verts,
250 g de pommes de terre nouvelles,
1 cuil. à soupe, de crème fraîche,
cerfeuil ou persil,
laitue, sel, poivre.

1. Faites fondre 30 g de beurre ou de margarine dans une casserole. Mettez-y carottes en rondelles, navets en dés, haricots verts, petits pois, laitue. Mélangez le tout. Ajoutez 2 cuil. à soupe d'eau, bouquet de persil ou de cerfeuil, sel, poivre. Couvrez avec une assiette creuse emplie d'eau froide. Faites mijoter 20 mn (en autocuiseur : 8 mn).

2. Ajoutez alors les pommes de terre coupées en dés. Laissez cuire de nouveau 30 mn (en autocuiseur : 10 mn). Renouvelez l'eau dans l'assiette, au cours de la cuisson. Avant de servir retirez le persil ou le cerfeuil, puis incorporez 1 cuil. à soupe de crème.

Haricots verts Vénitienne

Très facile / raisonnable
Printemps-Été-hiver

Préparation et cuisson : 2 h
Cuisson en autocuiseur : 35 mn

Pour 4, il faut :
1 kg de haricots verts ou de mange-tout,
60 g de beurre,
500 g de tomates,
1 oignon,
1 gousse d'ail,
bouquet garni,
persil,
2 pincées d'origan séché (facultatif),
sel, poivre.

1. Épluchez les haricots verts et lavez-les. Hachez l'oignon. Pelez, coupez et épépinez les tomates.

2. Dans une cocotte contenant 50 g de beurre, faites sauter ensemble l'oignon haché et les tomates. Puis ajoutez : haricots verts, ail, bouquet garni, sel, poivre et origan. Couvrez hermétiquement et laissez cuire 1 h 30 environ (en autocuiseur : 35 mn) sur feu très doux.

3. Au moment de servir les haricots, retirez le bouquet garni, incorporez une noix de beurre et parsemez de persil.
(Les haricots cuits de la sorte ont perdu leur fraîche couleur mais ils sont excellents.)

Navets farcis, au cidre

Facile / raisonnable / petites réceptions
Printemps-Été-Automne

Préparation et cuisson : 1 h 15

Pour 4, il faut :
4 gros navets ronds,
1 petit verre de cidre,

1. Épluchez les navets et creusez-les comme des tomates à farcir.

2. Farce : malaxez ensemble chair à saucisse, œuf, feuilles de thym, laurier émietté, persil, cerfeuil, ciboulette, échalote hachés, sel, poivre, 2 pincées de

1 tablette de bouillon,
10 g de beurre,
sel, poivre.

Farce :
250 g de chair à saucisse,
1 échalote,
persil, cerfeuil, ciboulette, thym,
1 feuille sèche de laurier,
1 œuf,
sel, poivre,
4 épices.

4 épices. Tassez cette farce dans les navets.

3. Disposez-les dans une cocotte beurrée. Ajoutez sel, poivre, cidre, 1 tablette de bouillon concentré, 4 cuil. à soupe d'eau bouillante. Couvrez la cocotte et glissez-la dans le four chaud (th. 6-7) 45 mn.

Raffinement : *Au bouillon concentré, préférez si c'est possible le jus de cuisson d'une viande. 3 ou 4 cuil. à soupe suffisent. Et comme les navets farcis sont tout indiqués pour accompagner un rôti de veau, de porc ou même un canard, c'est une partie de ce jus que vous utiliserez pour le braisage des navets.*

Moussaka

Facile / raisonnable
Été-Automne

La moussaka, d'origine roumaine, est un merveilleux plat composé d'aubergines, de mouton, de champignons et d'aromates divers qui lui communiquent leur riche saveur. Mais sa présentation demande beaucoup de soin : des pelures d'aubergines savamment disposées enrobent le plat démoulé, en forme de gâteau. Aussi ai-je sacrifié cette présentation compliquée, pour vous donner une « moussaka » très simplifiée. Mais j'ai tenu à lui conserver tout son caractère en respectant la composition et la méthode de préparation.

Préparation et cuisson : 1 h 30

Pour 4, il faut :

400 g de mouton désossé (cru ou cuit),
1 tasse d'huile d'olive,
1 échalote,
100 g de champignons,
2 tomates,
1 oignon,
4 gousses d'ail,
1 kg d'aubergines,
1 œuf,
farine,
persil haché,
sel, poivre.

1. Hachez ensemble : mouton, échalote et la moitié du persil. Nettoyez les champignons. Épluchez les tomates. Coupez-les en deux. Pressez-les pour en extraire le jus.

2. Coupez finement l'oignon. Faites-le dorer dans une cocotte avec un peu d'huile d'olive. Ajoutez-y le hachis de viande. Laissez revenir un instant sur feu vif. Puis mettez champignons et tomates coupés en dés, ail écrasé, sel, poivre. Mélangez. Laissez cuire sur feu moyen 15 mn en remuant souvent. Hors du feu, incorporez-y l'œuf battu.

3. Coupez les aubergines en rondelles sans les éplucher. Farinez-les. Faites-les frire dans une poêle contenant quelques cuillerées d'huile d'olive, 1 ou 2 mn sur chaque face. Salez, poivrez.

4. Au fond d'un plat à four profond, ou d'un moule à soufflé, mettez, par couches : aubergines, hachis de mouton, aubergines et ainsi de suite. Faites cuire au bain-marie, à four chaud (th. 6-7) de 45 mn à 1 h. Servez sans démouler au sortir du four ou refroidi. Parsemez de persil.

Navets glacés

Facile / raisonnable / petites réceptions
Printemps-Été

Préparation et cuisson : 1 h

Pour 4, il faut :
1 kg de navets nouveaux,
50 g de beurre,
1 pincée de sucre,
sel, poivre.

1. Épluchez les navets. Coupez-les en gros dés réguliers. Plongez-les 5 mn dans de l'eau en ébullition. Égouttez-les et passez-les sous l'eau froide.

2. Dans une cocotte, faites chauffer 30 g de beurre. Ajoutez-y les navets, 1/2 litre d'eau, sel, poivre. Couvrez à demi et laissez cuire doucement jusqu'à ce que l'eau soit évaporée presque entièrement (45 mn environ). Ajoutez alors une noix de beurre et 1 pincée de sucre en poudre. Laissez sur feu moyen, sans couvrir, pour que les navets colorent légèrement et uniformément.

Variante : *Les carottes glacées se préparent exactement de la même manière.*

Le secret *des légumes glacés qui ne s'écrasent pas en cuisant :* Ne les remuez pas avec une cuiller, mais secouez la cocotte de temps en temps pour qu'ils colorent sans attacher au fond.

Oignons glacés

Facile / raisonnable / petites réceptions
Printemps-Été

Préparation et cuisson : **45 mn**

Pour 4, il faut :
350 g de petits oignons blancs,
30 g de beurre,
1 cuil. à soupe rase de sucre en poudre,
sel.

1. Mettez les petits oignons non épluchés dans une passoire. Plongez celle-ci dans une casserole d'eau en ébullition. Laissez bouillir 3 mn. Retirez. Vous épluchez les oignons ensuite sans difficulté.

2. Mettez les oignons dans une casserole assez large avec 30 g de beurre et 1 cuil. de sucre. Laissez dorer à découvert pendant 30 mn environ. Remuez la casserole de temps en temps pour ne pas laisser attacher. Vous pouvez couvrir à demi pendant le dernier quart d'heure. Salez avant de servir.

Le secret *des oignons qui dorent sans brûler* : S'ils colorent trop vite et trop fort, ajoutez 1 ou 2 cuil. à café d'eau froide dans la casserole. Posez un couvercle dessus. La cuisson de vos oignons se terminera sans accident.

Pain d'aubergines à la tomate

Facile / bon marché
Été-Automne

Préparation et cuisson : 1 h 30

Pour 4, il faut :
1 kg d'aubergines,
30 g de beurre ou de margarine,
3 œufs,
2 cuil. à soupe de vinaigre,
sel, poivre.

Fondue de tomates :
750 g de tomates,
25 g de beurre ou de margarine,
2 oignons,
1/2 carotte,
1 cuil. à café de farine,
1 gousse d'ail,
bouquet garni,
sel, poivre.

1. Mettez à bouillir une grande casserole d'eau salée vinaigrée. Pendant ce temps, pelez les aubergines. Coupez-les en 4. Plongez-les dans l'eau bouillante. Égouttez-les au bout de 10 mn d'ébullition. Écrasez-les en purée. Incorporez-y 3 œufs battus en omelette, sel, poivre.

2. Beurrez un moule à soufflé. Versez la purée dedans. Déposez ce moule dans un plat à feu contenant un peu d'eau (bain-marie). Mettez à four chaud 45 mn.

3. Fondue de tomates : mettez dans une casserole tomates et oignons en morceaux, carotte, ail, bouquet garni, sel, poivre. Laissez cuire à feu moyen, sans couvrir, 45 mn environ. Retirez le bouquet garni. Passez la purée au moulin à légumes. Reportez sur le feu. Malaxez 1 cuil. à café de farine avec 25 g de beurre ou de margarine. Incorporez peu à peu à la purée de tomates sur feu doux. Remuez jusqu'à épaississement.

4. Démoulez le gâteau au sortir du four. Présentez-le nappé de fondue de tomates.

Le secret *des aubergines qui ne noircissent pas :* Elles sont jetées, aussitôt coupées, dans de l'eau bouillante assez fortement vinaigrée. L'acidité du vinaigre leur évite de s'oxyder — donc de noircir — pendant la cuisson à l'eau.

Pain de chou-fleur

Facile / raisonnable
Toutes saisons

Préparation et cuisson : 1 h 20

Pour 4, il faut :
1 chou-fleur de 1 kg,
1 noix de beurre,
50 g de gruyère râpé,
3 œufs,
sel.

Béchamel :
2 cuil. à soupe pleines de farine,
40 g de beurre ou de margarine,
1/2 litre de lait,
muscade,
sel, poivre.

1. Séparez le chou-fleur en bouquets. Lavez-les. Faites cuire de 12 à 15 mn à l'eau bouillante salée.

2. Béchamel : mélangez sur feu doux 40 g de beurre ou de margarine et 2 cuil. à soupe pleines de farine. Mouillez avec 1/2 litre de lait froid. Mélangez sur le feu jusqu'à épaississement. Ajoutez sel, poivre et 2 pincées de muscade râpée.

3. Passez le chou-fleur égoutté au moulin à légumes. Incorporez à la Béchamel ainsi que le gruyère râpé, le jaune des 3 œufs, puis les blancs battus en neige.

4. Versez la préparation dans un moule à soufflé beurré. Faites cuire à four moyen (th. 5-6) 40 mn. Servez au sortir du four, sans démouler.
(Ce pain ne gonfle pas autant qu'un soufflé au fromage.)

Panaché de fèves et d'artichauts

Très facile / raisonnable
Printemps-Été

Préparation et cuisson : 1 h 30
Cuisson en autocuiseur : 25 mn

Pour 4, il faut :
10 petits artichauts très tendres (poivrades),
50 g de beurre,
800 g de fèves fraîches,
2 oignons,
muscade,
persil,
sel, poivre.

1. Écossez les fèves. Puis ôtez la première peau un peu épaisse (comme pour les amandes). Coupez les tiges et l'extrémité des feuilles des artichauts. Tranchez-les en 4. Lavez-les soigneusement et égouttez-les.

2. Hachez les oignons. Faites-les revenir légèrement avec 30 g de beurre, sans laisser colorer. Au bout de quelques minutes ajoutez les quartiers d'artichauts, les fèves et de l'eau jusqu'à mi-hauteur des légumes (1/2 litre environ), sel, poivre et deux pincées de muscade râpée. Couvrez. Laissez mijoter doucement 1 h environ (en autocuiseur : 25 mn).
Avant de servir, incorporez quelques noix de beurre frais et saupoudrez de persil haché.

Le secret *des fèves tendres et faciles à digérer :* Elles sont débarrassées, avant cuisson, de la peau épaisse et dure qui les gaine. C'est une perte de temps mais le résultat vaut bien ce supplément de travail.

Poivrons farcis à la Hongroise

Facile / bon marché
Été-Automne

Préparation et cuisson : 1 h 30

Pour 4, il faut :
4 gros poivrons.

Farce :
3 cuil. à soupe de riz,
1 noix de beurre ou de margarine,
300 g de gorge de porc hachée (ou de chair à saucisse),
1 œuf,
1 oignon,
1 gousse d'ail,
thym effeuillé,
sel, poivre.

Sauce :
2 tomates,
30 g de beurre ou de margarine,
1 cuil. à soupe rase de farine,
1 cuil. à café de concentré de tomate,
2 verres d'eau,
1 gousse d'ail,
1 clou de girofle,
bouquet garni,
sel, poivre.

1. Farce : faites revenir l'oignon haché dans une casserole avec 1 noix de beurre ou de margarine. Jetez le riz dedans. Mélangez. Ajoutez-y 2 fois son volume d'eau, sel, poivre. Couvrez et laissez cuire 17 mn environ. Quand le riz est cuit, mélangez-le avec le porc haché, l'œuf, la gousse d'ail coupée, sel, thym, poivrez généreusement. Coupez un chapeau à chaque poivron. Videz-les. Tassez la farce dedans.

2. Sauce : dans une petite cocotte, mélangez 30 g de beurre ou de margarine avec 1 cuil. à soupe rase de farine. Ajoutez 2 verres d'eau, tomates épluchées et coupées, concentré, ail, girofle, bouquet garni, sel et poivre. Mélangez jusqu'à ébullition.

3. Déposez les poivrons dans la cocotte côte à côte. Recouvrez-les de leur chapeau. Ils mijoteront dans la sauce tomate, 45 mn à couvert. Arrosez de temps en temps.

Solution express : *La sauce tomate en boîte vous fera gagner une demi-heure. Pour parfaire le plat, ajoutez une tomate fraîche, coupée en tous petits dés.*

Variante : *Les poivrons farcis peuvent être consommés froids. Mais dans ce cas, le corps gras utilisé sera de l'huile d'olive qui fige bien moins vite que le beurre ou la margarine.*

Ratatouille cordon-bleu

Facile / raisonnable / petites réceptions
Été-Automne

Préparation et cuisson : 1 h 45
Cuisson en autocuiseur : 35 mn

Pour 4, il faut :
3 oignons,
4 aubergines,
4 courgettes,
500 g de tomates,
2 poivrons,
1 bulbe de fenouil,
1 boîte de fonds d'artichauts,
1 verre d'huile d'olive,
2 gousses d'ail,
bouquet garni,
sel, poivre.

1. Épluchez et coupez les oignons en lamelles, les aubergines, courgettes, tomates en morceaux, les poivrons et le fenouil en lanières.

2. Faites chauffer 1/2 verre d'huile d'olive dans une grande poêle. Faites revenir les légumes séparément dedans. Commencez par les aubergines. Transvasez-les ensuite dans une grande cocotte. Remettez un peu d'huile dans la poêle. Faites sauter à leur tour les courgettes. Ajoutez-les dans la cocotte sans mélanger. Puis, ensemble, les tomates, poivrons et oignons. Mettez le tout dans la cocotte. Déposez dessus le fenouil en morceaux, ail, bouquet garni, sel, poivre. Couvrez et laissez mijoter à feu très doux de 1 h à 1 h 30 (en autocuiseur : 30 à 35 mn). Si le jus est trop abondant, découvrez à mi-cuisson.

3. En fin de cuisson, déposez sur la ratatouille les fonds d'artichauts coupés en 4, juste pour les réchauffer. Présentez la ratatouille chaude pour accompagner une viande.
Mais la ratatouille froide est également excellente comme entrée d'un repas estival.

Roulés de jambon à la niçoise

Facile / raisonnable
Été-Automne

Préparation et cuisson : 35 mn

Pour 4, il faut :

3 aubergines,
4 tomates fermes,
3 ou 4 cuil. à soupe d'huile.
4 tranches de jambon cuit.
2 gousses d'ail,
50 g de gruyère râpé,
farine, chapelure,
persil, sel, poivre.

1. Essuyez les aubergines et coupez-les en rondelles épaisses d'un doigt. Farinez-les légèrement. Faites-les sauter vivement à la poêle avec 2 cuil. d'huile chaude, 5 mn sur chaque face. Salez et poivrez. Puis étalez-les dans un plat à gratin.

2. Dans la même poêle avec un peu d'huile, faites sauter les tomates coupées en deux, 2 mn de chaque côté. Salez, poivrez.

3. Disposez les tranches de jambon, en rouleaux, sur les aubergines, dans le plat. Recouvrez avec les tomates sautées. Parsemez d'ail, de persil haché, de gruyère râpé et de chapelure. Mettez à four moyen (th. 5-6) un quart d'heure.

Le secret *des aubergines bien saisies :* N'en mettez pas trop à la fois dans la poêle afin qu'elles dorent, en contact avec le fond, sans se chevaucher. Grâce à cette opération bien conduite, les aubergines seront d'une belle couleur et rendront l'eau.

Tomates à la crème

Très facile / raisonnable
Toutes saisons

Préparation et cuisson : 20 mn

Pour 4, il faut :
6 tomates moyennes,
30 g de beurre,
2 ou 3 oignons,
1 ou 2 cuil. à soupe de crème fraîche épaisse,
sel, poivre.

1. Hachez finement les oignons. Coupez les tomates par moitié. Égouttez-les.

2. Faites chauffer 30 g de beurre dans une grande poêle. Quand elle est bien chaude, déposez les tomates dedans, sur la face coupée, serrées les unes contre les autres. Parsemez avec le hachis d'oignons. Salez, poivrez. Couvrez et laissez mijoter 15 mn. Retournez à mi-cuisson.

3. Ajoutez la crème fraîche à la fin. Laissez bouillir fortement quelques minutes. Servez avec une viande blanche, volaille ou lapin.

Tomates farcies

Facile / bon marché
Toutes saisons

Préparation et cuisson : 1 h

Pour 4, il faut :
4 grosses tomates,
25 g de beurre ou de margarine,
50 g de pain rassis,
1/2 verre de lait,
150 g à 200 g de viande cuite hachée ou de chair à saucisse,
1 oignon,
1 gousse d'ail,
1 œuf,
50 g de chapelure,
persil,
sel, poivre.

1. Découpez un couvercle sur chaque tomate du côté opposé à la tige. Creusez-les avec une cuiller à café. Salez l'intérieur et retournez sur une assiette pour égoutter. Versez 1/2 verre de lait chaud sur le pain pour le faire gonfler.

2. Dans une terrine, mettez la viande hachée, l'œuf entier, hachis de persil, d'oignon et d'ail, sel et poivre. Ajoutez le pain trempé et malaxez bien le tout. Tassez dans les tomates évidées.

3. Beurrez un plat à gratin pas trop grand. Déposez les tomates dedans. Parsemez-les de chapelure et de noisettes de beurre ou de margarine. Faites cuire à four moyen (th. 5-6) pendant 30 mn. Replacez les couvercles sur chaque tomate et laissez cuire 10 mn supplémentaires.

Truc : *Utilisez le jus des tomates s'il est nécessaire d'humidifier la farce d'avantage.*

Deux secrets *pour que les tomates farcies n'éclatent pas dans le four :* C'est du côté opposé à la tige qu'il faut découper le chapeau des tomates. Elles seront plus solides. Une fois farcies, elles seront déposées, bien serrées, dans un plat à four afin de ne pas laisser de vide entre elles.

Tomates farcies à l'Égyptienne

Très facile / bon marché
Toutes saisons

Préparation et cuisson : 40 mn

Pour 4, il faut :
8 tomates moyennes,
25 g de beurre,
1 cuil. à soupe de gruyère râpé.

Farce :
200 g de reste de mouton cuit,
4 cuil. à soupe rases de semoule,
2 œufs,
1 cuil. à café de paprika,
1 cuil. à soupe de crème fraîche,
1 gousse d'ail,
persil haché,
sel, poivre.

1. Évidez les tomates (voir « tomates farcies »). Faites bouillir les œufs 10 mn.

2. Farce : hachez viande, œufs durs, persil et ail. Malaxez avec semoule crue, crème fraîche, paprika, sel et poivre. Tassez cette farce dans les tomates.

3. Beurrez un plat à four. Déposez les tomates dedans. Parsemez de gruyère râpé et de noisettes de beurre ou de margarine. Replacez les couvercles et laissez cuire à four moyen (th. 5-6) 25 mn. Arrosez en cours de cuisson.

Tomates à la semoule

Très facile / bon marché
Toutes saisons

Préparation et cuisson : 40 mn

Pour 4, il faut :
4 grosses tomates ou 8 moyennes,
30 g de beurre,
4 cuil. à soupe rases de semoule,
1 tranche de jambon cuit,
1 jaune d'œuf,
1/2 tablette de bouillon concentré de poulet,
40 g de gruyère râpé,
muscade,
sel, poivre.

1. Découpez un couvercle aux tomates, côté opposé à la tige. Videz-les avec une cuiller à café sans trouer la peau. Salez-les et retournez-les sur un plat pour les égoutter.

2. Portez à ébullition 1/4 de litre d'eau avec le bouillon concentré. Versez la semoule en pluie dedans. Salez légèrement et poivrez. Laissez cuire sur feu doux jusqu'à épaississement (10 mn environ). Remuez de temps en temps.

3. Incorporez à la semoule, hors du feu : jambon coupé menu, gruyère, jaune d'œuf, 2 pincées de muscade râpée et une grosse noix de beurre. Tassez dans les tomates. Mettez-les, côte à côte, dans un plat à feu beurré. Glissez dans le haut du four chaud (th. 6-7) de 12 à 15 mn. Servez chaud.

Tomates soufflées

Facile / raisonnable / petites réceptions
Toutes saisons

Préparation et cuisson : 50 mn

Pour 4, il faut :
4 grosses tomates ou 8 moyennes,
30 g de beurre ou de margarine,
1 cuil. à soupe rase de farine,
1 verre à moutarde de lait,
50 g de gruyère râpé,
sel, poivre.

1. Découpez une calotte dans chaque tomate. Videz-les avec une petite cuiller. Salez-les et retournez-les sur un plat.

2. Mélangez, sur feu doux, 20 g de beurre ou de margarine et 1 cuil. à soupe rase de farine. Ajoutez ensuite, d'un seul coup, le verre de lait froid, sel, poivre. Remuez sur feu doux jusqu'à épaississement. Hors du feu, incorporez 2 jaunes d'œufs, 50 g de gruyère râpé, puis 2 blancs battus en neige très ferme. Versez dans les tomates.

3. Rangez celles-ci, bien serrées, dans un plat à four beurré. Mettez à four moyen (th. 5-6) de 20 à 30 mn.

Utilisation de restes : *S'il vous reste un blanc d'œuf dont vous ne savez que faire, c'est le moment de l'utiliser car un blanc d'œuf supplémentaire dans ce plat vous donnera des tomates encore plus soufflées.*

Organisation : *Si vous disposez de 4 plats à œufs identiques, faites cuire vos tomates soufflées dedans. Ils ne dépareront pas une jolie table et le service en sera simplifié.*

Zéphyr d'aubergines

Facile / bon marché / petites réceptions
Été-Automne

Préparation et cuisson : 45 mn

Pour 4, il faut :
500 g d'aubergines,
1 cuil. à soupe de vinaigre,
40 g de beurre ou de margarine,
1 cuil. à soupe bombée de farine,
2 œufs,
1 verre de lait,
75 g de gruyère râpé,
sel, poivre.

1. Pelez les aubergines et coupez-les en morceaux. Faites-les cuire 2 mn à l'eau bouillante vinaigrée. Égouttez avec soin et coupez très finement avec un couteau.

2. Faites dorer ce hachis dans une grande casserole, sur feu vif, avec 30 g de beurre ou de margarine. Secouez souvent. Saupoudrez avec la cuillerée de farine. Mélangez bien. Incorporez 1 verre de lait froid peu à peu en remuant jusqu'à épaississement. Salez, poivrez.

3. Hors du feu, ajoutez gruyère râpé et jaunes d'œufs. Battez les blancs en neige très ferme. Incorporez-les, en dernier.

4. Versez la préparation dans un moule à soufflé beurré. Faites cuire à four chaud (th. 6-7) 25 mn environ.

Raffinement : *Plutôt que dans un grand moule à soufflé, présentez le « zéphyr d'aubergines » dans des ramequins individuels, assez grands tout de même.*

La pomme de terre

Cuisson : 30 mn à l'eau
40 mn frites ou sautées
1 h au four

Par personne :
250 g pour plat principal,
200 g pour entrée ou légume.

Choisissez :

Les pommes de terre :
— à peau bien lisse,
— de couleur claire, soit rouge, soit jaune, mais franche,
— de belle forme, avec les yeux en surface (pour peu de déchets).

Mais évitez :

Les pommes de terre à peau teintée de vert, les pommes de terre germées, à chair piquée ou tachée.

Parmi les principales variétés :

	Caracté-ristiques	**Utilisations recommandées**
	Chair ferme	
Belle de Fontenay (ou Hainaut) Belle de Locronan B.F. 15 Stella Viola	peau et chair jaunes	salades vapeur à l'eau sautées ragoûts gratins
Rosa	peau rose chair jaune	
Roseval	peau rouge	
	Chair farineuse	
Bintje Esterling Industrie	peau et chair jaunes	purée
Saucisse	peau rouge chair jaune	potages
Early rose	peau rose chair blanche	frites

Le saviez-vous ?

Si vous faites provision de pommes de terre, fin octobre, début novembre : stockez-les, débarrassées de leur terre, dans une cave assez fraîche, sombre et aérée. Au besoin, recouvrez-les de sacs ou de paille.
Les pommes de terre ont un peu gelé. Gardez-les dans la cuisine plusieurs jours pour les réchauffer lentement avant de les utiliser.
Dégermez-les, au moment de la cuisson seulement, sinon le germe repousserait.

Préparez :

Épluchez les pommes de terre avec un couteau-économe afin d'obtenir de fines pelures. Vous ferez ainsi des économies et préserverez toutes les vertus de la pomme de terre car la partie la plus riche en principes nutritifs se trouve juste sous la peau.
Otez les taches vertes et les « yeux » à la base des germes qui peuvent contenir de la solanine (toxique).
Enfin, lavez les pommes de terre avant de les mettre à cuire. Brossez-les, même si vous avez l'intention de les cuire avec leur peau.

En robe des champs :

A l'eau bouillante salée, 30 mn. Servez-les telles quelles, non épluchées, avec du beurre ; ou épluchées, avec beurre, crème fraîche, fines herbes hachées ; soit encore recouvertes de sauce Béchamel.

Le saviez-vous ?

Si les pommes de terre éclatent à la cuisson, c'est parce que : vous avez oublié de les saler au départ, vous les avez piquées en cours de cuisson, ou encore parce qu'elles sont très grosses et appartiennent à une variété farineuse.
Épluchées crues, les pommes de terre perdent de 13 à 28 % (selon la forme, les yeux de la pomme de terre... et votre tour de main). Épluchées, une fois cuites, le déchet ne dépasse plus 10 %.

Sautées (à cru) :	A la poêle avec beaucoup de beurre ou de margarine (50 g pour 1 kg de pommes de terre) sur feu moyen, 30 mn. Couvrez à mi-cuisson. Remuez-les souvent pour qu'elles ne collent pas.
Sautées (préalablement cuites à l'eau) :	Laissez refroidir complètement avant d'éplucher et de couper en rondelles, sinon elles pourraient s'écraser. Faites sauter à la poêle sur feu assez vif, 10 mn. **Le secret** *des pommes nouvelles qui n'attachent pas :* Plongez-les, crues, dans une casserole d'eau froide. Portez-les juste à ébullition. Égouttez-les aussitôt. Et même séchez-les avec un linge ou du papier absorbant, sinon elles éclabousseront quand vous les ferez rissoler dans une poêle ou une casserole.
En purée :	**Préparez :** Faites bouillir 30 mn les pommes de terre épluchées, dans de l'eau salée, avec bouquet garni. Dès qu'elles sont cuites, égouttez-les, écrasez-les au moulin à légumes. Incorporez-y, en battant énergiquement à la cuiller en bois, un bon morceau de beurre, puis 2 ou 3 verres de lait bouillant. Servez la purée dès qu'elle est terminée. Sinon, tenez-la au chaud au bain-marie car elle ne supporte pas d'être réchauffée directement sur le feu.

Le saviez-vous ?

Surtout pas de pommes nouvelles qui font « corder » la purée, la rendant élastique.
Le fouet électrique (à blancs d'œufs) produit le même résultat désagréable.
Les batteurs-mixers, spécialement conçus pour la purée, sont par contre parfaits.

Variantes de purée :

Dès qu'elle est terminée, ajoutez-y :

• 1 cuil. à soupe de ciboulette hachée, 1 œuf battu, 30 g de beurre.	Servez-la telle quelle.
• 1 cuil. à soupe de gruyère râpé et autant de crème fraîche. Saupoudrez de gruyère râpé.	Faites gratiner au four.
• 1 œuf battu, 1 bon morceau de beurre et 2 pincées de muscade.	Servez-la telle quelle.
• 125 g de lardons fumés, sautés à la poêle.	Présentez la purée en dôme. Parsemez de lardons.
• 1 cuil. à soupe de crème, 2 jaunes d'œufs et les blancs en neige.	Faites « souffler » au four chaud 20 mn.
• 1 couche d'épinards au fond d'un plat, purée, chapelure, beurre ou margarine, sel, poivre.	Faites gratiner 5 mn.
• gruyère râpé sur toute la surface de la purée ferme, montée en dôme.	Faites gratiner à four chaud.
• 1 œuf battu et une boîte de sauce tomate.	Servez-la telle quelle.
• poivron en lanières préalablement ébouillanté et jambon haché.	Servez-la telle quelle.
• 1 ou 2 oignons hachés, blondis dans un peu de beurre ou de margarine et 2 pincées de muscade râpée.	Faites gratiner 5 mn.

Au four :	Bien lavées, entières avec leur peau, 1 h à four chaud (th. 6-7). En rondelles, pour gratins divers.
A la vapeur :	Pour faire cuire les pommes de terre à la vapeur, il faut un récipient spécial muni d'une sorte de panier amovible percé de trous (genre passoire) dans lequel on dépose les pommes de terre à cuire, pendant 50 mn. Ou simplement un autocuiseur, idéal pour ce genre de cuisson, de 12 à 15 mn seulement. Ce sont les pommes de terre qu'il faut saler et non l'eau car ce serait inefficace, le sel n'étant pas transporté par la vapeur resterait au fond de la casserole. Présentez-les parsemées de persil haché.
En frites :	Épluchez et coupez les pommes de terre en « frites » régulières. Lavez-les à grande eau et essuyez-les dans une serviette. Quand la friture commence à fumer légèrement (170°) plongez dedans les frites (1/3 seulement). Quand elles sont blondes au bout de 8 à 10 mn, égouttez-les. Faites cuire le reste en 2 fois. Remettez à chauffer la friture pour la deuxième cuisson (175°) beaucoup plus rapide que la première. Dès que les frites remontent, dorées et croustillantes, à la surface, égouttez-les sur du papier absorbant, si possible. Salez avant de servir très chaud.

Organisation :

La première cuisson peut être faite un bon moment à l'avance, puisque les pommes de terre gagnent à refroidir avant d'être plongées dans le second bain de friture.

Le secret *des pommes frites :*

— **Qui ne noircissent pas si elles sont coupées à l'avance ;**

— **Qui ne collent pas les unes aux autres :** aussitôt coupées en bâtonnets, elles sont plongées dans un récipient d'eau froide jusqu'au moment de l'utilisation. Elles peuvent y séjourner plusieurs heures sans dommage, mais dans ce cas, mettez-les au frais ou mieux dans le réfrigérateur. Elles ne s'oxyderont pas puisqu'elles ne sont pas en contact avec l'air. Elles ne colleront pas non plus puisque l'amidon qui les entoure a été entraîné par l'eau.

— **Qui ne font pas déborder la friture :** elles sont soigneusement essuyées et séchées dans une serviette avant d'être plongées dans l'huile chaude, car c'est l'humidité qui fait éclabousser ou même déborder l'huile, surtout quand elle est utilisée pour la première fois.

— **Croustillantes et légères :** Elles doivent être complètement immergées dans la friture suffisamment chaude pour y frire très à l'aise, pour être saisies. Plongées dans un bain trop parcimonieux, ou mises par trop grandes quantités à la fois, elles refroidissent considérablement la friture. Le temps de revenir à la température souhaitable est si long que les pommes de terre absorbent beaucoup d'huile. Résultat : elles sont lourdes et molles.

Croquettes de pommes de terre

Difficile / raisonnable / petites réceptions
Toutes saisons

Préparation et cuisson : 1 h + plusieurs heures au froid

Pour 20 croquettes, il faut :
500 g de pommes de terre non épluchées,
20 g de beurre ou de margarine,
2 jaunes d'œufs,
sel, poivre.

Pour la cuisson :
farine,
chapelure,
2 blancs d'œufs,
1 œuf entier,
50 g de beurre ou de margarine.

1. La veille si possible : faites cuire les pommes de terre avec leur peau. Épluchez-les, réduisez-les en purée, sans liquide (au besoin, faites-la encore sécher dans le four).

2. Incorporez ensuite 20 g de beurre ou de margarine, 2 jaunes d'œufs, sel, poivre. Travaillez sur le feu comme une pâte à choux (voir § 2 « pommes dauphine ») jusqu'à ce qu'elle ne colle plus. Étalez dans un plat en couche d'un doigt d'épaisseur. Laissez au réfrigérateur.

3. Cuisson : modelez la purée en croquettes. Panez-les en les passant dans 3 assiettes contenant : farine, œufs légèrement battus, chapelure. Faites dorer doucement quatre ou cinq croquettes à la fois, dans une poêle contenant du beurre ou de la margarine pas trop chaud. Retournez-les avec une cuiller pour ne pas les briser. La cuisson peut se faire également en friture profonde.

Le secret *des croquettes qui tiennent à la cuisson :* Il réside en trois points : **1.** La sécheresse de la purée. **2.** La période de repos : il est conseillé de la laisser au froid, plusieurs heures. **3.** Enfin, la qualité de la panure qui doit être aussi soignée que pour les escalopes viennoises.

Croquettes fine bouche

Facile / bon marché
Printemps-Automne-Hiver

Préparation et cuisson : 40 mn

Pour 4, il faut :
600 g de pommes de terre,
60 g de beurre ou de margarine,
4 cuil. à soupe très pleines de farine (100 g),
4 cuil. à soupe très pleines de sucre,
zeste d'1/2 citron,
1 œuf,
1 cuil. à café rase de levure en poudre,
sel.

1. Faites cuire les pommes de terre avec leur peau, 30 mn à l'eau salée. Épluchez-les, écrasez-les en purée et laissez refroidir complètement.

2. Travaillez énergiquement cette purée avec 20 g de beurre ou de margarine, 4 cuil. à soupe très pleines de farine, 4 cuil. à soupe de sucre, 1 œuf, zeste de citron râpé, levure en poudre. Étalez-la sur une planche légèrement farinée, sur 3 ou 4 mm d'épaisseur. Découpez dedans des rondelles à l'aide d'un verre ou d'un emporte-pièce.

3. Faites dorer ces croquettes des 2 côtés, à la poêle, sur feu assez vif, avec un bon morceau de beurre ou de margarine. Saupoudrez de sucre avant de servir.

Variante : *Le zeste de citron peut être remplacé par du sucre vanillé ou de la vanille en poudre. Mais jamais par une liqueur qui risquerait de faire coller les croquettes.*

Galette de pommes de terre aux fines herbes

Très facile / bon marché
Toutes saisons

Préparation et cuisson : 45 mn

Pour 4, il faut :
500 g de pommes de terre,
huile,
2 œufs,
1 ou 2 gousses d'ail,
2 cuil. à soupe de persil haché,
sel, poivre.

1. Épluchez les pommes de terre. Râpez-les finement et lavez-les à grande eau pour les débarrasser de la fécule. Égouttez et pressez dans une serviette, tordez le linge pour exprimer le plus de jus possible.

2. Faites sauter, en 2 ou 3 fois, ces pommes de terre râpées dans une grande poêle contenant un peu d'huile. 5 mn suffisent car il s'agit seulement de les saisir légèrement. Ajoutez un peu d'huile entre les cuissons.

3. Mélangez alors les pommes de terre râpées dans une terrine, avec 2 œufs battus, persil et ail hachés, sel, poivre.

4. Versez ce mélange dans une tourtière ou un plat à gratin beurré. Mettez à four chaud (th. 6-7) 15 mn environ. Servez cette galette démoulée chaude, avec une salade verte. Ou froide pour un pique-nique.

Gâteau de pommes de terre au chocolat

Facile / raisonnable
Printemps-Automne-Hiver

Préparation et cuisson : 1 h 30

Pour 4, il faut :
300 g de pommes de terre,
100 g de beurre,
3 œufs,
4 cuil. à soupe très pleines de sucre,
100 g de chocolat,
3 cuil. à soupe de fécule (50 g),
1 sachet de sucre vanillé, sel.
Confiture d'abricot ou crème fraîche.

1. Faites cuire les pommes de terre avec leur peau, 30 mn à l'eau salée. Passez-les en purée. Laissez tiédir.

2. Mettez le chocolat à fondre très doucement avec 100 g de beurre ou de margarine. Mélangez à la purée avec : sucre, sucre vanillé, jaunes d'œufs, fécule.

3. Battez les blancs en neige ferme. Incorporez-les à la purée. Versez dans un moule beurré. Faites cuire à four chaud (th. 6-7) 30 mn environ. Démoulez ce gâteau encore tiède, mais laissez-le refroidir avant de déguster avec de la confiture d'abricot délayée avec un peu de rhum ou avec de la crème fraîche.

Gratin dauphinois

Facile / bon marché / petites réceptions
Printemps-Automne-Hiver

Préparation et cuisson : 1 h 15

Pour 4, il faut :
1 kg de pommes de terre,

1. Frottez un grand plat à gratin avec la gousse d'ail écrasée. Enduisez-le de beurre.

2. Disposez dedans une couche pas trop épaisse de pommes de terre coupées en fines rondelles. Intercalez une partie du

30 g de beurre,
50 g de gruyère râpé,
2 verres environ de lait,
1 œuf,
1 gousse d'ail,
sel, poivre.

gruyère. Versez les 3/4 du lait bouillant dessus. Salez, poivrez. Faites cuire à four chaud (th. 6-7) 50 mn environ.

3. 10 mn avant la fin de la cuisson, battez l'œuf en omelette avec sel, poivre et le reste de lait. Versez sur les pommes de terre.

4. Parsemez de gruyère râpé et de noisettes de beurre. Remettez à four moyen (th. 5-6) quelques minutes, le temps que le mélange « prenne ». Servez au sortir du four avec une viande rouge, rôtie ou grillée.

Le saviez-vous ? *Il existe plusieurs façons de faire le « gratin dauphinois » : avec ou sans gruyère, avec du lait ou de la crème, ou moitié crème moitié lait, avec ou sans ail... La recette ci-dessus a, en tout cas, le mérite de vous assurer la réussite.*

Les secrets *du gratin dauphinois cuit à cœur :* il faut couper les pommes de terre en rondelles très fines et très régulières, soit avec une râpe à main, sur le côté où il y a une seule fente ; soit avec un mouli-julienne.

Qui ne tourne pas à la cuisson : le lait du gratin donne parfois l'impression d'avoir tourné. La vérité c'est que les pommes de terre ont rendu du jus en cuisant. La seule chose à faire est de tricher un peu : versez sur les pommes de terre, déjà cuites, un œuf entier battu avec sel, poivre et 2 ou 3 cuil. de lait. Le jus des pommes de terre s'incorpore à l'œuf battu et prend en crème.

Variantes de gratins

Très faciles / bon marché
Printemps-Automne-Hiver

Préparation et cuisson : 1 h 30 (1 h à four bien chaud, th. 7-8)

Proportions pour 4 personnes :

Gratin savoyard

1 kg de pommes de terre,
40 g de beurre,
150 g de gruyère,
1 ou 2 échalotes,
1 gousse d'ail,
1 cuil. de farine,
1 tablette de bouillon,
sel, poivre.

Déposez le beurre et la gousse d'ail hachée dans un grand plat à feu. Faites chauffer quelques instants sans laisser colorer. Mélangez le gruyère râpé avec la farine, l'échalote hachée, sel et poivre. Étalez dans le plat : un lit de pommes de terre en rondelles fines, une couche du mélange au gruyère, pommes de terre, etc. Arrosez avec 1/2 litre de bouillon de viande bouillant.

Gratin simplet

1 kg de pommes de terre,
40 g de beurre,
1/2 litre de lait,
125 g de gruyère,
un peu de chapelure,
noix de muscade,
sel, poivre.

Beurrez un moule à soufflé ou un plat à gratin. Rangez les pommes de terre en rondelles dedans en alternant avec du guyère râpé. Ajoutez le lait, sel, poivre, 2 pincées de muscade râpée. Parsemez de gruyère râpé, de chapelure et de noisettes de beurre.

Pommes boulangères

1 kg de pommes de terre,
50 g de beurre,
4 ou 5 oignons,
1 tablette de bouillon,
bouquet garni,
sel, poivre.

Épluchez et coupez les oignons en rondelles. Faites-les dorer avec 25 g de beurre. Beurrez un plat, disposez la moitié des pommes de terre en fines rondelles, bouquet garni, oignons revenus, puis le reste des pommes de terre. Arrosez avec 1/2 litre de bouillon de viande bouillant. Parsemez de noisettes de beurre, sel et poivre.

Pommes Dauphine

Difficile / raisonnable / petites et grandes réceptions
Toutes saisons

Préparation et cuisson : 1 h 15

Pour 4, il faut :
500 g de pommes de terre,
sel, poivre.

Pâte à choux :
1/4 de litre d'eau,
80 g de beurre ou de margarine,
125 g de farine,
4 œufs,
1 pincée de sel.

Bain de friture.

1. Faites cuire les pommes de terre (avec leur peau) 30 mn à l'eau salée.

2. Pâte à choux : mettez sur le feu une casserole contenant eau, sel, corps gras en morceaux. Dès que celui-ci est fondu, jetez votre farine d'un seul coup dans la casserole. Mélangez sur feu doux jusqu'à ce que la pâte ne colle plus à la cuiller ni à la paroi de la casserole. Hors du feu, ajoutez les œufs un à un, en battant énergiquement la pâte avec une cuiller en bois.

3. Épluchez les pommes de terre. Écrasez-les en purée (sans aucun liquide). Salez, poivrez. Mélangez avec la pâte à choux.

4. Cuisson : prenez la pâte avec une cuiller à café. Puis détachez-la à l'aide d'une 2e cuiller au-dessus de la friture chaude (170°). Les pommes Dauphine remontent en surface et se retournent d'elles-mêmes quand elles sont dorées uniformément. Égouttez-les et salez-les légèrement.

Pratique : *Les pommes Dauphine peuvent être préparées la veille. La préparation se tiendra parfaitement dans le réfrigérateur à condition d'être couverte pour éviter un dessèchement excessif. Mais la cuisson sera faite au moment du repas seulement car les pommes Dauphine se dégustent très chaudes.*

Pommes Duchesse

Difficile / bon marché / petites et grandes réceptions
Toutes saisons

Préparation et cuisson : 1 h

Pour 4, il faut :

1 kg de pommes de terre,
1 noix de beurre,
3 jaunes d'œufs,
sel, poivre.

1. Faites bouillir les pommes de terre avec leur peau 30 mn à l'eau salée. Épluchez-les. Passez-les en purée. La base des pommes Duchesse étant une purée très sèche, il ne faut y ajouter aucun liquide. Incorporez-y le jaune de 3 œufs (sans les blancs).

2. Cuisson : vous pouvez finir la cuisson des pommes Duchesse sur le plat de présentation de la pièce de viande qu'elles sont destinées à garnir. Il doit alors supporter la chaleur du four. Mais les pommes Duchesse peuvent également cuire à part, sur la plaque à pâtisserie. Elles en seront ensuite décollées et placées sur le plat de service.
Disposez les pommes Duchesse sur l'ustensile choisi à l'aide d'une poche à douille. Badigeonnez de blanc d'œuf légèrement battu à la fourchette. Faites dorer à four chaud (th. 6-7) de 5 à 10 mn.

Pommes sablées

Très facile / bon marché
Toutes saisons

Préparation et cuisson : 15 mn

Pour 4, il faut :
800 g de pommes de terre cuites à l'eau,
40 g de beurre,
1 cuil. à soupe de chapelure,
sel, poivre.

1. Faites bien chauffer 40 g de beurre ou de margarine dans une grande poêle ou dans une cocotte, mettez les pommes de terre coupées en dés ou en rondelles à dorer dedans, sur feu assez vif, 10 mn. Remuez souvent la poêle.

2. Au moment de servir, ajoutez sel, poivre et chapelure. Faites sauter le tout ensemble 2 ou 3 mn sur feu moyen.

Pommes sautées domino

Facile / raisonnable / petites réceptions
Toutes saisons

Préparation et cuisson : 15 mn

Pour 4, il faut :
800 g de pommes de terre cuites à l'eau,
60 g de beurre ou de margarine,
1 boîte de fonds d'artichauts,
1 boîte (taille 1/4) de champignons,
persil haché,
sel, poivre.

1. Faites dorer les pommes de terre coupées en rondelles dans une grande poêle avec 40 g de beurre ou de margarine bien chauds. Salez, poivrez.

2. Déposez les pommes sautées, bien dorées, dans le plat de présentation. Tenez-le au chaud. Faites revenir légèrement les fonds d'artichauts coupés en 4 dans la même poêle avec une noix de beurre. Ajoutez-y les champignons bien égouttés. Déposez le tout sur les pommes de terre. Parsemez de persil haché et servez aussitôt.

Pommes sautées au thym

Très facile / bon marché
Toutes saisons

Préparation et cuisson : 15 mn

Pour 4, il faut :
800 g de pommes de terre cuites à l'eau,
40 g de beurre,
3 ou 4 pincées de feuilles de thym,
sel, poivre.

1. Faites sauter les pommes de terre.

2. Lorsqu'elles sont bien dorées, ajoutez-y sel, poivre, thym. Couvrez-les et laissez encore 2 ou 3 mn sur feu doux pour les obtenir plus parfumées.

Pommes sautées savoisienne

Très facile / bon marché
Printemps-Automne-Hiver

Préparation et cuisson : 15 mn

Pour 4, il faut :
800 g de pommes de terre cuites,
60 g de beurre,
4 pincées de thym,
1 feuille de laurier,
2 gousses d'ail,
fines herbes,
sel, poivre.

1. Faites rissoler les pommes de terre avec 40 g de beurre ou de margarine. Salez, poivrez. Saupoudrez de thym et de laurier.

2. Pilez finement l'ail. Malaxez avec 20 g de beurre et les fines herbes hachées. Étalez ce mélange sur les pommes de terre. Couvrez et laissez sur le feu doux quelques minutes encore. Servez très chaud.

Pommes de terre à la béchamel

Très facile / bon marché
Toutes saisons

Préparation et cuisson : 45 mn

Pour 4, il faut :
1 kg de pommes de terre,
sel.

Sauce béchamel :
1 cuil. à soupe très pleine de farine,
30 g de beurre ou de margarine,
1/2 litre de lait,
sel, poivre.

1. Faites bouillir les pommes de terre avec leur peau, 30 mn à l'eau salée. Laissez tiédir avant de les éplucher et de les couper en rondelles. Tenez-les au chaud.

2. Pendant la cuisson des pommes de terre, préparez une Béchamel : mélangez sur le feu 30 g de beurre ou de margarine avec 1 très grosse cuil. à soupe de farine. Ajoutez-y le lait froid d'un seul coup, sel, poivre. Remuez jusqu'à ébullition. Laissez mijoter 10 mn sur feu très doux. Versez la Béchamel sur les pommes de terre avant d'apporter à table.

Variantes : *La Béchamel peut s'agrémenter, en fin de cuisson, d'aromates ou d'éléments divers. Ce qui permet de varier, sans complication de préparation, la recette de pommes de terre à la Béchamel, plat de base pour menus familiaux.*
Vous avez le choix entre les 5 suggestions suivantes :
* *1 cuil. à soupe de câpres hachées ou non ;*
* *persil, cerfeuil ou estragon hachés ;*
* *1 cuil. de raifort râpé ou de horseradish ;*
* *champignons hachés sautés au beurre ;*
* *gruyère râpé.*

Pommes de terre farcies charcutière

Facile / bon marché
Printemps-Automne-Hiver

Préparation et cuisson : 1 h

Pour 4, il faut :
4 grosses pommes de terre bien lisses,
30 g de beurre ou de margarine,
200 g de chair à saucisse,
2 ou 3 oignons,
persil haché,
sel, poivre.

1. Épluchez les pommes de terre. Découpez dedans, à l'aide d'un couteau pointu enfoncé bien droit assez profondément, tout autour de la pomme de terre. Creusez ensuite à l'aide d'une petite cuiller à l'intérieur du contour bien marqué par le couteau. Donnez, en force, un mouvement tournant à la cuiller pour creuser sans percer la pomme de terre.

2. Farce : faites blondir légèrement les oignons hachés avec 30 g de beurre ou de margarine, pendant quelques minutes. Mélangez-les dans une terrine, avec chair à saucisse, persil haché, sel, poivre. Tassez dans la cavité des pommes de terre.

3. Faites cuire les pommes de terre farcies à four chaud (th. 6-7) 45 mn environ. Au cours de la cuisson, ajoutez au fond du plat quelques cuillerées d'eau bouillante ou de bouillon de viande.

Pommes de terre farcies Arlie

Facile / bon marché
Automne-Hiver

Préparation et cuisson : 1 h 30

Pour 4, il faut :
4 grosses pommes de terre bien lisses,
500 g de gros sel.

Farce :
60 g de beurre ou de margarine,
2 cuil. à soupe de crème fraîche,
1 cuil. à soupe de cerfeuil ou de ciboulette haché,
2 pincées de muscade râpée,
50 g de gruyère râpé,
sel, poivre.

1. Faites cuire les pommes de terre avec leur peau dans le four bien chaud (th. 7-8) sur un lit de gros sel, de 50 à 60 mn. Laissez tiédir un peu et découpez dans chaque pomme de terre un large couvercle. Creusez-les ensuite avec une petite cuiller sans abîmer la peau.

2. Travaillez la pulpe obtenue avec 40 g de beurre ou de margarine, 2 cuil. à soupe de crème, cerfeuil ou ciboulette, muscade, sel et poivre. Mettez-la dans les coques de peau de pommes de terre. Parsemez de gruyère râpé et de noisettes de beurre. Remettez à four chaud 10 mn pour gratiner.

Variantes :

Pommes farcies aux champignons. *Faites sauter quelques champignons en lamelles. Mélangez-les (sauf quelques lamelles pour le décor) à la pulpe cuite, ainsi que 3 cuil. à soupe de crème. Farcissez et servez sans remettre au four.*

Pommes farcies au gratin. *La pulpe cuite est mélangée avec 2 œufs, 20 g de beurre ou de margarine, reste de jambon ou de poulet haché, 2 pincées de muscade, gruyère râpé. Gratinez 5 mn.*

Pommes farcies soufflées. *Malaxez la pulpe cuite avec 2 jaunes d'œufs, sel, poivre, 1 cuil. à soupe de gruyère râpé, 2 blancs en neige. Remettez à four chaud (th. 6-7) 10 mn pour souffler.*

Rösti

Facile / bon marché
Toutes saisons

Préparation et cuisson : 1 h

Pour 4, il faut :
800 g de pommes de terre,
70 g de beurre ou de margarine,
1 oignon haché,
sel, poivre.

1. Faites cuire les pommes de terre avec leur peau. Épluchez-les. Quand elles sont refroidies, hachez-les grossièrement au couteau.

2. Faites chauffer le beurre ou la margarine dans une grande poêle. Mettez l'oignon haché dedans. Quand il est blond : ajoutez pommes de terre, sel, poivre. Mélangez doucement pour bien imprégner de corps gras, puis tassez, sans craindre d'écraser un peu les pommes de terre, pour obtenir une sorte de crêpe épaisse. Avivez le feu. Secouez la poêle pour éviter que la crêpe n'attache.

3. Au bout de quelques minutes, les bords de la crêpe sont croustillants. Faites-la glisser sur une assiette, puis retournez-la dans la poêle de façon à cuire le deuxième côté 5 mn.

Variante : *La rösti peut aussi être préparée avec des pommes de terre à l'eau cuites à l'avance, on peut y adjoindre des lardons sautés en même temps que l'oignon ou un peu de gruyère en lamelles.*

Pommes de terre en matelote

Très facile / bon marché
Automne-Hiver

Préparation et cuisson : 1 h 10

Pour 4, il faut :
1 kg de pommes de terre,
50 g de beurre ou de margarine,
2 oignons,
1 verre de vin rouge,
1 cuil. à soupe rase de farine,
bouquet garni,
persil haché,
sel, poivre.

1. Pelez pommes de terre et oignons. Coupez-les séparément en rondelles minces.

2. Faites dorer les oignons dans une grande cocotte avec 50 g de beurre ou de margarine. Saupoudrez ensuite d'1 cuil. à soupe rase de farine. Mélangez. 1 verre de vin rouge, 1 verre d'eau. Mélangez encore. Puis mettez les pommes de terre, bouquet garni, sel, poivre. Mélangez et couvrez. Faites bouillir.

3. Glissez ensuite la cocotte dans le four moyen (th. 5-6) pendant 50 ou 60 mn. Présentez les pommes de terre masquées de persil fraîchement haché.

Variante : *La cuisson peut se faire sur le feu, mais elle sera moins régulière que dans le four. Vous serez obligée de mélanger en cours de cuisson, risquant ainsi de briser les rondelles de pommes de terre. Dans ce cas, l'autocuiseur est tout indiqué, il permet une cuisson rapide en 15 ou 20 mn.*

Les légumes secs

Choisissez :

Le choix des légumes secs n'est pas un problème. On peut, aujourd'hui, les acheter en toute confiance grâce à une législation, relativement nouvelle, qui établit des critères de qualité assez stricts.

Ainsi, tous les haricots d'un même paquet doivent être de même provenance, de la même année, de grosseur identique. Les lentilles doivent être vendues... sans cailloux. C'est tout bénéfice pour la cuisinière : tri des lentilles supprimé, cuisson des haricots ou des pois cassés sans surprise.

Préparez :

La tradition exigeait autrefois de les laisser tremper une nuit entière, et même plus, avant de les cuire. Aujourd'hui, tout est changé. On a découvert que le trempage risquait de provoquer un début de germination, pour les lentilles principalement, rendant les légumes plus difficiles à digérer et moins bons.

Il est tout de même nécessaire de réhydrater les légumes secs :

Une première cuisson, assez courte, de 5 à 15 mn, à l'eau froide non salée, leur rend suffisamment d'humidité.

Puis, une deuxième cuisson pour de bon. Les légumes secs sont mis, cette fois, à l'eau bouillante salée et aromatisée, selon la recette choisie, et doivent mijoter un bon moment sur feu doux.

Les légumes secs

Principales variétés de haricots

Il y a près de 400 variétés dans le monde, dit-on. Parmi les plus connues :

Cocos .... jaunes et blancs
Lingots de Vendée .... blancs
Chevriers (flageolets verts) .... verts
Princesses .... verts
Rognons de coq .... rouges
Rosés de Marans .... roses tachetés

Le saviez-vous ?

Un haricot sec de l'année se casse tout net sous la dent. Plus vieux, il s'écrase en s'effritant.

Principales variétés de lentilles

La petite lentille verte du Puy.
La grosse blonde.
La Rose d'Égypte.

Les 3 secrets *de la cuisson des légumes secs :*
Pas de trempage : légumes secs plus vite prêts et faciles à digérer.
Deux cuissons, la 1re à l'eau froide non salée, la 2e à l'eau bouillante salée : légumes secs plus faciles à digérer.
Pas de sel dans la première eau : légumes secs plus tendres et vite cuits.

Petit cassoulet sans façon

Très facile / raisonnable
Automne-Hiver

Préparation et cuisson : 3 h
Cuisson en autocuiseur : 50 mn

Pour 6, il faut :
500 g de haricots,
50 g de graisse d'oie,
500 g d'épaule de mouton,
500 g de collier,
200 g de lard de poitrine salé,
2 ou 3 tomates,
1 saucisson à l'ail,
250 g de couennes,
4 oignons,
2 gousses d'ail,
chapelure,
bouquet garni,
sel, poivre.

1. Mettez les haricots dans un grand fait-tout. Recouvrez-les d'eau froide non salée. Portez à ébullition. Laissez bouillir 15 mn (en autocuiseur : 5 mn). Égouttez. Remettez-les dans le même récipient. Emplissez d'eau bouillante. Couvrez et laissez cuire 45 mn (en autocuiseur : 15 mn). Salez à mi-cuisson.

2. Faites dorer la viande en morceaux avec 50 g de saindoux ou de graisse d'oie. Hachez les oignons et l'ail. Ajoutez-les à la viande ainsi que les tomates épluchées et épépinées, les couennes coupées en dés, bouquet garni, poivre, un peu de sel.

3. Égouttez bien les haricots. Remettez-les dans la cocotte avec la viande et tous ses ingrédients, le saucisson à l'ail et le lard de poitrine coupés. Laissez mijoter ensemble 1 h 30 environ (en autocuiseur : 30 mn).

4. Versez le tout dans un plat à gratin. Saupoudrez de chapelure. Faites gratiner sous le grilloir.

Le secret *des haricots moelleux et bien tendres :* Le sel de même que la tomate sont ajoutés à mi-cuisson seulement. Car, mis au début, ils durciraient la peau des légumes secs, compromettant ainsi leur cuisson.

Grand cassoulet

Facile / cher / petites réceptions
Automne-Hiver

Préparation et cuisson : 3 h 30 à 4 h
Cuisson en autocuiseur : 50 mn

Pour 6, il faut :
600 g de haricots blancs,
50 g de graisse d'oie,
500 g d'épaule de mouton,
400 g d'échine de porc,
250 g de couennes,
250 g de lard de poitrine,
1 quartier de confit d'oie,
1 saucisson à l'ail,
4 oignons,
2 carottes,
2 échalotes,
3 gousses d'ail,
2 clous de girofle,
2 ou 3 tomates,
1 cuil. à soupe de concentré de tomate,
bouquet garni,
chapelure,
sel, poivre.

1. Mettez les haricots dans un grand fait-tout. Recouvrez-les d'eau froide non salée. Portez à ébullition. Laissez bouillir 15 mn (autocuiseur : 5 mn). Égouttez.

2. Remettez les haricots dans le même récipient avec lard frais et couennes en morceaux, carottes fendues en deux, 1 oignon piqué de 2 clous de girofle, 1 gousse d'ail, bouquet garni. Recouvrez largement d'eau froide. Couvrez et laissez mijoter jusqu'à ce que les haricots soient juste cuits (1 h ; autocuiseur : 25 mn). Salez, poivrez à mi-cuisson.

3. Faites dorer mouton et échine de porc, dans une cocotte avec 30 g de graisse d'oie ou de saindoux. Ajoutez oignons et échalotes hachés, 2 gousses d'ail. Mélangez. Mettez enfin les tomates pelées et épépinées, tomate concentrée, sel, poivre. Mouillez juste à hauteur de la viande avec du jus de cuisson des haricots. Couvrez. Laissez mijoter 1 h (en autocuiseur : 20 mn).

4. Retirez ensuite toutes les viandes et coupez-les en tranches (la peau du saucisson enlevée). Dans un plat à gratin, en terre de préférence, disposez une partie des couennes, puis par couches successives : haricots, viandes, confit en morceaux, etc., en terminant par une couche de lard, couennes et saucisson. Arrosez avec un peu de jus de cuisson des haricots. Saupoudrez de chapelure et de noisettes de graisse d'oie. Mettez à four très doux (th. 2-3) une heure.

Le secret *du cassoulet crémeux à croûte gratinée :* Lorsque la première croûte dorée s'est formée en surface, vous pouvez la crever et la mélanger avec une cuillère pour qu'une autre croûte se forme à son tour. Et ainsi de suite, jusqu'à la septième...

Galette de haricots

Facile / bon marché
Automne-Hiver

Préparation et cuisson : 30 mn

Pour 4, il faut :
1 grand bol de haricots cuits,
75 g de beurre ou de margarine,
1 verre de lait,
1 oignon,
1 œuf,
3 cuil. à soupe de farine,
persil,
chapelure,
sel, poivre.

1. Écrasez les haricots en purée.

2. Hachez un oignon. Faites-le dorer dans une casserole avec 25 g de beurre ou de margarine. Ajoutez une cuillerée à soupe de farine, puis, quand le mélange mousse, versez le lait froid. Remuez jusqu'à épaississement.

3. Mélangez cette sauce avec la purée, le persil haché, l'œuf, le reste de farine, sel, poivre. Formez de petites galettes plates. Passez-les dans la chapelure des deux côtés. Faites-les dorer dans la poêle avec 50 g de beurre ou de margarine. Servez très chaud, en garniture d'un plat de viande.

Gratin de haricots Berrichonne

Très facile / bon marché
Toutes saisons

Préparation et cuisson : 15 mn

Pour 4, il faut :
1 boîte de haricots-grains,
30 g de beurre,
50 g de gruyère,
chapelure.

Farce :
un reste de mouton,
1 œuf,
50 g de pain,
un peu de lait,
1 gousse d'ail,
persil, sel, poivre.

1. Égouttez les haricots. Rincez-les à l'eau chaude, pour les tiédir.

2. Farce : mouillez le pain de lait. Passez-le à la moulinette ainsi que l'ail, persil et viande. Malaxez ce hachis avec l'œuf, sel, poivre.

3. Étalez haricots et farce par couches, dans un plat à gratin. Saupoudrez de chapelure, gruyère râpé ; ajoutez noix de beurre ou de margarine. Faites gratiner dans le haut du four très chaud.

Gratin de haricots Portugaise

Facile / bon marché
Toutes saisons

Préparation et cuisson : 3 h 30
Cuisson en autocuiseur : 45 mn
+ morue à dessaler

1. La veille : faites dessaler la morue dans beaucoup d'eau renouvelée plusieurs fois.

2. Le lendemain : mettez les haricots à l'eau froide, non salée. Laissez bouillir 15 mn (en autocuiseur : 5 mn). Égouttez. Remettez-les dans le récipient avec

Pour 4, il faut :
400 g de flageolets,
1 boîte de filets de morue salée,
80 g de beurre ou de margarine,
500 g de tomates,
2 oignons,
2 carottes,
3 gousses d'ail,
4 échalotes,
1 verre de vin blanc sec,
estragon (facultatif),
bouquet garni,
clou de girofle,
sel, poivre.

1 oignon, 2 gousses d'ail, 2 carottes, clou de girofle, bouquet garni. Couvrez d'eau bouillante. Salez. Laissez bouillir 2 h 30 (autocuiseur : 40 mn).

3. Épluchez, épépinez et coupez les tomates. Hachez les échalotes et 1 oignon. Faites-les revenir légèrement avec 30 g de beurre ou de margarine. Ajoutez tomates, bouquet garni, gousse d'ail écrasée, estragon, vin blanc, sel et poivre. Laissez mijoter 30 mn.

4. Coupez la morue en morceaux. Farinez-les. Faites-les dorer à la poêle avec 50 g de beurre ou de margarine. Disposez-les dans un plat à gratin. Versez dessus la fondue de tomates, persil haché, estragon et haricots. Parsemez de noisettes de beurre ou de margarine et mettez à four moyen (th. 5-6) 15 mn environ.

Solution express : *Vous pouvez remplacer la fondue de tomates fraîches par de la sauce tomate toute préparée.*

Haricots à l'Ardéchoise

Très facile / bon marché
Automne-Hiver

Préparation et cuisson : 2 h
Cuisson en autocuiseur : 30 mn

1. Mettez les haricots dans une casserole d'eau froide non salée. Faites bouillir 15 mn. Égouttez. Remettez dans le même récipient avec 2 gousses d'ail.

Pour 4, il faut :
400 g de haricots,
30 g de beurre,
2 oignons,
2 gousses d'ail,
1 verre de vin blanc sec,
1 cuil. à soupe de vinaigre,
200 g de boudin noir,
persil,
sel, poivre.

Recouvrez largement d'eau bouillante. Laissez cuire doucement de 1 h 30 à 2 h, suivant les haricots (en autocuiseur : 30 mn). Salez à mi-cuisson seulement.

2. Hachez les oignons. Faites-les dorer dans une casserole avec une noix de beurre. Ajoutez-y 1 verre d'eau de cuisson des haricots, vin blanc et vinaigre, l'intérieur du boudin émietté, sel, poivre. Couvrez. Laissez mijoter 20 mn.

3. Égouttez les haricots. Mélangez avec la préparation au boudin, un morceau de beurre et persil haché.

Haricots blancs à la Bretonne

Très facile / bon marché
Toutes saisons

Préparation et cuisson : 15 mn

Pour 4, il faut :
1 boîte de haricots,
25 g de beurre,
1 oignon,
1 cuil. à soupe rase de farine,
1 bouillon de poulet,
1 boîte de purée de tomates,
persil, poivre.

1. Passez les haricots sous l'eau chaude. Laissez-les égoutter.

2. Hachez l'oignon. Faites-le blondir légèrement avec 25 g de beurre.

3. Ajoutez ensuite 1 cuil. de farine. Puis 1 tablette de bouillon délayée avec un verre d'eau chaude, les haricots, la purée de tomates, poivre. Laissez mijoter un peu. Saupoudrez de persil haché avant de servir avec une viande sautée à la poêle : côte d'agneau, de veau ou de porc.

Haricots à la Parisienne

Très facile / bon marché
Toutes saisons

Préparation et cuisson : 15 mn

Pour 4, il faut :
1 boîte de haricots,
25 g de beurre ou de margarine,
8 chipolatas,
1 tranche de lard de poitrine fumé,
persil, sel, poivre.

1. Faites sauter à la poêle le lard coupé en dés et les chipolatas, avec une noix de beurre ou de margarine, sur feu doux.

2. Plongez les haricots dans de l'eau très chaude pour les rincer et les tiédir. Égouttez-les bien. Ajoutez-les dans la poêle avec sel et poivre. Laissez mijoter ensemble quelques minutes. Saupoudrez généreusement de persil haché avant de servir.

Haricots persillés

Très facile / bon marché
Toutes saisons

Cuisson : 1 h 45 à 2 h 15
Cuisson en autocuiseur : 5 mn + 30 mn

Pour 4, il faut :
400 g de haricots secs,
1 carotte,
1 oignon,
2 clous de girofle,
bouquet garni,
30 g de beurre,
persil,
sel, poivre.

1. Après les avoir lavés, mettez les haricots dans une casserole d'eau froide non salée. Faites-les bouillir 15 mn (en autocuiseur : 5 mn). Égouttez-les.

2. Remettez les haricots dans la casserole avec la carotte coupée en deux, l'oignon piqué de clous de girofle, bouquet garni. Emplissez d'eau bouillante. Couvrez et laissez mijoter de 1 h 30 à 2 h suivant les haricots (en autocuiseur : 30 mn). Salez et poivrez à mi-cuisson seulement.

3. Égouttez les haricots. Servez-les avec un bon morceau de beurre ou du persil haché, 1 ou 2 cuil. de crème fraîche, ou un bon jus de viande.

Haricots rouges au vin rouge

Très facile / bon marché
Automne-Hiver

Préparation et cuisson : 2 h
Cuisson en autocuiseur : 50 mn

Pour 4, il faut :
400 g de haricots rouges,
400 g de lard de poitrine frais,
30 g de beurre ou de margarine,
4 saucisses de Francfort,
3 oignons,
farine,
1 verre 1/2 de vin rouge,
1 gousse d'ail,
1 clou de girofle,
sel, poivre.

1. Mettez les haricots à l'eau froide, non salée. Laissez bouillir 15 mn (en autocuiseur : 5 mn). Égouttez. Remettez-les dans le récipient avec 1 oignon piqué du clou de girofle. Couvrez d'eau bouillante. Salez. Laissez bouillir doucement 45 mn environ (en autocuiseur : 15 mn).

2. Hachez les oignons et l'ail. Faites-les revenir légèrement, sans colorer, dans une cocotte avec le beurre ou la margarine. Saupoudrez d'une cuillerée à soupe rase de farine. Mélangez sur le feu. Ajoutez vin rouge, autant d'eau, sel, poivre. Laissez épaissir. Ajoutez les haricots et le lard en tranches. Laissez mijoter, couvert, 3/4 d'h (en autocuiseur : 25 mn).

3. Au bout de ce temps, déposez les saucisses dans la cocotte, sur le lard. Laissez cuire très doucement 10 mn supplémentaires (en autocuiseur : 5 mn) et servez.

Variante : *Les haricots rouges au vin rouge sont un excellent accompagnement pour tous les morceaux de porc, rôtis ou braisés, et même pour la langue de bœuf braisée. Supprimez alors les francforts et le lard de poitrine.*

Lentilles au naturel
(cuisson de base)

Très facile / bon marché
Toutes saisons

Préparation et cuisson : 45 mn

Pour 4 à 6, il faut :
400 g de lentilles,
1 oignon,
2 clous de girofle,
1 gousse d'ail non pelée,
1 petite carotte,
bouquet garni,
sel, poivre.
1 petit piment (facultatif)

1. Lavez les lentilles. Mettez-les dans une grande casserole avec beaucoup d'eau froide. Faites bouillir 5 minutes. Égouttez. Remettez dans la casserole avec de l'eau bouillante, 1 oignon piqué de 2 clous de girofle, gousse d'ail, carotte coupée en 4, bouquet garni (avec branchette de céleri, si possible), poivre et piment (facultatif).

2. Laissez bouillir doucement de 20 à 30 minutes selon la qualité des lentilles. Ne salez qu'en fin de cuisson pour ne pas les durcir.

3. Égouttez les lentilles dès qu'elles sont suffisamment tendres sinon elles continueraient à s'imprégner d'eau et s'écraseraient. Otez-en les aromates.

Variantes : *Les lentilles cuites peuvent être accommodées de différentes façons :*
— sautées à la poêle avec beurre et oignons hachés ;
— froides, en salade, avec une vinaigrette relevée de moutarde et d'oignons ou d'échalote hachés.
Elles sont l'accompagnement idéal pour tous les morceaux de porc sautés, braisés ou rôtis, des saucisses, du jambon et des rôtis de dinde ou de veau.

Mogettes à la crème

Très facile / bon marché
Automne-Hiver

Préparation et cuisson : 1 h 40

Pour 4, il faut :
400 g de haricots blancs secs,
30 g de beurre,
1 oignon,
1 carotte,
1 gousse d'ail,
2 clous de girofle,
2 cuil. à soupe de crème fraîche,
bouquet garni,
persil,
sel, poivre.

1. Mettez les mogettes à l'eau froide non salée. Faites-les bouillir 15 mn. Égouttez. Passez sous l'eau froide.

2. Remettez les mogettes dans la casserole vide avec l'oignon piqué de clous de girofle, carotte, ail, bouquet garni, poivre. Recouvrez largement d'eau bouillante. Couvrez. Laissez cuire de 1 h à 1 h 15. Salez à mi-cuisson.

3. Retirez carotte, oignon, ail et bouquet garni. Égouttez les haricots. Incorporez beurre et crème. Parsemez de persil fraîchement haché. Servez.

Variante : *Profitez des haricots blancs frais, ou demi-secs, de la fin de l'été ou début de l'automne, pour préparer les « mogettes » comme en Vendée. Suivez cette recette, en écourtant beaucoup le temps de cuisson.*

Olla podrida
(pot-au-feu à l'espagnole)

Facile / raisonnable / petites réceptions « jeunes »
Automne-Hiver

Préparation et cuisson : 4 h
Cuisson en autocuiseur : 1 h 30
+ trempage des pois, une nuit

Pour 8 ou 10, il faut :
800 g de plat de côtes de bœuf,
300 g de pois chiches,
250 g de poitrine de mouton,
200 g de jambon cru,
200 g de petit salé,
1 queue de porc,
1 pied de porc,
1 poule de 1,200 kg,
2 chorizos forts,
3 gousses d'ail,
3 carottes,
2 oignons,
2 blancs de poireaux,
4 pommes de terre,
bouquet garni,
sel, poivre.

1. La veille, faites tremper les pois chiches à l'eau froide.

2. Dans une grande marmite d'eau froide, mettez : plat de côte, poitrine de mouton, jambon, petit salé préalablement rincé à l'eau froide, queue et pied de porc. Portez à ébullition. Écumez. Ajoutez pois chiches égouttés, ail, bouquet garni, un peu de sel. Couvrez. Faites bouillir doucement de 1 h 30 à 2 h (en autocuiseur : 45 mn).

3. Ajoutez alors la poule et les chorizos. Laissez cuire de nouveau 30 mn (en autocuiseur : 10 mn). Puis mettez : carottes fendues en 4, oignons et blancs de poireaux en morceaux. Prolongez la cuisson de 1 h environ (en autocuiseur : 25 mn).

4. Jetez enfin dans la marmite les pommes de terre coupées en 4. Laissez cuire 30 mn supplémentaires (en autocuiseur : 10 mn). Servez légumes et viandes dans un plat creux et le bouillon à part, dans une soupière.

Petit salé aux lentilles

Très facile / raisonnable
Automne-Hiver

Préparation et cuisson : 1 h 30
Cuisson de la viande : en autocuiseur : 25 mn

Pour 4, il faut :

1 kg de porc demi-sel (échine ou palette),
400 g de lentilles,
1 oignon,
2 clous de girofle,
1 gousse d'ail non pelée,
1 petite carotte,
bouquet garni,
sel, poivre,
1 petit piment (facultatif).

1. Faites dessaler la viande dans beaucoup d'eau froide renouvelée plusieurs fois.

2. Mettez la viande à l'eau bouillante. Laissez bouillir 5 mn. Égouttez.

3. Remettez la viande dans la casserole avec un bouquet garni. Couvrez-la juste d'eau bouillante. Laissez bouillir doucement 1 h environ (en autocuiseur 25 mn).

4. Cuisson des lentilles : jetez dans une grande casserole d'eau froide. Faites bouillir 5 mn. Egouttez. Remettez de l'eau à bouillir dans la casserole avec tous les ingrédients cités (sans sel). Versez-y alors les lentilles qui doivent être largement couvertes. Reportez à petite ébullition pendant 15 à 20 mn seulement pour qu'elles restent fermes. Salez 5 mn avant la fin. Égouttez bien. Otez les aromates de cuisson.

5. Joignez les lentilles égouttées à la viande cuite mais toujours dans son récipient de cuisson. Laissez mijoter ensemble de 5 à 10 mn (ne mettez pas l'autocuiseur en pression). Présentez le tout légèrement égoutté.

Truc : *Si la viande est mise à saler depuis peu de temps, il n'est pas nécessaire de la laisser tremper. Il suffit de la rincer abondamment à l'eau froide.*

Pain de pois cassés

Facile / bon marché / petites réceptions
Automne-Hiver

Préparation et cuisson : 1 h 30
Cuisson en autocuiseur : 25 mn

Pour 4, il faut :
350 g de pois cassés,
40 g de beurre,
1 carotte,
1 oignon,
2 œufs,
crème fraîche,
bouquet garni,
sel, poivre.

1. Faites bouillir les pois cassés 10 mn dans de l'eau non salée. Égouttez-les. Passez-les sous l'eau froide et égouttez-les.

2. Remettez-les dans une casserole. Couvrez-les juste d'eau bouillante avec carotte et oignon en rondelles, bouquet garni, sel, poivre. Couvrez hermétiquement et laissez cuire doucement 1 h environ (en autocuiseur : 20 mn).

3. Égouttez à fond les pois cassés. Passez-les à la moulinette. N'y ajoutez pas de liquide. Hors du feu, incorporez-y 30 g de beurre et 2 jaunes d'œufs. Battez les 2 blancs en neige ferme. Incorporez-les à la purée. Beurrez un moule à soufflé. Versez la préparation dedans. Faites cuire au bain-marie et à four moyen (th. 5-6) 30 mn environ.

4. Présentez ce pain démoulé légèrement chaud et arrosé de crème fraîche.

Purée Saint-Germain

Très facile / bon marché
Printemps-Automne-Hiver

Cuisson :
1 h 30 à 2 h
Cuisson en autocuiseur :
5 mn + 20 mn

Pour 4, il faut :
400 g de pois cassés,
50 g de lard maigre,
30 g de beurre,
1 carotte,
1 oignon,
feuilles de laitue,
1 morceau de sucre,
bouquet garni,
sel, poivre.

1. Mettez les pois dans une grande casserole d'eau froide non salée. Portez lentement à ébullition. Laissez bouillir 15 mn (en autocuiseur : 5 mn). Égouttez-les et passez-les sous l'eau froide.

2. Coupez le lard en dés. Faites-les dorer dans une cocotte avec une noix de beurre. Ajoutez-y carotte et oignon en rondelles, pois cassés, feuilles de laitue, sucre, bouquet garni, eau bouillante à hauteur. Couvrez. Laissez cuire doucement de 1 h à 1 h 30 suivant la qualité des pois (en autocuiseur : 20 mn). Salez seulement à mi-cuisson. Remettez un peu d'eau si l'évaporation est trop rapide.

3. Égouttez les pois en conservant leur eau de cuisson. Écrasez-les ainsi avec un moulin à légumes. Poivrez. Incorporez le reste de beurre et, au besoin seulement, un peu d'eau de cuisson. Cette purée doit rester épaisse.

Truc : *La purée de pois cassés attache facilement au fond de la casserole. Tenez-la au chaud dans un bain-marie.*

Pois chiches à la Catalane

Très facile / bon marché
Automne-Hiver

Cuisson en autocuiseur seulement :
1 h 45

Pour 4, il faut :
350 g de pois chiches,
2 cuil. d'huile,
1 oignon, 1 carotte,
2 clous de girofle,
100 g de lard,
1 petit piment fort,
300 g de chorizo,
1 cuil. à soupe de tomate concentrée,
1 gousse d'ail,
bouquet garni,
sel, poivre.

1. Faites bouillir doucement les pois chiches 15 mn. Égouttez-les. Remettez-les dans l'autocuiseur avec huile, oignon piqué de 2 clous de girofle, piment écrasé, carotte, bouquet garni, un peu de sel et 1 litre d'eau froide. Laissez cuire doucement 1 h 15 environ.

2. Ouvrez l'autocuiseur pour y ajouter chorizo, lard fumé coupé en dés, tomate concentrée, ail haché. Remettez l'autocuiseur en pression. Laissez cuire encore 15 mn. Servez très chaud.

Queues de porc aux lentilles

Très facile / bon marché
Automne-Hiver

Préparation et cuisson : 1 h 30
Cuisson de la viande en autocuiseur :
25 mn

1. Dans un fait-tout ou un autocuiseur, mettez les queues de porc coupées en morceaux, oignon piqué de clous de girofle, carotte, ail, bouquet garni, sel, poivre. Recouvrez largement d'eau froide. Faites bouillir doucement 1 heure environ (en autocuiseur : 25 minutes seulement).

Pour 4, il faut :

4 queues de porc,
400 g de lentilles,
1 oignon,
2 clous de girofle,
1 carotte,
2 gousses d'ail,
bouquet garni,
sel, poivre.

2. Plongez les lentilles dans une casserole d'eau froide. Portez à ébullition 5 minutes. Égouttez. Remettez de l'eau à bouillir dans la casserole. Versez-y alors les lentilles qui doivent être largement couvertes. Reportez à petite ébullition pendant 15 à 20 minutes seulement pour qu'elles restent fermes. Salez 5 minutes avant la fin. Égouttez.

3. Joignez les lentilles à la viande restée dans la cocotte. Laissez mijotez ensemble de 5 à 10 minutes (ne mettez pas l'autocuiseur en pression).

Ragoût de mouton aux pois chiches
(spécialité marocaine)

Très facile / bon marché
Toutes saisons

Préparation et cuisson : 1 h 15
Cuisson en autocuiseur : 25 mn

Pour 4, il faut :

1 boîte de pois chiches,
1,200 kg de collier de mouton en morceaux,
30 g de beurre ou de margarine,
2 ou 3 oignons,
1 g de safran,
sel, poivre.

1. Mettez les morceaux de mouton à dorer de toute part dans la margarine ou le beurre très chaud.

2. Hachez les oignons. Ajoutez-les à la viande ainsi que sel, poivre, safran. Mouillez d'eau à peine jusqu'à hauteur de la viande. Couvrez. Laissez mijoter 50 mn environ (en autocuiseur : 20 mn).

3. Égouttez et rincez les pois chiches en conserve. Ajoutez-les à la viande. Faites cuire 15 mn supplémentaires (en autocuiseur : 5 mn).

Roussette en cassoulet

Facile / bon marché
Printemps-Automne-Hiver

Préparation et cuisson : 30 mn

Pour 4, il faut :
1 kg de roussette en 4 tronçons,
1 boîte de haricots blancs,
50 g de beurre ou de margarine,
1 boîte de tomates entières,
4 oignons,
2 gousses d'ail,
1/3 de verre de vin blanc sec,
farine,
chapelure,
sel, poivre.

1. Laissez tremper quelques instants les haricots dans une casserole d'eau chaude pour les rincer et les réchauffer.

2. Salez, poivrez et farinez légèrement les tronçons de poisson. Faites-les dorer de toute part dans une cocotte avec 30 g de beurre ou de margarine.

3. Hachez oignons et ail. Égouttez les tomates en boîte et coupez-les en dés. Ajoutez le tout dans la cocotte ainsi que le vin blanc, sel, poivre. Couvrez. Laissez cuire 5 mn.

4. Égouttez les haricots. Ajoutez-les dans la cocotte. Salez, poivrez. Laissez mijoter 10 mn.

5. Versez l'ensemble dans un plat à gratin. Parsemez de chapelure et de quelques noisettes de beurre ou de margarine. Faites gratiner 5 mn dans le haut du four très chaud.

Salade de lentilles à ma façon

Très facile / bon marché
Toutes saisons

Préparation et cuisson : 45 mn

Pour 4, il faut :
400 g de lentilles,
1 oignon,
2 clous de girofle,
1 gousse d'ail non pelée,
1 petite carotte,
bouquet garni (avec branchette de céleri),
sel, poivre,
1 piment (facultatif).

Vinaigrette :
4 ou 5 cuillerées à soupe d'huile,
1 cuil. à café de moutarde forte,
sel, poivre,
1 cuil. à soupe de persil haché,
1 petite échalote hachée.

1. Lavez les lentilles. Mettez-les dans une grande casserole avec beaucoup d'eau froide. Faites bouillir 5 mn. Égouttez. Remettez dans la casserole avec de l'eau bouillante, 1 oignon piqué de 2 clous de girofle, carotte coupée en 4, bouquet garni, poivre et piment (facultatif). Laissez bouillir doucement de 20 à 30 mn selon la qualité des lentilles. Ne les salez qu'en fin de cuisson pour ne pas les durcir. Égouttez-les dès qu'elles sont siffisamment tendres. Otez les aromates de cuisson.

2. Vinaigrette : dans un saladier, délayez la vinaigrette avec la moutarde. Mélangez-y les lentilles encore chaudes. Parsemez abondamment de persil et d'échalote hachés. Servez tiède ou froid.

Variante : *Vous pouvez fort bien servir cette salade en été. Ajoutez-y des légumes frais de saison : poivrons, tomates, rondelles de radis, céleri-branche, concombre et fines herbes pour lui donner une allure estivale.*

Le secret *d'une salade de lentilles savoureuse, c'est l'assaisonnement.* Une bonne huile, généreusement versée sur les lentilles encore chaudes. Et, pour relever le tout, vinaigre, moutarde et les herbes et aromates que vous permet la saison : persil, ciboulette, estragon, fin hachis d'oignon blanc, d'échalote ou d'ail, selon goût.

Salade de pois chiches

Très facile / bon marché
Toutes saisons

Cuisson ultra-longue, en autocuiseur seulement : 1 h 45

Pour 4, il faut :
400 g de pois chiches,
1 carotte,
1 oignon piqué de 2 clous de girofle,
1 gousse d'ail,
bouquet garni,
sel, poivre.

Vinaigrette + moutarde, fines herbes et échalotes.

1. Exceptionnellement, laissez tremper les légumes secs, à l'eau froide, quelques heures car leur peau est très dure.

2. Mettez-les dans l'autocuiseur contenant de l'eau froide non salée. Fermez. Faites-les bouillir 15 mn. Égouttez-les.

3. Remettez les pois chiches dans l'autocuiseur avec carotte, oignon piqué de clous de girofle, bouquet garni. Emplissez d'eau bouillante. Fermez l'autocuiseur et laissez cuire 1 h 30. A mi-cuisson, ouvrez l'autocuiseur pour ajouter sel et poivre.

4. Égouttez et passez les pois chiches sous l'eau froide. Assaisonnez-les généreusement de vinaigrette très relevée de moutarde et d'un hachis d'échalotes et de fines herbes.

Solution express : *Les pois chiches en boîte que l'on trouve partout. Il suffit de les rincer à l'eau froide avant de les accommoder.*

Le secret *des pois chiches tendres et digestes :* Ils sont pelés ! Quand ils sont cuits, ôtez-en la peau — c'est assez facile sous l'eau du robinet — séchez-les avant de les mélanger avec la vinaigrette.

Soupe corse

Très facile / bon marché
Automne-Hiver

Cuisson en autocuiseur seulement : 45 mn

Pour 4, il faut :
100 g de haricots secs,
30 g de beurre,
4 poireaux,
3 carottes,
2 navets,
1 petit chou pommé,
500 g de pommes de terre,
1 tomate,
1 gousse d'ail,
sel, poivre.

1. Plongez les haricots dans votre autocuiseur contenant de l'eau froide non salée. Portez lentement à ébullition. Laissez cuire 5 mn. Égouttez.

2. Remettez 1 litre 1/2 d'eau dans l'autocuiseur. Quand elle bout, jetez-y les haricots, sel et poivre. Laissez bouillir doucement 40 mn. A mi-cuisson, ouvrez l'autocuiseur et ajoutez dedans les légumes frais coupés en morceaux.

3. Servez cette soupe non passée. Incorporez-y 30 g de beurre.

Les pâtes et la semoule

Les pâtes

Les pâtes alimentaires sont si faciles à cuire qu'on oublie de leur accorder le minimum d'attention qu'elles méritent ! Alors, elles collent, ont un goût d'eau... que l'on doit reprocher à la cuisinière, la seule coupable.

Mais nous allons nous efforcer de traiter les pâtes comme elles le méritent, en suivant ces quelques bons principes.

Méthode pour bien cuire les pâtes :

Dans beaucoup d'eau salée bouillant à gros bouillons, jetez les pâtes en pluie.

Remuez avec cuillère ou spatule.

Quand elles commencent à ramollir, goûtez.

Laissez cuire : ni trop fermes, ni trop molles.

Égouttez-les aussitôt cuites.

Servez-les ou beurrez-les immédiatement.

Trucs : *Mettez un filet d'huile dans l'eau des pâtes pour les empêcher de déborder.*
Et ne les couvrez pas.

N'oubliez pas de saler l'eau.

Ne cuisez pas les pâtes dans trop peu d'eau.

Ne les jetez pas dedans avant qu'elle ne fasse de gros bouillons.

N'hésitez pas à goûter les pâtes en cours de cuisson.

Ne les faites pas cuire trop longtemps.

Ne les laissez pas séjourner dans l'eau, une fois cuites.

La bonne quantité d'eau pour cuire 250 g de pâtes : de l'eau aux trois quarts d'une casserole de 20 à 22 cm de ∅.

La semoule

La semoule, comme les pâtes alimentaires, est faite avec des blés durs. C'est un aliment simple, au goût neutre, qui se prête aussi bien aux préparations salées que sucrées.

Méthode pour bien cuire la semoule :

Rien n'est plus simple que la cuisson de la semoule. Il suffit de la jeter, en pluie, dans une certaine quantité de liquide bouillant (eau, lait ou bouillon) en quantité variable selon la recette, et de laisser bouillir doucement une dizaine de minutes, le temps d'épaissir.

Mais la semoule épaissit beaucoup en refroidissant.
— Si elle doit être servie froide, faites-la plus liquide.
— Pour la consommer chaude, tenez-la plus épaisse.
Si la semoule vous paraît trop épaisse en fin de cuisson, vous pouvez facilement l'éclaircir avec un peu de lait, d'eau ou de bouillon bouillant. Mélangez pour éviter les grumeaux et laissez cuire quelques instants supplémentaires.
Mais n'essayez pas d'épaissir, en rajoutant de la semoule en cours de cuisson : des grumeaux se formeraient inévitablement.
1 cuillerée à soupe rase de semoule pèse de 10 à 15 grammes.

Bonnes sauces pour bonnes pâtes

Très faciles / bon marché
Toutes saisons

C'est en Italie qu'on mange les meilleures, dit-on ; plus exactement, c'est là qu'on mange les pâtes accompagnées de sauces mijotées sur le coin d'un fourneau.

Parmi les plus courantes :

Pour 4, il faut :

- 300 g de steak haché,
- 50 g de jambon cru,
- 40 g de beurre ou de margarine,
- 1 cuil. à café de farine,
- 1 oignon,
- 2 gousses d'ail,
- 1/2 carotte,
- 1 branche de céleri,
- 1 verre de vin blanc ou rouge,
- 3 verres d'eau,
- 1 petite boîte de concentré de tomate,
- herbes aromatiques (thym, romarin, marjolaine, basilic),
- sel, poivre.

Sauce Bolognaise

Coupez le jambon en petits morceaux. Hachez oignon, ail, carotte et céleri. Faites dorer la viande dans une casserole, à fond épais, avec le beurre ou la margarine. Saupoudrez de farine. Mélangez bien. Puis ajoutez oignon, ail, carotte, céleri, concentré de tomate, vin, eau, herbes aromatiques, sel, poivre. Laissez mijoter, sans couvrir, 30 mn environ. En fin de cuisson, la sauce doit être réduite de moitié.

Sauce tomate Italienne

Pour 4, il faut :

- 50 g de lard de poitrine,
- 30 g de beurre ou de margarine,
- 2 échalotes,
- 1 gousse d'ail,
- 1 verre de vin blanc,
- 2 verres d'eau,
- 1 petite boîte de concentré de tomate,
- bouquet garni,
- 1 cuil. à café de farine,
- sel, poivre.

Dans une noix de beurre ou de margarine, faites blondir ail, échalotes et lard hachés. Ajoutez-y vin, eau, tomate concentrée, bouquet garni, sel, poivre. Laissez mijoter 20 mn. Avec une fourchette, malaxez la farine avec le reste de beurre ou de margarine. Incorporez à la sauce, par petits morceaux. Laissez épaissir un instant sur feu doux.

Cannelloni

Facile / bon marché
Toutes saisons

Préparation et cuisson : 45 mn

En rectangles cuits avant d'être farcis :

1. Dans une casserole d'eau bouillant à gros bouillon, jetez les rectangles de pâte*. Mélangez pendant la cuisson (10 mn). Puis étalez-les, côte à côte, sur un torchon.

2. Disposez un petit boudin de farce à la base d'un rectangle de pâte cuite, encore humide. Roulez sur lui-même. Pressez les bords pour souder.

3. Rangez-les dans un plat à feu. Recouvrez-les de sauce. Faites gratiner ou non.

En tubes farcis à cru :

1. Poussez la farce dans les tubes de pâte crue, si possible à l'aide d'une poche à douille.

2. Rangez-les dans un plat à gratin, sans trop serrer car ils gonflent en cuisant. Noyez-les de sauce tomate très liquide.

3. Couvrez de papier d'aluminium et mettez à four moyen (th. 5-6). Au bout de 15 mn, découvrez, saupoudrez de gruyère râpé et de noisettes de beurre. Laissez gratiner 10 mn supplémentaires.

* Les cannelloni à farcir sont vendus en cartons, comme les pâtes alimentaires les plus courantes.

Solution express : *Les cannelloni en boîte, tout préparés, qu'il suffit de faire gratiner avec gruyère râpé et servir.*

Farces pour cannelloni et ravioli	
	Recettes de base
Au crabe : 1 petite boîte de crabe, 40 g de beurre ou de margarine, 1 cuil. à soupe bombée de farine, 1/4 de litre de liquide (jus de crabe + lait), 125 g de champignons, citron, sel, poivre.	Mélangez sur le feu 30 g de beurre ou de margarine et la farine. Ajoutez-y le liquide froid, sel, poivre. Remuez jusqu'à ébullition. Lavez et coupez les champignons. Faites-les revenir à feu vif, avec une noix de beurre ou de margarine et jus de citron. Incorporez à la sauce avec le crabe émietté. Laissez mijoter quelques instants.
Aux épinards : 1 petite boîte d'épinards, 200 g de bœuf cuit (reste), 1 cervelle d'agneau, 1 œuf, 20 g de gruyère râpé, muscade, sel, poivre.	Hachez finement cervelle et bœuf cuits. Mélangez ce hachis avec œuf, épinards, gruyère et muscade râpés, sel, poivre.
A la viande : 150 g de viande cuite (reste), 1 tranche de jambon, 1 échalote, 1 œuf, 20 g de gruyère râpé, persil, sel, poivre.	Hachez finement : viande, jambon, échalote et persil. Mélangez ce hachis avec œuf, gruyère, sel et poivre.

Couscous

Facile / raisonnable / petites réceptions
Toutes saisons

Préparation et cuisson : 3 h

Pour 8, il faut :

1 kg de semoule pour couscous,
2 kg de mouton (collier ou plat de côtes),
1 poule,
125 g de beurre,
1/2 tasse d'huile,
2 carottes,
2 navets,
4 courgettes,
2 tomates,
1 ou 2 cuil. à café de ras-el-hanout,
1 cuil. à café de cumin arabe,
1/2 boîte de petits pois,
100 g de raisins secs,
1 boîte de pois chiches,
1 boîte de piments doux,
1 boîte d'arissa (sauce forte),
sel.

1. Bouillon : dans la marmite du couscoussier, mettez à bouillir doucement 2 litres d'eau avec le mouton, oignons, safran, sel, poivre, huile, tomate concentrée, 1 cuil. à café d'arissa, ail. Couvrez.

2. Versez la semoule à couscous dans une grande bassine. Humectez-la, en plusieurs fois, avec de l'eau froide salée jusqu'à ce qu'elle en soit saturée (2/3 de litre environ). Aspergez-la aussi d'une 1/2 tasse d'huile. Égrenez avec une fourchette. Laissez gonfler le temps indiqué sur le paquet.

3. Quand le bouillon a déjà cuit 1/2 h, ajoutez-y carottes, navets et poule.

4. Versez la semoule dans la passoire du couscoussier. Posez-la au-dessus du bouillon. Couvrez avec un torchon. Laissez cuire 30 mn.

5. Au bout de ce temps, reversez la semoule sur un torchon. Aspergez-la abondamment d'eau froide salée. Aérez-la avec une fourchette.

6. Au bouillon resté sur le feu, ajoutez : courgettes et tomates coupées, ras-el-hanout, cumin. Remettez la semoule dans la passoire, au-dessus du bouillon. Laissez cuire, couvert d'un torchon, 1/2 h supplémentaire.

Bouillon :

4 oignons,
1/2 g de safran,
1/2 tasse d'huile d'olive,
1 boîte (70 g) de tomate concentrée,
2 gousses d'ail,
sel, poivre.

7. Dans une casserole, versez un peu de bouillon, petits pois, raisins secs, pois chiches égouttés, poivrons et plus ou moins d'arissa pour pimenter. Mettez sur feu doux jusqu'à frémissement.

8. Versez enfin le couscous cuit dans un très grand plat creux. Incorporez-y avec une fourchette 125 g de beurre par petits morceaux. Mettez le couscous en dôme. Disposez viandes et légumes autour. A part, présentez le bouillon et l'arissa. Chaque convive arrosera son couscous de bouillon et l'épicera à son gré.

Notes : *Ceci est une recette de couscous parmi d'autres.*
Le couscoussier (keskes) se compose d'une marmite surmontée d'une sorte de passoire qui s'y emboîte parfaitement. On en trouve dans la plupart des grands magasins.
Choisissez une poule pas trop tendre, sinon elle partirait en charpie dans le bouillon.
Les épices : ras-el-hanout, cumin arabe et arissa se trouvent dans les rayons de produits exotiques. Le cumin arabe peut être, à la rigueur, remplacé par du cumin ordinaire.
Ne pas trop boire avec le couscous ! On peut, selon la tradition, l'accompagner de thé vert à la menthe fraîche ; ou d'un vin rosé ou d'un rouge léger, assez frais.

Solution express : *Le couscous en boîte qu'il suffit de réchauffer après l'avoir réhydraté. Il est généralement accompagné de viande cuisinée, assaisonnée à point. Cependant, il est souhaitable, parfois, d'y ajouter quelques pincées d'épices, ras-el-hanout, cumin et cayenne.*

Croquettes de veau Milanaise

Très facile / bon marché
Toutes saisons

Préparation et cuisson : 30 mn

Pour 4, il faut :
1 bol de veau cuit,
1 tasse de pâtes cuites,
1 tranche de jambon,
50 g de gruyère râpé,
1 ou 2 cuil. à soupe de crème fraîche,
farine, 1 œuf,
1 tasse de chapelure,
50 g de beurre ou de margarine,
citron, persil,
sel, poivre.

1. Coupez finement : veau, jambon et pâtes froides. Mélangez le tout avec le fromage râpé, très peu de sel, poivre et crème fraîche pour lier le tout qui doit rester assez ferme. Formez 8 petites croquettes. Farinez-les légèrement.

2. Roulez ces croquettes dans l'œuf battu, puis dans la chapelure, de façon qu'elles en soient complètement enrobées.

3. Faites chauffer 50 g de beurre ou de margarine dans une grande poêle. Mettez-y les croquettes à dorer de toute part, de 8 à 10 mn, sur feu moyen. Déposez-les dans un plat avec des quartiers de citron et du persil.

Émincé de bœuf à la semoule

Très facile / bon marché
Automne-Hiver

Préparation et cuisson : 30 mn

Pour 4, il faut :
un reste de pot-au-feu,

1. Faites revenir l'oignon haché avec une noix de beurre. Ajoutez l'eau puis, lorsqu'elle est bouillante, la semoule en pluie. Faites cuire, à feu doux jusqu'à absorption complète du liquide (10 mn environ).

15 g de beurre,
100 g de semoule,
1/2 litre d'eau,
1 cuil. à café d'oignon haché,
1 boîte de sauce tomate,
sel, poivre.

2. Versez la semoule cuite dans un plat à gratin. Étalez dessus le bœuf en petits morceaux, la sauce tomate, sel, poivre. Mettez à four moyen (th. 5-6) 10 mn.

Pâtes au roquefort

Très facile / raisonnable
Toutes saisons

Préparation et cuisson : 15 mn

Pour 4, il faut :
250 g de pâtes (nouilles plates de préférence),
100 g de roquefort,
3 ou 4 cuil. à soupe de crème fraîche,
2 gousses d'ail,
sel, poivre.

1. Faites cuire les pâtes dans beaucoup d'eau bouillante salée.

2. Écrasez le roquefort à la fourchette. Ajoutez-y crème fraîche et poivre (pas de sel).

3. Égouttez les pâtes soigneusement. Mettez-les à réchauffer 1 ou 2 mn sur le feu avec le mélange roquefort-crème.

4. Frottez vigoureusement l'intérieur d'un plat creux avec 2 gousses d'ail écrasées. Versez les pâtes au roquefort dedans. Mélangez et servez aussitôt.

Gâteau de semoule

Très facile / bon marché
Toutes saisons

Préparation et cuisson : 1 h

Pour 4, il faut :
100 g de semoule (8 cuil. à soupe rases environ),
100 g de raisins secs,
1/2 litre de lait,
4 cuil. à soupe de sucre,
1 sachet de sucre vanillé,
sel.

1. Mettez les raisins à tremper dans de l'eau chaude, 15 mn. Faites chauffer le lait avec une pincée de sel et le sucre vanillé. Dès qu'il bout, jetez-y la semoule en pluie. Mélangez avec une cuillère en bois, sans arrêt, jusqu'à épaississement. Laissez bouillir doucement 10 mn.

2. Hors du feu, incorporez-y le sucre et les raisins égouttés. Versez dans un moule préalablement passé à l'eau. Présentez la semoule complètement refroidie, démoulée et recouverte de confiture ou de compote.

Raffinement : *Caramélisez le moule avant de l'emplir de semoule. Pour aller plus vite, pensez au caramel vendu tout prêt, liquide ou en poudre, extrêmement pratique.*

Gnocchi à la Romaine

Très facile / bon marché
Printemps-Automne-Hiver

Préparation et cuisson : 30 mn

Pour 4, il faut :
125 g de semoule,
50 g de beurre,
1/2 litre de lait,
1 jaune d'œuf,
75 g de gruyère râpé,
muscade,
sel, poivre blanc.

1. Faites bouillir le lait avec 30 g de beurre, sel, 2 pincées de muscade râpée. A l'ébullition, versez la semoule en pluie en mélangeant jusqu'à épaississement. Laissez cuire doucement 10 mn.

2. Hors du feu, incorporez le jaune d'œuf, les 3/4 du gruyère râpé, poivre. Étalez la semoule chaude dans un plat passé à l'eau froide. Lissez-la sur 1 cm d'épaisseur. Laissez refroidir.

3. Découpez des rondelles de pâte avec un verre. Disposez-les dans un plat à four préalablement beurré. Parsemez de gruyère râpé et de noisettes de beurre. Mettez à four chaud (th. 6-7), environ 10 mn.

Pratique : *Étalez la semoule dans un moule carré ou rectangulaire, un couvercle de boîte par exemple.*

Lasagnes « al forno »

Facile / raisonnable / petites réceptions
Printemps-Automne-Hiver

Préparation et cuisson : 45 mn

Pour 4 à 6, il faut :
200 g de lasagnes,
100 g de parmesan ou gruyère (ou moitié-moitié).

Sauce à la viande :
200 g de steak haché,
30 g de beurre,
1 tranche de lard de poitrine (50 g),
1 carotte, 1 oignon,
1 branche de céleri,
persil,
100 g de champignons,
1 cuil. à café de tomate concentrée,
1 tablette de bouillon,
sel, poivre.

Béchamel :
60 g de beurre,
2 cuil. à soupe bombées de farine,
3/4 de litre de lait,
1 pincée de muscade,
sel, poivre.

1. **Sauce à la viande :** faites rissoler la viande hachée avec 30 g de beurre ou de margarine, le lard coupé menu, hachis de carotte, d'oignon, de céleri et de persil. Quand tout est bien doré, ajoutez les champignons coupés, tomate concentrée, 1 bol d'eau, 1 tablette de bouillon de poulet. Laissez mijoter doucement 20 mn.

2. **Béchamel :** délayez, sur feu doux, beurre ou margarine et farine jusqu'à ce que le mélange soit mousseux. Ajoutez-y le lait froid d'un seul coup, sel, poivre, muscade. Mélangez jusqu'à épaississement. Laissez mijoter 5 mn.

3. Faites cuire les lasagnes. Laissez-les ensuite égoutter côte à côte sur un linge. Puis, dans un plat à four profond, disposez-les par couches, en alternant : lasagnes, sauce à la viande, Béchamel, fromage râpé et ainsi de suite. Terminez par de la Béchamel et du fromage. Mettez à gratiner dans le haut du four très chaud une quinzaine de minutes.

Macaroni à la Languedocienne

Très facile / bon marché
Été-Automne

Préparation et cuisson : 45 mn

Pour 4, il faut :
250 g de macaroni,
120 g de beurre ou de margarine,
3 aubergines,
4 ou 5 tomates,
250 g de champignons,
1 gousse d'ail,
50 g de gruyère râpé,
sel, poivre.

1. Épluchez et coupez les aubergines en rondelles. Saupoudrez-les de sel et laissez-les dégorger un moment.

2. Pelez et épépinez les tomates. Lavez les champignons. Coupez-les en dés.

3. Faites sauter les aubergines à la poêle sur feu vif, avec du beurre ou de la margarine, puis les tomates coupées en morceaux, ail. Salez et poivrez. Couvrez et laissez cuire 10 mn. Ajoutez les champignons. Laissez cuire 5 mn supplémentaires.

4. Pendant ce temps, faites cuire les macaroni. Égouttez-les et versez-les dans un plat à gratin. Étalez les légumes cuits dessus, gruyère râpé et noisettes de beurre ou de margarine. Faites gratiner 10 mn sous le grilloir ou dans le haut du four très chaud.

Le secret *pour empêcher les pâtes de déborder :* Pendant l'ébullition, versez au départ un filet d'huile dans l'eau de cuisson.

Nouilles à la Sicilienne

Très facile / bon marché
Printemps-Automne-Hiver

Préparation et cuisson : **30 mn**

Pour 4, il faut :
250 g de nouilles plates,
40 g de beurre ou de margarine,
2 foies de volailles,
1 oignon,
75 g de gruyère râpé,
2 cuil. à soupe de crème fraîche,
sel, poivre.

1. Faites cuire les pâtes. Pendant ce temps, coupez les foies en dés et l'oignon. Faites sauter vivement le tout dans une petite casserole avec 1 noix de beurre ou de margarine. Salez, poivrez.

2. Ajoutez cette préparation aux nouilles bien égouttées. Incorporez-y également une grosse noix de beurre, la crème fraîche et 50 g de gruyère râpé. Versez le tout dans un plat à feu beurré. Parsemez avec le reste de gruyère râpé et quelques noisettes de beurre. Faites gratiner quelques minutes dans le haut du four très chaud ou, mieux, sous le grilloir.

Économique : *Le plat principal à base de pâtes.*
Il suffit, ici, d'augmenter le nombre de foies de volailles (1 ou 2 par personne) pour transformer l'entrée en un excellent plat de résistance.

Ravioli frais

Facile / bon marché
Toutes saisons

1. Divisez la pâte en deux rectangles bien nets. Imprimez les carrés dedans à l'aide d'une règle plate.

2. Déposez sur chacune une noix de farce (recette p. 439).

3. Badigeonnez très légèrement les intervalles d'œuf battu.

4. Appliquez dessus le deuxième rectangle de pâte.

5. Soudez en pressant de part et d'autre, toujours avec la règle.

6. Découpez à la roulette à pâtisserie (ou avec un couteau).

Cuisson : Plongez les ravioli 5 ou 6 mn dans de l'eau bouillante salée. Égouttez avec soin. Servez-les simplement gratinés au four avec un peu de gruyère ou accompagnés d'une sauce tomate ou Mornay.

Cannelloni frais

Des rectangles de pâte de 8 × 6 cm environ sont d'abord découpés, puis farcis et façonnés.

Pâtes aux œufs frits Milanaise

Facile / bon marché
Toutes saisons

Préparation et cuisson : 45 mn

Pour 4, il faut :
250 g de pâtes,
50 g de beurre,
4 œufs,
1 verre d'huile.

Sauce Milanaise
60 g de beurre ou de margarine,
125 g de champignons,
1 tranche de jambon,
50 g d'olives vertes,
1 cuil. à soupe bombée de farine,
2 cuil. à soupe de tomate concentrée,
2 gousses d'ail,
bouquet garni,
sel, poivre.

1. Hachez les champignons nettoyés, ainsi que le jambon et l'ail. Faites mijoter le tout dans une petite casserole, avec 30 g de beurre ou de margarine.

2. Faites cuire les pâtes. A part, plongez les olives dans de l'eau bouillante pour les dessaler en partie. Égouttez et dénoyautez-les.

3. Sauce Milanaise : mélangez, sur feu doux, 30 g de beurre ou de margarine et une cuillerée de farine. Incorporez la tomate concentrée et 1/2 litre d'eau froide. Remuez jusqu'à ébullition. Ajoutez un peu de sel, poivre, olives, bouquet garni, hachis de champignons et jambon. Laissez mijoter 15 mn.

4. Cuisson des œufs : cassez un œuf dans une tasse. Maintenez la poêle d'huile chaude légèrement inclinée. Faites glisser l'œuf dedans. Avec une cuillère, ramenez le blanc sur le jaune. Laissez frire 2 mn environ sur feu moyen. Égouttez sur une grille (ou un torchon ou du papier absorbant). Maintenez au chaud pendant que cuisent les autres œufs.

5. Égouttez les pâtes. Versez dans un plat. Recouvrez avec sauce et œufs frits.

Le secret *des pâtes qui ne collent pas :* Aussitôt égouttées, elles sont mélangées avec du beurre.

Salade de coquillettes

Facile / bon marché
Toutes saisons

Préparation et cuisson : **30 mn + 15 mn d'attente**

Pour 4, il faut :
250 g de coquillettes,
2 cuil. à soupe d'huile,
quelques cornichons,
20 olives vertes,
quelques radis,
3 petites tomates,
2 œufs durs,
fines herbes,
sel.

Mayonnaise :
1 jaune d'œuf,
1/4 de litre d'huile,
1 cuil. à soupe de moutarde forte,
1 cuil. à café de paprika,
1 cuil. à café de ketchup,
1 cuil. à café de vinaigre,
sel, poivre.

1. Faites cuire les pâtes dans beaucoup d'eau bouillante salée. Égouttez-les aussitôt cuites et mélangez-les avec un peu d'huile (huile d'olive de préférence). Mettez au réfrigérateur pour activer le refroidissement.

2. Coupez en rondelles les cornichons, radis et olives vertes dénoyautées ; en quartiers les tomates, les œufs durs. Hachez les fines herbes.

3. Préparez une mayonnaise bien relevée et assez fluide. Au besoin, incorporez-y un peu d'eau froide, à la fin. Mélangez-la avec les coquillettes bien refroidies et les hachis de cornichons, radis, olives et fines herbes. Décorez la salade avec les quartiers d'œufs et de tomates.

Variante : *Cette salade peut être enrichie de dés de jambon ou de blancs de poulet, de coquillages, crabe, crevettes ou langoustines.*

Le secret *de la salade de coquillettes :* L'huile dont elles sont enduites, aussitôt égouttées et la consistance, plutôt molle, de la sauce mayonnaise qui sert à les lier.

Neuf plats express

Très facile / bon marché
Toutes saisons

Avec des pâtes de la veille ou fraîchement cuites :

Entrée chaude 30 g de beurre, 10 filets d'anchois dessalés, 1 petite boîte de tomate concentrée, gruyère râpé, poivre.	**Pâtes aux anchois** Faites fondre le beurre. Déposez dedans les filets d'anchois en dés. Mélangez sur feu doux jusqu'à ce qu'ils soient amollis. Ajoutez-y tomate, poivre. Mélangez sur le feu aux pâtes cuites. Saupoudrez de râpé avant de servir.
Légume 30 g de beurre, 1 petite boîte de champignons, sel, poivre.	**Pâtes sautées aux champignons** Faites sauter les champignons en lamelles 5 mn avec 30 g de beurre. Salez, poivrez. Mélangez aux pâtes cuites, sur le feu.
Légume 30 g de beurre, 1 branchette de romarin frais, sel, poivre.	**Pâtes au romarin** Égouttez les pâtes cuites. Remettez la casserole vide sur feu doux avec 30 g de beurre. Ajoutez le romarin finement coupé. Laissez mijoter quelques instants. Mélangez avec les pâtes. Poivrez et servez.
Légume 1 boîte de ratatouille, 20 g de beurre, sel, poivre.	**Pâtes à la ratatouille** Faites réchauffer doucement la ratatouille. Mélangez-la aux pâtes cuites. Salez et poivrez. Ajoutez une noix de beurre.

Nouilles à l'Alsacienne

Légume

40 g de beurre,
50 g de gruyère râpé,
sel, poivre.

Cuisez les 3/4 des nouilles seulement. Incorporez-y 25 g de beurre, sel, poivre. Faites frire rapidement le reste des nouilles crues à la poêle avec du beurre. Versez ces pâtes croustillantes sur les nouilles moelleuses. Servez avec du râpé.

Pâtes aux tomates Provençales

Légume

30 g de beurre,
1 boîte de tomates entières,
2 gousses d'ail,
persil, sel, poivre.

Dans une poêle, faites sauter avec le beurre les tomates égouttées et coupées. Ajoutez un hachis ail et persil. Mélangez avec les pâtes cuites. Salez et poivrez.

Macaroni charcutière

Entrée chaude

30 g de beurre,
1 ou 2 oignons,
100 g de chair à saucisse.

Hachez finement les oignons. Faites-les dorer légèrement dans une poêle, avec le beurre. Ajoutez la chair à saucisse, les pâtes. Laissez réchauffer.

Gratin aux tomates

Légume

30 g de beurre,
3 tomates,
50 g de gruyère râpé,
huile,
sel, poivre.

Faites sauter 3 tomates pelées, épépinées et coupées dans un peu d'huile très chaude. Ajoutez les pâtes. Laissez quelques instants sur le feu. Versez le tout dans un plat à feu, gruyère râpé, beurre. Gratinez à four très chaud.

Brouillade de macaroni

Plat principal

4 ou 6 œufs,
30 g de beurre,
50 g de jambon,
50 g de gruyère râpé.

Réchauffez les pâtes sur feu doux, dans une poêle avec une noix de beurre. Battez les œufs en omelette. Incorporez-y une noix de beurre fondu, jambon coupé finement, gruyère, pâtes. Laissez prendre sur feu vif en mélangeant.

Semoule au chocolat

Très facile / bon marché
Toutes saisons

Préparation et cuisson : 20 mn + 1 h au froid

Pour 4, il faut :
1/2 litre de lait,
50 g de beurre,
50 g de chocolat à croquer,
60 g de semoule,
50 g de sucre,
1 pincée de sel.

1. Mettez lait, sucre, sel, beurre et chocolat en morceaux dans une casserole. Faites bouillir. Ajoutez la semoule en pluie, en remuant vivement avec une cuillère en bois. Laissez cuire doucement 10 mn.

2. Passez un moule à bords hauts à l'eau froide. Versez la préparation dedans. Laissez refroidir complètement avant de démouler.

Organisation : *Préparez ce dessert pour deux fois : doublez les proportions et versez dans deux moules. Le deuxième dessert attendra, sans dommage, 2 ou 3 jours dans le réfrigérateur.*

Le secret *d'un gâteau de semoule savoureux :* Il n'est pas « bourratif » car les proportions semoule/liquide indiquées dans la recette ont été respectées, et les 10 mn de cuisson n'ont pas été dépassées.

Semoule à l'Italienne

Très facile / bon marché
Automne-Hiver

Préparation et cuisson : 20 mn

Pour 4, il faut :
100 g de semoule,
40 g de beurre ou de margarine,
1 oignon,
2 cuil. à soupe de tomate concentrée,
2 cuil. à soupe de gruyère râpé,
1 tablette de bouillon concentré,
sel, poivre.

1. Hachez l'oignon. Faites-le revenir avec 20 g de beurre ou de margarine. Ajoutez-y la semoule. Salez, poivrez. Mélangez. Puis versez 1/2 litre d'eau bouillante dessus et 1 tablette de bouillon concentré. Laissez mijoter 10 mn.

2. En fin de cuisson, ajoutez la tomate concentrée. Quand la semoule est tout à fait cuite, incorporez-y gruyère râpé et noix de beurre. Présentez-la dans un légumier ou moulez-la dans un moule à soufflé, à baba ou dans des ramequins.

Le secret *d'un pain de semoule bien démoulé :* L'intérieur du moule est passé à l'eau froide avant d'être empli de semoule cuite. Celle-ci, bien tassée, se démoule ensuite parfaitement, qu'il soit chaud ou refroidi.

Semoule au lait

(recette de base)

Très facile / bon marché
Toutes saisons

1 cuillerée à soupe rase de semoule = 10 à 15 grammes.

Faites chauffer le lait avec une pincée de sel, sucre en poudre et sucre vanillé. Dès l'ébullition, versez la semoule en pluie dedans. Faites cuire 10 mn environ, doucement, jusqu'à épaississement. Remuez de temps en temps.
Suivez les proportions données dans chaque recette.
Le verre gradué est pratique.

Croquettes à l'orange

Préparation et cuisson : 1 h

Pour 4, il faut :
120 g de semoule,
1/2 litre de lait,
100 g de sucre,
zeste d'orange, sel.
2 œufs,
1 noix de beurre,
75 g de chapelure,
50 g de sucre.

Pour la cuisson
50 g de beurre ou de margarine.

1. Préparez de la semoule au lait parfumée avec le zeste d'une orange râpée. Hors du feu, incorporez les jaunes d'œufs. Laissez refroidir complètement dans un plat beurré.

2. Façonnez des croquettes de 2 cm d'épaisseur sur 5 cm. Passez-les dans les blancs d'œufs, puis dans la chapelure. Déposez-les dans une poêle contenant le beurre ou la margarine chaud. Lorsqu'elles sont dorées, égouttez-les. Sucrez-les et servez-les tièdes ou froides.

Pudding de semoule aux pommes

Préparation et cuisson : 45 mn

Pour 4, il faut :
75 g de semoule,
1/2 litre de lait,
75 g de sucre,
1 sachet de sucre vanillé, sel.
30 g de beurre,
1 ou 2 pommes,
75 g de raisins secs.

Caramel :
10 sucres,
2 cuil. d'eau,
jus de citron.

1. Caramel : dans un moule en métal, laissez cuire le sucre et l'eau jusqu'à brunissement. Remuez le moule. Quand vous jugez le caramel assez brun, aspergez de citron et retirez du feu.

2. Coupez les pommes en tranches minces. Lavez les raisins. Préparez la semoule au lait. Quand le lait revient à ébullition, ajoutez raisins, pommes et morceau de beurre. Lorsque le mélange bout, versez dans le moule caramélisé et mettez à four bien chaud (th. 7-8) 30 mn.

Soufflé de semoule aux raisins secs

Préparation et cuisson : 45 mn

Pour 4, il faut :
30 g de semoule,
1/4 de litre de lait,
50 g de sucre,
1 sachet de sucre vanillé, sel.
2 œufs,
1 noix de beurre,
25 g de raisins secs,
3 cuil. de rhum.

1. Faites macérer les raisins dans le rhum.

2. Préparez la semoule au lait. Hors du feu, ajoutez jaunes d'œufs, raisins, puis blancs battus en neige.

3. Beurrez un moule à soufflé. Versez la préparation dedans et faites cuire à feu moyen (th. 5-6) 20 mn.

Spaghetti alla marinara

Très facile / raisonnable
Printemps-Automne-Hiver

Préparation et cuisson : 45 mn

Pour 4, il faut :
250 g de spaghetti,
1 kg de praires, palourdes ou coques (ou un mélange),
1 branche de fenouil,
sel.

Sauce à la tomate fraîche :
500 g de tomates,
30 g de beurre ou de margarine,
bouquet garni,
1 gousse d'ail,
sel, poivre.

1. Sauce tomate : faites mijoter avec le beurre ou la margarine, l'ail coupé menu, les tomates pelées et épépinées, bouquet garni, sel et poivre. Ne couvrez pas afin de laisser épaissir.

2. Faites cuire les spaghetti dans de l'eau salée avec le fenouil. Puis ajoutez-les à la sauce tomate.

3. Pendant ce temps, nettoyez les coquillages. Mettez-les sur le feu dans une casserole avec 1/2 litre d'eau légèrement salée. Dès qu'ils sont ouverts, égouttez-les (mais gardez le jus) et retirez-les de leurs coquilles. Ajoutez-les aux spaghetti.

4. Passez le jus à travers une passoire fine garnie d'un papier absorbant. Versez sur les spaghetti. Laissez mijoter à feu doux jusqu'à absorption complète du jus et servez.

Solution express : *La tomate concentrée en boîte. Mais, pour lui donner un petit goût de fraîcheur, ajoutez 5 mn avant de servir la chair d'une tomate préalablement épluchée, épépinée et coupée en menus morceaux.*

Spaghetti à la Provençale

Très facile / bon marché
Toutes saisons

Préparation et cuisson : 30 mn

Pour 4, il faut :
250 g de spaghetti,
50 g de beurre ou de margarine,
1 kg de tomates,
2 gousses d'ail,
1 oignon haché,
1 petite boîte d'anchois,
bouquet garni,
sel, poivre.

1. Faites cuire les spaghetti.

2. Coupez les tomates en morceaux. Faites-les revenir à feu vif, avec 50 g de beurre ou de margarine. Ajoutez-y : ail, oignon haché, bouquet garni, sel, poivre. Couvrez. Laissez cuire 15 mn. Passez le tout à la moulinette. Ajoutez-y les anchois en petits morceaux.

3. Recouvrez les spaghetti égouttés avec la purée de tomates aux anchois.

Truc : *permettant de cuire des pâtes pour 2 repas.*
Vous pouvez réchauffer des pâtes déposées dans une passoire, puis plongées dans de l'eau en ébullition, 2 mn environ. Égouttez-les et accommodez-les aussitôt après.

Timbale aux coquilles Saint-Jacques

Facile / raisonnable / petites réceptions
Toutes saisons

Préparation et cuisson : 45 mn

Pour 4, il faut :
250 g de coquillettes (ou mieux « torti »),
20 g de beurre ou de margarine,
6 ou 8 coquilles Saint-Jacques,
250 g de champignons,
1 verre de vin blanc sec,
petit bouquet garni,
1 quartier de citron,
sel, poivre.

Sauce :
2 jaunes d'œufs,
3 pincées de safran,
2 ou 3 cuil. à soupe de crème fraîche.

1. Lavez abondamment noix et corail. Mettez-les dans une casserole avec 1 verre de vin blanc et un peu d'eau pour les couvrir juste, sel, poivre, bouquet garni. Faites chauffer doucement. Retirez du feu dès l'ébullition. Laissez dans le court-bouillon.

2. Jetez les pâtes dans une très grande casserole d'eau salée en ébullition. Remuez. Laissez bouillir de 13 à 15 mn. Goûtez pour vous assurer du degré de cuisson. Égouttez-les aussitôt et incorporez un peu de beurre.

3. Coupez le pied sableux des champignons, lavez-les et coupez-les en lamelles. Faites-les cuire dans une casserole avec une noix de beurre et jus de citron. Couvrez. Laissez mijoter 5 ou 6 mn. Ajoutez aux pâtes.

4. Sauce : délayez jaunes d'œufs, crème et 3 pincées de safran dans un bol. Incorporez-y le jus des coquilles. Reportez sur feu doux en mélangeant sans arrêt jusqu'à ce que la sauce prenne une légère consistance (ne laissez pas bouillir).

5. Versez les pâtes dans un plat creux. Coupez, dans l'épaisseur, les coquilles en deux ou trois rondelles. Disposez-les sur les pâtes bien chaudes. Arrosez de sauce et servez.

Le riz

Le riz, à l'état sauvage, existait déjà probablement avant que l'homme parût sur la terre. Et depuis des millénaires, l'homme a appris à en faire cette plante précieuse qui donne l'amande transparente et dure bien connue de nous toutes.

Les Italiens connaissent bien le riz et savent de longue date l'art d'en faire un régal : c'est-à-dire de laisser à chaque grain son autonomie et, sous la dent, sa précieuse résistance — « une résistance facile à vaincre » disait le plus aimable des gastronomes, Edouard de Pomiane.

Choisissez :

Il existe dans le monde des centaines de riz cultivés. Mais, dans nos magasins, le choix se réduit à deux variétés : le riz courant, à grains ronds, de longueur inférieure à 6 mm ; et le riz de luxe, à grains très allongés.

Riz rond

C'est le moins cher. Plus tendre, il cuit plus rapidement et risque de coller si on ne le surveille pas. Sa cuisson nécessite moins de liquide (1 volume 1/2 seulement).

Riz long

Très dur, il est moins fragile à la cuisson. Sa présentation est meilleure. C'est le riz dit « de luxe » mais, rassurez-vous, il n'est pas cher quand même.
De plus en plus, on trouve du riz précuit et du riz prétraité (qui-ne-colle-pas).
Ce ne sont pas des variétés particulières, mais du riz traité de façon spéciale avant d'être vendu dans le commerce.

Riz précuit

Il est successivement trempé, épongé, bouilli quelques minutes, puis complètement desséché avant d'être mis en paquets. Sa cuisson se réduit à 5 mn au maximum.

Riz prétraité

De même que le riz précuit, il subit un traitement spécial : trempé, étuvé, puis séché sous vide avant d'être empaqueté. Il ne cuit pas plus rapidement qu'un riz ordinaire.

Le saviez-vous ?

D'une qualité de riz à l'autre, la capacité d'absorption, le temps de cuisson peuvent varier légèrement. C'est pourquoi les recettes restent un peu dans le vague, s'entourant d'« environ » plus que vous ne le souhaiteriez. Un bon conseil : quand vous êtes satisfaite d'une qualité de riz, soyez-lui fidèle.

Préparez :

Quantités de riz par personne			
Pour :	En grammes	En cuillerées à soupe	En verre à moutarde
une entrée	25	1	1/4
un plat de résistance	50	2	1/2
un dessert*	60	2 1/2	2/3 env.

* Quantités prévues pour un dessert copieux complétant un repas léger, ou un second dessert pour le lendemain.

Le riz se prépare de 2 façons : « nature » ou « en pilaf ». A partir de là, bien des variantes sont possibles.

Ces deux procédés « nature » et « pilaf » ont pour objet d'empêcher la formation d'empois, qui transforme le riz en colle de pâte.

Le **riz nature** est cuit dans une si grande quantité d'eau (bouillante et salée) que l'empois reste en suspension dans l'importante masse de liquide. Les grains en sont débarrassés.

Le **riz pilaf** cuit, au contraire, dans si peu d'eau que, faute de liquide, l'empois ne peut se former. Et quand le riz a terminé sa cuisson, il a tout absorbé.

Riz pilaf

Facile / bon marché
Toutes saisons

De 17 à 20 mn de cuisson
2 volumes d'eau ou de bouillon pour 1 volume de riz

Pour 4, il faut :
2 verres de riz,
4 verres d'eau ou de bouillon,
1 oignon,
30 g de beurre ou de margarine,
bouquet garni,
sel, poivre.

1. Lavez le riz à grande eau tout en le frottant entre les paumes de main. Égouttez bien.

2. Faites revenir légèrement l'oignon haché avec un peu de beurre ou de margarine dans une casserole. Ajoutez le riz ensuite. Mélangez pour enrober les grains de gras. Ne les laissez surtout pas prendre couleur.

3. Versez l'eau ou le bouillon sur le riz. Mettez le bouquet garni, sel, poivre. Couvrez. Laissez mijoter à feu doux, jusqu'à absorption complète du liquide (de 17 à 20 mn). La quantité d'eau peut varier légèrement selon les goûts* et le type du riz.

* Certains amateurs aimant le riz plus sec préconisent un volume de riz pour 1 volume 1/2 d'eau. C'est un peu moins de liquide qu'il n'est indiqué dans ma recette. A vous de choisir !

Variante : *A la dernière minute, vous pouvez ajouter, au riz cuit, 1 bol de petits pois braisés (conserve), de la tomate concentrée et un peu de gruyère râpé. Vous obtiendrez une spécialité italienne : le risi-pisi.*

Le secret *du riz qui a du goût :* Quand vous préparez un riz pilaf, utilisez un bon bouillon de viande, un court-bouillon de poisson (si le riz doit accompagner un poisson) ou même un simple bouillon de légumes.

Riz

A défaut de bouillons, les herbes aromatiques vous seront d'un grand secours. Ajoutez dans la cuisson du riz : bouquet garni classique (thym, laurier, persil) et même romarin, brin de céleri, gousses d'ail.

Les secrets *pour réussir la cuisson du riz :*
Lavez-le à grande eau. Et frottez-le vigoureusement, sous l'eau froide, avec les paumes de main, pour le débarrasser de la poudre d'amidon et de la poussière qui entourent les grains. Il ne collera pas.
Lavez-le rapidement. Ne le laissez pas séjourner dans l'eau. Il ne s'amollira pas.
Versez un peu d'huile dans la casserole, au départ de sa cuisson : le riz ne débordera pas.
Goûtez-en quelques grains dès que le riz semble presque cuit. Et restez près de la casserole pour surveiller les dernières minutes de cuisson : il sera cuit à point.
Mettez le riz nature à cuire dans beaucoup d'eau salée, froide ou chaude, peu importe, mais égouttez-le aussitôt cuit. Arrosez-le abondamment d'eau froide pour arrêter net la cuisson et entraîner toute trace d'empois : les grains de riz resteront bien détachés.
Enrobez le riz pilaf de matière grasse fondue, dans la casserole, avant d'y ajouter le liquide.
Couvrez-le hermétiquement pendant sa cuisson ; le liquide étant strictement mesuré, il doit s'en évaporer le moins possible puisque le riz l'absorbera entièrement : il sera bien moelleux.
Ne le mélangez pas au cours de la cuisson : ses grains ne seront pas brisés.
Pour le riz au lait, faites « crever » ses grains dans très peu d'eau pendant quelques minutes

Riz

d'ébullition. Il absorbera mieux et plus vite le lait dans lequel il doit cuire ensuite.
Ne sucrez le riz au lait que 5 mn avant la fin de cuisson. Mis au départ, le sucre rendrait le lait sirupeux et difficile à absorber par le riz qui n'en finirait pas de cuire.

Le secret *du riz bien détaché « à la Chinoise » :* L'ustensile employé est une cocotte en fonte très épaisse, assez grande. La raison : la fonte est longue à chauffer mais à travers sa matière, la chaleur se répartit régulièrement. Le riz employé est de bonne qualité bien sûr, mais il est surtout lavé sous le robinet, frotté entre les mains, jusqu'à ce que l'eau coule absolument limpide. Il est ensuite épongé.
Les proportions : un bol de riz/deux bols d'eau. Pas de sel chez les Chinois (moi, j'en mets tout de même). Vous portez à forte ébullition, sans couvrir. Au bout de quelques minutes de petits trous se forment çà et là, l'eau est presque entièrement absorbée. Couvrez la cocotte avec son couvercle en fonte et mettez le tout à four doux, 20 mn. Si le riz doit attendre plus longtemps, éteignez le four et laissez la cocotte dedans.
Il se peut que le riz « croûte » légèrement au fond. Ne le grattez pas. Ne servez que le riz blanc. La croûte du riz, légèrement cramée, mélangée avec un peu de sucre, fait le régal des enfants.

Riz nature

Facile / bon marché
Toutes saisons

De 15 à 17 mn de cuisson
Beaucoup d'eau

Pour 4, il faut :
2 verres de riz, beaucoup d'eau, sel.

1. Mettez à bouillir une grande casserole d'eau salée.

2. Lavez le riz rapidement à grande eau, dans une passoire.

3. Jetez-le ensuite dans l'eau en ébullition. Laissez bouillir, sans couvrir, de 15 à 17 mn. Goûtez dès qu'il vous semble à point car il peut cuire plus ou moins rapidement selon sa qualité. Aussitôt cuit, égouttez. Arrosez abondamment d'eau froide pour stopper net la cuisson. Au besoin, vous ferez réchauffer à four doux ou à la poêle tout en égrenant avec une fourchette.

Une présentation simple et raffinée : *Le riz en timbale.*

Le secret *du riz très blanc :* Ajoutez un peu de jus de citron dans l'eau de cuisson. Le riz nature bien blanc est plus appétissant.

Crêpes aux ananas

Facile / raisonnable / petites réceptions
Toutes saisons

Préparation et cuisson : 45 mn + attente : 1/2 h

Pour 8 crêpes, il faut :

Pâte à crêpes :
100 g de farine,
2 tasses de lait,
2 œufs,
sel.

Garniture :
1 bol de riz au lait,
1 petite boîte d'ananas,
8 cerises confites,
rhum.

1. Crêpes : mettez tous les éléments de la pâte dans une terrine. Mélangez au batteur électrique jusqu'à obtention d'une pâte lisse. Laissez reposer 1/2 h au moins. Faites cuire les crêpes dans une poêle très chaude. Frottez-la d'un tampon imbibé d'huile entre chaque crêpe. Tenez-les au chaud jusqu'au moment de garnir.

2. Faites réchauffer le riz sur feu doux avec un peu de jus d'ananas, puis déposez 1 cuil. à soupe de riz sur chaque crêpe. Roulez-les et mettez-les au fur et à mesure dans un plat à feu. Glissez-les dans le four tiède (th. 4-5).

3. Au moment de servir, décorez chaque crêpe avec une demi-tranche d'ananas et 1 cerise confite. Arrosez-les d'1/2 verre de rhum bouillant. Faites flamber en apportant à table.

Le secret *des crêpes qui ne collent pas :* Plus longtemps la pâte repose au frais, moins les crêpes courent le risque de coller en cuisant. La pâte peut même attendre jusqu'à 12 h au réfrigérateur, sans dommage.

Gâteau de riz à l'orange

Facile / raisonnable
Toutes saisons

Préparation et cuisson : 50 mn

Pour 4 ou 6, il faut :
200 g de riz,
50 g de beurre,
2/3 de litre de lait,
150 g de sucre,
2 jaunes d'œufs,
75 g d'orange confite,
sucre vanillé,
sel.

Caramel :
10 sucres.

1. Faites cuire le riz au lait (voir p. 471, § 1).

2. Caramel : dans un moule à bords hauts, mettez 10 morceaux de sucre, 3 cuil. à soupe d'eau. Laissez chauffer jusqu'à ce que le sucre soit bien coloré. Faites voyager le caramel contre la paroi du moule. Retirez-le du feu avant qu'il ne soit trop brun.

3. Au riz, hors du feu mais très chaud, incorporez 50 g de beurre, les jaunes d'œufs et l'orange confite finement coupées. Versez dans le moule caramélisé. Laissez refroidir complètement avant de démouler.

Raffinement : *Présentez avec de la confiture d'orange un peu liquide, délayée sur le feu avec un peu d'eau... ou de rhum.*

Risotto aux olives

Très facile / bon marché
Toutes saisons

Préparation et cuisson : 25 mn

Pour 4, il faut :
200 g de riz,
40 g de beurre ou de margarine,
50 g d'olives vertes,
6 œufs,
50 g de gruyère,
1 oignon,
1 gousse d'ail,
1/2 g de safran,
thym, laurier,
sel, poivre.

1. Coupez finement l'oignon. Faites-le légèrement dorer dans une casserole avec 40 g de beurre ou de margarine. Puis jetez le riz dedans. Mélangez. Ajoutez 2 volumes d'eau (pour 1 volume de riz), ail, safran, thym, laurier, peu de sel (à cause des olives), poivre. Couvrez. Mettez les œufs à durcir.

2. Dénoyautez les olives, ajoutez-les au riz à mi-cuisson. Laissez cuire en tout de 17 à 20 mn, sur feu doux.

3. Hors du feu, incorporez le gruyère râpé au riz cuit, bien délicatement pour ne pas briser les grains. Servez dans un plat creux entouré des demi-œufs durs.

Raffinement : *Si vous n'aimez pas retrouver les morceaux d'oignons dans le risotto, ôtez-les une fois revenus. La matière grasse ayant absorbé tout le parfum de l'oignon le communiquera au riz que vous mettez à revenir légèrement dedans avant de le mouiller.*

Riz à l'Impératrice

Facile / raisonnable / petites et grandes réceptions
Toutes saisons

Préparation et cuisson : 1 h 30 + au frais : 1 nuit

Pour 6, il faut :

200 g de riz,
3/4 de litre de lait,
150 g de sucre,
100 g de fruits confits,
1 verre à liqueur de kirsch,
gelée de groseille,
sel.

Crème anglaise :

4 jaunes d'œufs,
100 g de sucre,
1 sachet de sucre vanillé,
1/4 de litre de lait,
sel,
4 g de gélatine*.

* La gélatine est vendue, soit en plaque dans les pharmacies, soit en poudre dans les épiceries fines. Les plaques sont juste trempées et ramollies dans l'eau froide. En poudre, elle est délayée selon les indications notées sur la boîte ou le sachet.

1. Mettez les fruits confits hachés à macérer avec le kirsch.

2. Lavez le riz avec soin. Faites-le bouillir dans un peu d'eau, 5 mn seulement. Égouttez-le. Remettez-le dans la casserole avec 3/4 de litre de lait et une bonne pincée de sel. Couvrez à demi et laissez bouillir doucement jusqu'à absorption complète du lait (45 mn). A mi-cuisson, ajoutez le sucre.

3. Crème anglaise : mettez à bouillir le lait avec sucre, 1 pincée de sel, sucre vanillé. Versez un peu de lait bouillant sur les jaunes d'œufs, en mélangeant vigoureusement. Reversez dans la casserole. Mélangez sans arrêt, sur feu doux, jusqu'à ce que la crème prenne une consistance onctueuse. Ne laissez surtout pas bouillir. Incorporez à la crème la gélatine préalablement trempée ou délayée dans l'eau froide. Fouettez bien.

4. Mélangez le riz cuit et chaud avec les fruits confits, kirsch et crème anglaise.

5. Garnissez de gelée de groseille toute la paroi intérieure d'un moule très profond. Versez la préparation chaude dedans. Laissez prendre jusqu'au lendemain dans un endroit frais, mais surtout pas trop froid (le froid nuit au riz cuit). Démoulez avant de servir.

Riz au lait

Très facile / pas cher
Toutes saisons

40 mn de cuisson

Pour 4 ou 5, il faut :
200 g de riz,
eau,
3/4 de litre de lait,
vanille,
150 g de sucre,
2 jaunes d'œufs,
beurre ou crème fraîche,
sel.

1. Versez le riz, préalablement lavé, dans une casserole. Couvrez-le tout juste d'eau. Portez à ébullition. Dès que l'eau est absorbée, ajoutez le lait, la vanille et 1 pincée de sel. Couvrez à demi et laissez bouillir doucement jusqu'à absorption complète du lait. 10 mn avant la fin de la cuisson, incorporez délicatement le sucre pour ne pas briser les grains.

2. Hors du feu, incorporez 2 jaunes d'œufs, ainsi qu'un peu de beurre ou de crème fraîche.

Variante : Les œufs surprise *avec du riz au lait et des abricots au sirop pour simuler le jaune des œufs. Pour que l'illusion soit (presque) complète, étalez le riz au lait dans des plats à œufs individuels. Déposez une ou deux moitiés d'abricots dessus et arrosez avec un peu de sirop. Servez froid.*

Riz sauté

Très facile / bon marché
Toutes saisons

Utilisez un reste de riz nature en le faisant simplement sauter à la poêle avec du beurre et les ingrédients de votre choix. Vous obtiendrez ainsi, à chaque fois, un plat différent :

Variantes

A la Créole	riz + lamelles de champignons, petits morceaux de poivrons et de tomates, préalablement sautés à la poêle.
A l'Égyptienne	riz + des foies de volaille et jambon ou champignons coupés menu déjà sautés à part.
A la Grecque	riz + chair à saucisse légèrement revenue, reste de pois, petits morceaux de poivron rouge en conserve.
A la Milanaise	riz + une pointe de safran, lamelles de champignons et tomates en conserve.
A l'Indienne	riz + poudre de curry.
A la Hongroise	riz + hachis d'oignons rissolés et paprika.
A la Cantonaise	riz + crevettes décortiquées et omelette finement hachée.
A l'Italienne	riz + parsemé de gruyère ou de parmesan râpé.
A la Luxembourgeoise	riz + accompagné d'œufs pochés, le riz devient l'élément principal d'un dîner.

Les fruits exotiques

L'ananas

L'ananas est originaire de l'Amérique et son nom serait une déformation de « nana » qui, chez les Indiens d'Orénoque et d'Amazonie, signifie « parfum ».
Sa culture s'est répandue sur plusieurs continents. Parmi les plus connus sur nos marchés nous trouvons les ananas d'Afrique et de la Martinique, à des prix très raisonnables. Beaucoup plus chers sont les ananas des Açores, extrêmement savoureux, mais ils sont vendus seulement dans les magasins de luxe.
L'ananas, même s'il doit voyager jusqu'à nous, est récolté presque mûr. Aussi est-il facile de bien le choisir. Le plus grand risque est de le prendre trop avancé.

Choisissez :

Un ananas à point doit être, de préférence, jaune orangé. Il en est de variétés différentes, qui sont nuancés de vert et cependant très bons. Vous reconnaîtrez sa fraîcheur à la touffe de feuilles vertes et drues (plumet) qui le surmonte. Soupesez-le : il est lourd. Pressez-le avec la main : l'écorce est un peu souple.
Un ananas taché de brun est probablement un peu trop mûr. Même s'il sent très bon, il risque d'être difficile à digérer.

Conservez :

L'ananas peut se conserver quelques jours dans un endroit frais (pas au-dessous de 7 à 8°). Le réfrigérateur n'est donc pas conseillé, à moins de loger l'ananas dans le bac à légumes où la température est la moins froide. *Dans ce cas, attention :* l'odeur de l'ananas va envahir le réfrigérateur. *La solution :* Enveloppez l'ananas d'une feuille d'aluminium qui emprisonnera son odeur et l'isolera efficacement du froid.

Préparez :

L'ananas peut se découper de différentes façons.

A la Martiniquaise :

C'est la plus simple et la plus logique car l'ananas étant plus sucré à la base que près du plumet, chaque convive a du bon et du meilleur !
Décapitez-le et coupez à 1 ou 2 cm de sa base. Tranchez-le verticalement en 6 ou 8 quartiers. Servez ces parts telles quelles (mais après avoir ôté la partie dure du cœur). Elles seront dégustées, comme du melon.

En « gondole » :

Tranchez verticalement, du plumet à la base, et creusez chaque moitié sans abîmer l'écorce.

En tranches :

Après avoir tranché plumet et base, posez l'ananas verticalement sur la planche à découper. Pelez épais en faisant glisser le long de l'écorce un grand couteau aiguisé.
Otez les points bruns à la pointe du couteau (c'est important).
En tranches fines, elles sont meilleures.
Superposez plusieurs tranches. Plantez le couteau pointu, bien droit, et découpez autour du cœur fibreux, pour l'ôter.

En « surprise » :

Avec un couteau à lame étroite et longue, coupez profondément tout autour de l'écorce (à 1 cm du bord) sans percer la base.
Coupez, en biais, de grosses tranches irrégulières. Retirez-les au fur et à mesure.
Elles seront ensuite coupées en dés et mélangées à d'autres fruits, sucre et alcool. Juste avant le repas, remettez cette salade de fruits dans l'écorce.

L'avocat

L'avocat ressemble à une poire mais c'est en hors-d'œuvre qu'on le sert presque toujours car il n'est pas sucré. Son apparence diffère un peu selon sa variété : il est d'un vert plus ou moins foncé, violacé parfois, et peut se présenter parfaitement lisse ou très rugueux.
Il a meilleure saveur pas trop froid.
Une fois coupée, sa chair s'oxyde et noircit rapidement. Pour éviter cela :
— à la dernière minute, coupez avec un couteau inoxydable,
— aspergez de citron aussitôt coupé.

Choisissez :

L'avocat, s'il est lisse, doit être brillant, bien vert, sans taches brunâtres. Prenez-le à point car un avocat n'est bon que s'il est dégusté tout à fait mûr. Tâtez-le : il doit être assez tendre, mou même, sous la pression du doigt, surtout près de la tige, comme une poire bien mûre.

Conservez :

Un avocat encore très dur, tout comme une banane, peut mûrir chez vous en quelques jours. Enveloppez-le de papier de soie ou de papier d'aluminium et laissez-le dans votre cuisine plus ou moins chaude, pas au réfrigérateur surtout. De même, un avocat très mûr peut attendre quelques jours. Mais dans ce cas, n'hésitez pas à le mettre, enveloppé de papier d'aluminium, dans le bac à légumes du réfrigérateur pour freiner le mûrissement.

Préparez :

Vous pouvez présenter les demi-avocats dénoyautés, avec leur cavité naturelle emplie de vinaigrette, de crabe ou de crevettes mayonnaise. Ou bien pelés, coupés en tranches et ajoutés à une salade.

La banane

Il en existe de nombreuses variétés qui produisent toute l'année. Lorsqu'elles sont destinées à voyager, elles sont cueillies avant maturité. Elles prennent leur saveur au fur et à mesure de leur séjour dans des « mûrisseries » maintenues autour de 20°

Choisissez :

La banane mûre est d'un beau jaune franc, mais c'est pointillée de brun, « tigrée », qu'elle est parfaite, sucrée et très digestible.

Conservez :

Une banane insuffisamment mûre, encore un peu verte, mûrit très vite dans un intérieur normalement chauffé. Si elle est mûre à point, gardez-la au frais (pas au-dessous de 12°). Elle craint le réfrigérateur. Une banane à peau grisâtre a pris un coup de froid : à consommer immédiatement, ne peut se conserver.

Préparez :

Dans son pays d'origine, la banane, quand elle est cueillie et préparée avant maturité, est considérée comme un légume. Son goût rappelle alors un peu celui de la pomme de terre.
Ici, on la consomme presque toujours crue. Cependant, elle est excellente cuite, en entremets : en beignets, sautée, flambée, etc.

Le citron vert

Pour être tout à fait exact, le nom de ce fruit est « lime » (les Anglais sont friands de la marmelade de lime). Mais c'est « petit citron vert » qu'on l'appelle généralement, même si ce n'est pas tout à fait cela.
Il est de couleur franchement verte et plus petit que le vrai citron. Sa fine peau est aromatique. Son jus acide et abondant, de saveur particulière est très apprécié dans la cuisine antillaise et tahitienne.

Choisissez :

Même vert, à légers reflets jaune pâle, il est mûr à point. Sa fine peau doit être souple et luisante (signe qu'il est juteux).

Conservez :

Quelques jours seulement à température ambiante. Ne le mettez surtout pas au réfrigérateur car son parfum puissant est envahissant.

Préparez :

Le zeste du citron vert finement pelé parfume les punchs et cocktails. Son jus entre dans la composition de bien des plats antillais, surtout à base de poissons.

Le fruit de la Passion

Son autre nom est « grenadille ». Il est de la famille des passiflores dont nous connaissons bien, en France, les jolies fleurs bleues striées de blanc et de pourpre (fleurs de la Passion).
Il se présente comme une grosse bille brune, légèrement violacée, ou comme un fruit beaucoup plus gros, de couleur jaune clair ou orangée.
Sa pulpe jaunâtre est moelleuse, de goût agréable et plus ou moins acidulée selon le degré de maturité. Les petites graines de l'intérieur sont comestibles.

Choisissez :

Les fruits assez pesants et bien ridés sont juste à point. Vous pouvez cependant les conserver quelques jours à la température ambiante.

Préparez :

Dégustez-le de la façon la plus simple, comme un œuf à la coque, en creusant l'intérieur du fruit à la petite cuiller. Sucrez selon votre goût.
Ou pressez la pulpe pour en arroser une salade de fruits ou pour préparer un sorbet, coulis ou boisson.

La goyave

C'est en automne et en hiver que nous la trouvons dans les rayons de fruits exotiques. Elle peut être ronde comme une pomme, ou ovale comme une poire, passant du vert au jaune pâle en mûrissant.
Quand vous l'entamez, vous découvrez avec surprise une pulpe moelleuse, allant du rose pâle à franchement rouge suivant les variétés. Sa saveur délicate s'approche de celle de la pêche ou de la fraise mais son arôme est beaucoup plus accentué.

Choisissez :

Choisissez-la jaune pâle. Tâtez-la pour vous assurer qu'elle est aussi souple qu'une poire mûre mais pas moins (son parfum serait alors trop prononcé).

Conservez :

Vous pouvez la laisser mûrir pendant quelques jours dans la cuisine. Mais si elle est à point, conservez-la plutôt au frais dans le bas du réfrigérateur, après l'avoir bien enveloppée d'aluminium.

Préparez :

Pelez-la pour la déguster telle quelle ou l'ajouter à une salade de fruits. Elle s'accommode bien d'être légèrement muscadée.

Le kiwi

Il se présente comme un petit œuf brun clair, légèrement duveteux. Une fois pelé, sa chair est translucide et d'un vert clair délicat. Finement tranché, il laisse apparaître un dessin étoilé, strié de brun par de minuscules pépins comestibles.
Le kiwi — ou « groseille de Chine » — est juteux, parfumé et plus ou moins sucré selon son degré de maturité. Sa saveur évoque celle de la groseille à maquereau.

Choisissez :

Il doit être souple sous la pression du doigt. Mais s'il n'est pas assez mûr, vous pouvez le laisser pendant plusieurs jours dans la cuisine un peu chaude.

Un truc : les alvéoles d'une boîte à œufs conviennent parfaitement pour les y garder en évitant le dessèchement.

Préparez :

Pelez-le comme une poire, et coupez-le en fines rondelles pour en garnir des salades de fruits et même certains plats salés tels que cocktails de crevettes et de crabe, ou avec prudence, certains plats salés s'inspirant de la « cuisine nouvelle » : cailles ou magrets de canards rôtis, par exemple (laissez juste réchauffer — mais non cuire — dans le jus de cuisson).

Le litchi

Appelé aussi « cerise de Chine », il ne se trouvait, récemment encore, qu'en boîte de conserve et dans les restaurants chinois. Expédié par avion, il est, aujourd'hui, couramment vendu frais dans les grandes surfaces.

Il pousse en grappes, offrant l'aspect de grosses fraises sèches et rugueuses dont la couleur passe du vert au jaune, puis au rose foncé au fur et à mesure du mûrissement.

Une fois pelé, le litchi présente une pulpe juteuse, blanchâtre et translucide, emprisonnant un gros noyau lisse. Sa saveur est très voisine du raisin de muscat.

Choisissez :

La coque du litchi est à point lorsqu'elle est couleur bois de rose. Si elle vire au brun, c'est que le fruit est avancé. De toute manière, ne le conservez pas plus de 2 ou 3 jours à la température ambiante.

Préparez :

Il suffit de peler les litchis (comme de gros raisins) pour les servir nature ou garnis de Chantilly ou mélangés à une salade de fruits.

La mangue

Celle que l'on trouve sur nos marchés a plutôt l'aspect d'un somptueux abricot à peau lisse et fine, dont la couleur virerait du vert pâle à l'aurore le plus soutenu. Sa chair saumon, juteuse et moelleuse, devient filandreuse près du noyau plat qu'elle emprisonne. Son goût, tout à fait délicieux, rappelle, quand elle est à point, celui de la pêche-abricot. Mais quand elle est trop mûre, elle évoque plutôt (légèrement) la térébenthine !

Choisissez :

La mangue doit être mûre, mais sans plus. Sa peau est alors souple sous la pression de la main, d'un jaune assez régulier.

Conservez :

A la température de la pièce (comme l'avocat).

Préparez :

La mangue se consomme crue, en dessert, soit au couteau, soit pelée et coupée en quartiers, ajoutée à une salade de fruits.

La noix de coco

Sa coque — très dure — protège une chair très blanche au goût de noisette. Elle renferme un lait transparent, toujours frais, délicieux sur place, mais guère agréable, après un long voyage.

Choisissez :

Choisissez-la lourde. Agitez-la pour entendre le lait remuer à l'intérieur : la pulpe de la noix n'est pas déshydratée.

Préparez :

Extrayez le lait en perçant avec un tire-bouchon les 3 marques naturelles à la base de la noix.
Pour ouvrir, fendez avec une hachette (très dur... un travail d'homme !) ; ou utilisez une petite scie, la noix de coco étant serrée dans un étau.
La noix de coco s'achète également toute râpée, en sachet, très pratique pour la préparation d'entremets.

Le pamplemousse

Le pamplemousse est aussi vendu sous les noms de pomélo et de grape-fruit.

Choisissez :

Un pamplemousse bien juteux est lourd. Il est sucré si son écorce est dorée, lisse et brillante.

Conservez :

Il peut être conservé quelques jours dans la corbeille de fruits. Mais pour qu'il reste juteux, il est souhaitable de le garder enveloppé de papier d'aluminium.
Comme tous les agrumes, le pamplemousse n'est pas à sa place dans le réfrigérateur.

Préparez :

Simplement coupé en deux, ou en dents de loup :
— la lame du couteau pointu est enfoncée jusqu'au cœur du pamplemousse, en zigzag tout autour ;
— les deux moitiés se séparent sans difficulté.
Il se déguste à la petite cuiller, sucré ou non.

Avec raffinement : Pour faciliter la dégustation à table, préparez le pamplemousse à la cuisine :
Passez le couteau tout autour, entre la pulpe et l'écorce (le couteau courbe spécial-pamplemousse est le plus pratique).
Détachez chaque quartier, de part et d'autre de la fine peau avec le couteau.
Ils seront faciles à extirper.

Farci : La pulpe se détache en un seul morceau. Coupée en dés, elle sera mélangée à la farce prévue (salade, crustacés, crevettes, etc.) et remise dans les écorces vides.

La papaye

Originaire des îles Hawaii, mais cultivée aussi en Côte-d'Ivoire, la papaye peut être petite comme une pomme, ou grosse comme un melon. Celles que l'on trouve chez nous ont plutôt l'apparence d'avocats. Leur écorce verte jaunit à mesure que mûrit le fruit.
La chair d'une papaye mûre, juteuse et parfumée, rappelle la mangue et la pêche-abricot. Pas de noyau mais mille graines faisant penser à du caviar.
La papaye a des propriétés digestives remarquables. Des propriétés magiques même... Un steak dur dans des feuilles de papayer, en ressort tendre comme la rosée, au bout de 10 mn. Dommage que les papayes soient vendues, en France, sans leurs feuilles !

Choisissez :

La papaye mûre à point est jaune. Son écorce est souple et lisse. Elle se fripe quand elle est trop faite.

Conservez :

Une papaye verte et dure peut mûrir rapidement dans votre cuisine, comme l'avocat.

Préparez :

Utilisez les papayes dans une salade de fruits, mélangez-les avec de l'ananas et des bananes.
Ou encore, coupez-les en deux — comme un avocat —, videz-les de leurs graines, emplissez la profonde cavité avec du porto ou du banyuls.
Plus simple encore : dégustez la papaye avec du jus de citron et un peu de sucre.

Ananas en fleur

Très facile / raisonnable
Toutes saisons

Préparation : 30 minutes

Pour 4, il faut :
1 petit ananas (avec plumet bien vert),
2 kiwis,
1 ou 2 cuillerées à soupe de sucre,
2 cuillerées à soupe de rhum ou de kirsch (facultatif).

1. Tranchez l'ananas en deux, de haut en bas, plumet compris. Puis, chaque moitié en deux.

2. Otez la partie dure du centre. Puis détachez la chair de l'écorce (laissez-la un peu épaisse pour ôter tous les « yeux »).

3. Coupez-y des tranches verticales d'un petit centimètre d'épaisseur sans les déplacer de l'écorce.

4. Poussez-les légèrement pour les décaler. Mettez sur le plat. Sucrez et arrosez d'alcool.

5. Pelez les kiwis. Tranchez-y 12 lamelles. Disposez-les sur les parts de l'ananas. Gardez au frais jusqu'au dessert.

Ananas en gondole

Facile / raisonnable / petites et grandes réceptions
Printemps-Automne-Hiver

Préparation : **20 minutes**
Au froid : **1 h**

Pour 4 ou 6, il faut :
- 1 ananas de 1 kg environ (avec son plumet),
- 5 ou 6 cuil. à soupe de sucre en poudre,
- 1 verre à liqueur de kirsch,
- 1 portion de glace à la vanille pour 2 personnes.

Pour décorer :
Quelques cerises confites, angélique ou violettes au sucre.

1. Avec un grand couteau solide, partagez en 2, dans le sens de la hauteur, l'ananas et son plumet.

2. Détachez la chair en glissant la lame d'un couteau pointu, le long de l'écorce.

3. Coupez la chair en dés. Mettez dans une terrine avec sucre et kirsch. Mettez les écorces et la salade de fruits au réfrigérateur.

4. Juste avant de servir, garnissez les écorces avec dés d'ananas et cuillerées de glace. Quelques cerises confites et dés d'angélique ou violettes au sucre, posés dessus, ajouteront une note de couleur. Présentez-les sur un grand plat long, base contre base, les plumets pointés vers l'extérieur.

Économique : *Ce dessert sera plus avantageux si vous y ajoutez 2 ou 3 bananes en rondelles. Dans ce cas, parfumez avec du rhum plutôt qu'avec du kirsch.*

Ananas Belle de Meaux

Facile / raisonnable / petites et grandes réceptions
Toutes saisons

Préparation : 1 h
Au dernier moment : 10 mn

Pour 6, il faut :

1 ananas de 1,500 kg à 2 kg,
1 paquet de fraises surgelées,
1 verre à liqueur de kirsch,
4 ou 5 cuil. à soupe de sucre en poudre,
1/2 citron.

Crème Chantilly :

250 g de crème fraîche,
un peu d'eau ou de lait,
1 paquet de sucre vanillé,
1 cube de glace, si possible.

1. Coupez l'ananas en deux, de la base au plumet. Détachez la chair à l'aide d'un couteau pointu en glissant tout le long de l'écorce, sans abîmer celle-ci. Retirez la chair. Coupez-la en dés. Laissez macérer au froid, 30 mn, dans une terrine avec sucre et kirsch. Laissez dégeler les fraises dans le réfrigérateur, mais tâchez de les garder encore très froides et un peu fermes. Un peu avant le repas, vous les mélangerez avec l'ananas et les mettrez dans les écorces.

2. Crème Chantilly (à faire au dernier moment) : Dans un bol profond, délayez doucement la crème fraîche et le lait très froids pour obtenir une sorte de crème bien liquide. Battez avec un fouet à longues branches (genre fouet à sauce) sur un rythme assez lent et d'un geste assez large, de façon à incorporer le plus d'air possible dans la crème. Dès que la crème mousse et tient aux branches du fouet, cessez immédiatement de la battre car elle tournerait assez vite. Ajoutez le sucre vanillé sans fouetter. Décorez les ananas avec la Chantilly et, à la saison, avec quelques fraises fraîches. Présentez aussitôt à table.

Avocats farcis

Facile / cher / petites et grandes réceptions
Printemps-Automne-Hiver

Préparation et cuisson : 45 mn
Attente : 1 h

Pour 4, il faut :
2 avocats,
1 queue de langouste (surgelée).

Court-bouillon :
1/2 litre d'eau,
1 oignon,
1 carotte,
1 clou de girofle,
1 cuil. à café de vinaigre,
bouquet garni,
4 grains de poivre,
sel.

1 tasse de mayonnaise (ou 1 tube),
quelques gouttes de tabasco ou cayenne
fines herbes,
1 citron,
1/2 poivron conservé à l'huile*,
1 cuil. à soupe de câpres,
4 feuilles de laitue,
sel, poivre.

1. Cuisson de la langouste surgelée : mettez la langouste encore surgelée à l'eau froide avec tous les éléments du court-bouillon. Portez très lentement à ébullition. Laissez frémir doucement de 5 à 7 mn, puis dans le court-bouillon refroidir complètement. Ensuite décortiquez la langouste. Découpez dedans 4 minces rondelles pour le décor, coupez le reste en dés plus ou moins régulièrement.

2. Préparez la mayonnaise, ou utilisez de la mayonnaise toute préparée, mais ajoutez-y : tabasco ou cayenne, fines herbes, jus de citron, poivron finement coupé, câpres, dés de langouste.

3. Juste avant le repas, ouvrez les avocats en deux. Recouvrez-les d'une feuille de laitue, de salade de langouste et d'une fine rondelle de langouste. Coupez une fine rondelle de citron. Ouvrez-la jusqu'au centre avec un couteau. Tordez-la légèrement pour la déposer, à cheval, sur l'avocat farci.

* Les poivrons à l'huile (ou pimientos) se trouvent en boîte, ou au détail, dans les magasins de comestibles.

Ananas meringué au riz

Facile / bon marché / petites réceptions
Toutes saisons

Préparation et cuisson : 1 h

Pour 6, il faut :
1 boîte d'ananas en morceaux,
1 noix de beurre,
2 œufs + 1 ou 2 blancs,
2 cuil. à soupe de sucre en poudre,
2 cuil. à soupe de rhum,
sel.

Riz au lait :
200 g de riz,
3/4 de litre de lait,
1 sachet de sucre vanillé (ou 1 gousse),
5 ou 6 cuil. à soupe de sucre en poudre,
2 pincées de sel.

1. Faites macérer les morceaux d'ananas égouttés, avec du rhum, pendant la cuisson du riz au lait.

2. Riz au lait : lavez le riz. Faites-le bouillir 5 mn dans beaucoup d'eau. Égouttez. Remettez dans la casserole avec lait et 2 pincées de sel. Couvrez à demi. Laissez mijoter jusqu'à absorption du lait (35 à 40 mn). A mi-cuisson, ajoutez sucre et sucre vanillé.

3. Séparez le blanc du jaune des œufs. Incorporez les jaunes au riz en battant vivement avec une cuiller en bois pour ne pas les cuire. Étalez dans un plat à gratin. Recouvrez avec les morceaux d'ananas. Battez les blancs d'œufs en neige ferme. Incorporez-y rapidement 2 cuil. à soupe de sucre. Étalez sur le gâteau. Mettez 5 mn sous le grilloir ou dans le haut du four très chaud (th. 8/9) — juste pour dorer légèrement la meringue. Servez tiède.

Raffinement : *Une présentation dans des ramequins individuels en porcelaine sera plus recherchée.*

Le secret *de la meringue qui ne se ratatine pas à la cuisson :* Étalez-la de sorte qu'elle masque entièrement le gâteau de riz et qu'elle adhère au pourtour du plat.

Bananes Bacchus

Très facile / bon marché
Toutes saisons

Préparation et cuisson : 25 mn

Pour 4, il faut :
4 bananes,
15 g de beurre.

Sirop :
1 verre 1/2 de vin rouge,
100 g de sucre,
vanille,
1 clou de girofle.

1. Épluchez les bananes. Déposez-les entières dans une poêle avec une grosse noix de beurre, sur feu assez vif. Quand elles sont dorées de chaque côté, déposez-les sur un papier absorbant.

2. Sirop : faites bouillir vin, sucre, clou de girofle, vanille, 2 mn seulement, sans couvrir.

3. Plongez les bananes dans ce sirop. Couvrez et laissez mijoter sur feu très doux 1/4 d'heure. Servez tiède.

Bananes des Isles

Très facile / bon marché / petites réceptions
Toutes saisons

Préparation et cuisson : 10 mn

Pour 4, il faut :
4 bananes pas trop mûres,
30 g de beurre,
5 cuil. à soupe de sucre en poudre,
2 ou 3 verres à liqueur de rhum.

1. Coupez les bananes en deux dans le sens de la longueur.

2. Faites fondre le beurre dans une poêle. Mettez-y les bananes à cuire à feu doux, 3 à 4 mn de chaque côté.

3. Déposez-les dans un plat bien chaud. Saupoudrez-les abondamment de sucre. Versez le rhum dans une petite casserole. Sucrez-le un peu. Portez à ébullition. Enflammez sur le feu et versez, flambant, sur les bananes.

Le secret *des bananes qui continuent de flamber :* Un plat en métal est conseillé pour les présenter, parce qu'il supporte de chauffer dans le four. Et dans un plat bien chaud, les bananes flambent mieux et longtemps.

Beignets de bananes

Très facile / bon marché
Toutes saisons

Préparation et cuisson : 30 mn

Pour 4, il faut :
4 bananes,
2 verres à liqueur de rhum,
1 cuil. à soupe de sucre.

Pâte à beignets :
2 blancs d'œufs,
1 cuil. à soupe bombée + 1 cuil. rase de Maïzena,
quelques gouttes de citron,
2 pincées de sel.

Huile pour la friture.

1. Coupez les bananes épluchées, de haut en bas. Mettez-les à macérer avec rhum et sucre, 1 h environ.

2. Pâte à beignets : ajoutez sel et jus de citron dans les blancs d'œufs. Battez-les en neige. Incorporez-y la Maïzena, délicatement. Trempez les bananes dans la pâte, puis dans la friture chaude mais non brûlante. Aussitôt dorées, égouttez-les sur du papier absorbant. Saupoudrez-les de sucre avant de servir.

Organisation : *Les bananes peuvent être mises à macérer d'avance et gardées au frais. Mais la pâte à beignets, à base de blancs en neige, doit être faite à la dernière minute seulement, sinon elle se désagrégerait.*

Biscuit roulé à la noix de coco

Difficile / raisonnable / petites réceptions
Toutes saisons

Préparation et cuisson : 30 mn

Pour 4, il faut :
3 œufs,
100 g de sucre en poudre,
80 g de farine,
1 pincée de sel.

Crème-garniture :
150 g de noix de coco râpée,
3 blancs d'œufs,
100 g de sucre glace,
jus de citron,
rhum (facultatif).

1. Travaillez au batteur électrique les jaunes d'œufs et le sucre, jusqu'à ce que le mélange blanchisse et retombe en ruban souple. Dans une autre terrine, battez les blancs en neige ferme.

2. Au mélange sucre et jaunes, incorporez délicatement mais rapidement la moitié de la farine, puis la moitié des blancs en neige, le reste de farine, pincée de sel, et enfin le reste des blancs en neige. Utilisez une cuiller en bois pour cette opération.

3. Placez une feuille d'aluminium au fond d'un moule carré (20 à 25 cm de côté). Versez 1 cm de pâte dessus. Tapez le moule plusieurs fois sur la table pour égaliser la pâte. Faites cuire, et à four très chaud (th. 8-9), de 8 à 10 mn.

4. Crème-garniture : avec une cuiller en bois, mélangez 3 blancs d'œufs avec le sucre glace et quelques gouttes de citron, jusqu'à obtention d'une crème lisse. Ajoutez-y les 2/3 seulement de la noix de coco râpée.

5. Au sortir du four, démoulez le biscuit sur un torchon humide. Retournez-le (feuille d'aluminium dessous). Étalez rapidement une partie de la crème-garniture sur le gâteau encore chaud. Roulez le biscuit bien serré sur lui-même tout en décollant la feuille d'aluminium, au fur et à mesure. Étalez dessus le reste de garniture. Saupoudrez de noix de coco râpée.

Canapés d'avocat

Très facile / raisonnable / réceptions-buffet-lunch
Printemps-Automne-Hiver

Ingrédients	Préparation
Pour 10 ou 20 canapés : 5 tranches de pain de mie coupées en 2 ou 4.	
Roquefort : 50 g de roquefort, 1 avocat, sel, poivre, jus de citron.	Écrasez ensemble roquefort, chair d'avocat et citron, sel, poivre. Tartinez sur les canapés.
Niçoise : 1 avocat, 1 échalote hachée, jus de citron, olives noires. 2 petites tomates, sel, cayenne.	Mélangez ensemble avocat écrasé, échalote hachée, citron, sel et poivre de cayenne. Étalez sur les canapés. Décorez avec rondelles de tomates et olives noires.
A l'oignon : 1 avocat, sel, poivre, 1 petit oignon haché, jus de citron.	Écrasez en purée et étalez sur les canapés.

Le secret *des canapés vite préparés :* Étalez la préparation choisie sur de très larges tranches de pain de mie. Ensuite, cela ne prendra pas beaucoup de temps pour couper les grandes tartines en triangles, rectangles ou carrés, de la grosseur d'une bouchée.

Canard à l'ananas

Facile / raisonnable / petites réceptions
Toutes saisons

Préparation et cuisson : 2 h 15

Pour 4, il faut :
1 canard de 1,800 kg coupé en 8,
30 g de beurre ou de margarine,
1 boîte d'ananas au sirop (10 tranches),
10 g de champignons chinois (secs),
10 g de champignons parfumés (secs),
8 cerises confites,
1 oignon,
1 cuil. à soupe bombée de farine,
1 cuil. à soupe de tomate concentrée,
1 gousse d'ail,
1 cuil. à café rase de glutamate,
1 cuil. à soupe de sauce soja,
bouquet garni,
sel, poivre.

1. Réhydratez les champignons chinois et les champignons parfumés, en les plongeant dans de l'eau tiède, pendant 10 mn.

2. Faites dorer les morceaux de canard dans une cocotte avec une grosse noix de beurre ou de margarine. Mettez l'oignon haché. Saupoudrez de farine, mélangez. Ajoutez tout le jus de l'ananas, tomate concentrée, ail, glutamate, champignons égouttés, environ 1 verre d'eau, bouquet garni, sel, poivre. Couvrez. Laissez mijoter 1 h 30.

3. 15 mn avant la fin de la cuisson, ajoutez 6 tranches d'ananas coupées en 8, et la sauce soja. Laissez mijoter ensemble 1/4 d'heure. Présentez le plat décoré avec le reste des tranches d'ananas coupées en deux, une cerise confite au centre.
Comme accompagnement : du riz nature ou des pâtes chinoises.

Insolite : *C'est bien le jus sucré de la boîte qu'il faut ajouter. Le canard y mijotera doucement et s'imprégnera de son parfum.*

Charlotte d'ananas Condé

Facile / bon marché / petites réceptions
Toutes saisons

Préparation et cuisson : 1 h

Pour 6, il faut :
1 boîte d'ananas en morceaux,
30 g de beurre,
2 jaunes d'œufs.

Riz au lait :
200 g de riz,
3/4 de litre de lait,
1 sachet de sucre vanillé
(ou 1 gousse),
5 ou 6 cuil. à soupe de sucre en poudre,
2 pincées de sel.

1. Riz au lait : lavez le riz. Faites-le bouillir 5 mn dans beaucoup d'eau. Égouttez. Remettez dans la casserole avec lait et 2 pincées de sel. Couvrez à demi. Laissez mijoter jusqu'à absorption du lait (de 35 à 40 mn). A mi-cuisson, ajoutez sucre et sucre vanillé. Au riz retiré du feu, mais encore très chaud, incorporez environ 30 g de beurre et 2 jaunes d'œufs. Laissez tiédir.

2. Ajoutez au riz les 2/3 des morceaux d'ananas. Tassez bien dans un moule à bord haut (charlotte ou moule à soufflé). Mettez au réfrigérateur. Laissez refroidir complètement avant de démouler sur un plat rond. Disposez tout autour le reste d'ananas.

Raffinement : *La boîte d'ananas en morceaux est d'un prix avantageux. Mais pour une présentation de réception, préférez l'ananas en tranches et quelques cerises confites pour un plus joli décor.*

Cocktail de crevettes aux kiwis

Très facile / raisonnable
Toutes saisons

Préparation :
20 minutes

Pour 4, il faut :
200 g de crevettes décortiquées,
1 cuillerée à café de rhum,
2 cuillerées à soupe de mayonnaise,
1 cuillerée à soupe de crème fraîche,
ciboulette,
2 pincées de cayenne,
ou quelques gouttes de tabasco,
quelques feuilles de laitue,
2 kiwis,
1/2 citron,

4 verres ou coupelles.

1. Laissez macérer les crevettes avec le rhum pendant une vingtaine de minutes.

2. Mélangez la mayonnaise (fraîche ou en tube) avec : crème fraîche, ciboulette finement coupée, cayenne ou tabasco. Incorporez-y délicatement les crevettes.

3. Lavez et séchez 5 ou 6 feuilles de salade. Roulez-les sur elles-mêmes et, sur une planche, tranchez-les en fines lanières à l'aide d'un grand couteau.

4. Dans 4 verres, disposez par couches : laitue, crevettes-mayonnaise et laitue.

5. Pelez la fine peau des kiwis. Tranchez-les en minces rondelles. Disposez-les, en couronne, à la surface des cocktails. Aspergez de citron et mettez dans le réfrigérateur jusqu'au moment de servir.

Variante : *Vous pouvez enrichir ce cocktail d'un avocat coupé en petits carrés ou en billes. Arrosez-les de citron aussitôt et poivrez-les avant de les mélanger à la salade.*

Coques d'avocat

Très facile / raisonnable / petites réceptions
Printemps-Automne-hiver

Préparation :
20 mn

Pour 4, il faut :
2 avocats,
2 belles tomates,
1 oignon,
1 cuil. à café de câpres,
1 cuil. à soupe de fromage blanc,
1 citron,
3 cuil. à soupe d'huile,
sel, poivre.

1. Coupez les avocats par moitié. Videz-les soigneusement sans abîmer la peau. Frottez l'intérieur de ces « coques » vides avec du citron pour éviter qu'elles ne noircissent. Mettez-les au réfrigérateur. Épluchez les tomates et videz-les de leurs pépins. Coupez la chair en petits dés ainsi que celle des avocats.

2. Mélangez intimement avec oignon haché, câpres, fromage blanc, jus de citron, sel, poivre et huile. Mettez au froid.

3. Au moment du repas, disposez cette salade dans les « coques » d'avocat.

Le secret *de l'avocat qui ne noircit pas :* Coupez-le à la dernière minute avec un couteau inoxydable et, si possible, aspergez-le de citron au fur et à mesure.

Côtes de veau aux avocats

Facile / raisonnable / petites réceptions
Printemps-Automne-Hiver

Préparation et cuisson : 30 mn

Pour 4, il faut :
4 côtes de veau,
50 g de beurre ou de margarine,
2 avocats un peu fermes,
1/2 verre de banyuls ou de porto,
sel, poivre.

1. Coupez les avocats en 2. Découpez la chair très près de l'écorce, à l'aide d'une cuiller à café (mieux, avec une cuiller spéciale) pour obtenir des billes. Conservez les écorces.

2. Faites d'abord sauter les billes d'avocat à la poêle, avec une grosse noix de beurre ou de margarine. Secouez la poêle plutôt que de mélanger avec une fourchette, afin de ne pas les écraser. Versez-les dans une assiette.

3. A leur place, mettez les côtes de veau à dorer, avec 30 g de beurre ou de margarine. Salez, poivrez. Ajoutez les billes d'avocat et le banyuls. Couvrez. Laissez mijoter 15 mn. Présentez chaque côte accompagnée d'une demi-écorce emplie de billes d'avocat.

Équipement : *Cette petite cuiller demi-sphérique se trouve chez les quincailliers spécialisés en articles de cuisine.*

Crêpes aux bananes flambées au rhum

Facile / raisonnable / petites réceptions
Toutes saisons

Préparation et cuisson : 45 mn

Pour 8 grandes crêpes, il faut :

Pâte à crêpes :
150 g de farine,
2 œufs,
2 grands verres de lait ou d'eau,
1/4 de cuil. à café de sel,
1 cuiller à soupe d'huile,

4 bananes,
30 g de beurre ou de margarine,
2 ou 3 verres à liqueur de rhum,
sucre en poudre.

1. Pâte à crêpes : mettez farine, sel, œufs entiers, lait (ou eau) et 1 cuil. à soupe d'huile dans une terrine. battez au fouet électrique jusqu'à ce que vous obteniez une pâte lisse. Si possible, laissez reposer.

2. Imbibez d'huile un tampon de papier absorbant pour en frotter la poêle entre chaque crêpe. Mettez la poêle sur feu vif, lorsqu'elle est très chaude, versez une petite louche de pâte à crêpes dedans. Penchez aussitôt la poêle de côté et d'autre pour que la pâte recouvre le fond d'une mince pellicule. Lorsque les bords de la crêpe sont secs et dorés, retournez-la et laissez cuire le second côté. Sucrez au fur et à mesure.

3. Coupez les bananes en 2 dans le sens de la longueur. Faites-les dorer rapidement des 2 côtés, dans une poêle avec 30 g de beurre ou de margarine.

4. Mettez-les dans les crêpes. Roulez et déposez dans un plat long en métal. Sucrez et gardez au chaud. Au moment de servir, versez le rhum bouillant et enflammé sur les crêpes.

Le secret *du rhum qui flambe :* Le rhum doit être bouillant. Approchez une allumette ou penchez la casserole vers la flamme du gaz : le rhum s'enflammera aussitôt.

Escalopes Nana

Facile / raisonnable / petites réceptions
Printemps-Automne

Préparation et cuisson : 15 mn

Pour 4, il faut :
4 escalopes,
30 g de beurre ou de margarine,
1 avocat,
12 feuilles d'estragon,
1 cuil. à soupe de crème fraîche,
1 jaune d'œuf,
1 cuil. à soupe pleine de farine,
sel, poivre.

1. Saupoudrez les escalopes de farine. Faites-les cuire, à la poêle, avec 30 g de beurre ou de margarine, de 4 à 5 mn de chaque côté, sur feu moyen.

2. Écrasez la chair de l'avocat à la fourchette en y ajoutant : estragon haché, jaune d'œuf, crème, sel, poivre.

3. Retirez les escalopes cuites de la poêle, mais laissez le jus de cuisson. Ajoutez 1/2 verre d'eau. Délayez sur le feu, en grattant les sucs de viande. Ajoutez ensuite la purée d'avocat. Mélangez sur le feu un instant. Étalez sur les escalopes et servez aussitôt.

Variantes : *Steaks, tournedos ou chateaubriand peuvent s'accommoder de la même manière.*

Gâteau à l'ananas

Très facile / raisonnable / petites réceptions
Toutes saisons

Préparation et cuisson : 1 h

Pour 4, il faut :
1 petite boîte d'ananas en rondelles,
2 cuil. à soupe de sucre,

1. Beurrez ou caramélisez l'intérieur du moule. Saupoudrez de 2 cuil. à soupe de sucre. Déposez dessus les 1/2 rondelles d'ananas bien égouttées.

2. Pâte : travaillez, dans une terrine, le beurre ou la margarine ramolli et le sucre jusqu'à ce que vous obteniez une crème. Incorporez-y peu à peu : œufs entiers, quelques cerises confites (facultatif).

Pâte :

2 œufs entiers,
100 g de beurre,
100 g de sucre,
100 g de farine,
1 cuil. à café rase de levure en poudre, sel,
1 moule rond de 20 cm de Ø.

farine, levure et pincées de sel. Versez cette pâte lisse sur les fruits. Faites cuire à four chaud (th. 5-6), 35 à 40 mn, sur une grille. Démoulez aussitôt cuit. Vous ajoutez une note de couleur en plantant quelques cerises confites, au centre des tranches d'ananas.

Le secret *d'un gâteau (à base de levure) bien levé :* Il faut en commencer la cuisson à four moyen. Ainsi la chaleur pénètre au cœur du gâteau avant d'en dorer la croûte qui par sa fermeté emprisonnerait la pâte telle un corset et l'empêcherait de gonfler.

Grillades de porc aux bananes

Très facile / bon marché / petites réceptions
Toutes saisons

Préparation et cuisson : 20 mn

Pour 4, il faut :

4 grillades de porc,
25 g de beurre ou de margarine,
4 petites bananes fermes,
2 petits verres de rhum,
poivre de Cayenne,
sel, poivre.

1. Faites chauffer une grosse noix de beurre ou de margarine dans une poêle. Faites cuire la viande dedans, de 7 à 8 mn de chaque côté, à feu moyen. Ajoutez sel, poivre et cayenne. Retirez de la poêle. Gardez au chaud.

2. Épluchez les bananes. Faites-les dorer dans la poêle restée sur le feu, 2 mn de chaque côté. Ajoutez un peu de beurre ou de margarine, au besoin. Arrosez de rhum. Quand il est bouillant, enflammez-le. Présentez les grillades sur un plat chaud. Disposez les bananes cuites autour. Arrosez le tout avec la sauce de cuisson. Présentez avec du riz nature ou même avec du couscous.

Mousse de bananes

Facile / bon marché
Toutes saisons

Préparation :
15 mn
Au frais : 30 mn

Pour 4, il faut :
2 bananes,
3 cuil. à soupe de sucre en poudre,
2 œufs,
1 pincée de sel.

1. Écrasez les bananes en purée. Mélangez-les aussitôt avec sucre et jaunes d'œufs, dans une petite casserole.

2. Portez sur feu très doux, ou au bain-marie, en mélangeant vivement, sans arrêt (2 à 3 mn), jusqu'à ce que le mélange épaississe légèrement. Retirez du feu aussitôt et laissez refroidir un peu.

3. Ajoutez une pincée de sel aux blancs d'œufs. Battez-les en neige ferme. Incorporez-les délicatement aux bananes. Versez dans des tasses individuelles. Mettez au réfrigérateur.

Le secret *d'une mousse bien ferme :* Il ne faut pas préparer cette mousse trop longtemps d'avance car les blancs en neige, en retombant, produiraient inévitablement un liquide peu agréable.

Omelette aux bananes

Facile / bon marché
Toutes saisons

Préparation et cuisson : 15 mn

Pour 4, il faut :
6 œufs,
2 bananes fermes,
40 g de beurre ou de margarine,
2 cuil. à soupe de sucre,
2 verres à liqueur de rhum,
sel.

1. Coupez les bananes en rondelles, pas trop minces. Faites-les sauter rapidement (2 ou 3 mn seulement) sur feu vif, avec un peu de beurre.

2. Dans une grande poêle, faites fondre 30 g de beurre ou de margarine. Versez dans les œufs préalablement battus et salés. Battez encore. Cuisez l'omelette comme d'habitude, dans la poêle très chaude, sur feu vif. Avant de la replier, déposez les bananes sur une moitié de l'omelette. Repliez celle-ci sur elle-même. Faites-la glisser sur un plat long. Sucrez abondamment. Faites bouillir le rhum. Enflammez-le en penchant la casserole vers le feu. Versez, flambant, sur l'omelette et servez.

Le secret *de l'omelette garnie qui n'attache pas :* La garniture — bananes, en l'occurrence — est cuite dans un ustensile à part, car la poêle destinée à l'omelette doit être parfaitement propre sinon les œufs attacheraient immanquablement.

Pamplemousse au crabe

Très facile / raisonnable / petites réceptions
Toutes saisons

Préparation et cuisson : 30 ou 45 mn

Pour 4, il faut :
2 gros pamplemousses,
50 g de riz,
1 boîte de crabe,
16 olives vertes ou noires,
sel, poivre.

Mayonnaise :
1 jaune d'œuf,
1 petit bol d'huile,
1 cuil. à café de moutarde forte,
1 cuil. à café de vinaigre,
sel, poivre.
1 pincée de cayenne (facultatif).

1. Faites cuire le riz de 15 à 18 mn dans beaucoup d'eau salée. Aussitôt cuit, passez-le sous l'eau froide pour le refroidir complètement et égouttez.

2. Préparez la mayonnaise avec les proportions ci-contre.

3. Coupez les pamplemousses en 2. Détachez la pulpe de l'écorce sans abîmer celle-ci car vous l'utiliserez. Séparez les quartiers de pamplemousse, en ôtant la fine peau.

4. Mélangez crabe, morceaux de pamplemousse, riz, quelques olives hachées, mayonnaise. Au moment de servir, emplissez les demi-écorces avec cette salade. Déposez une olive au centre de chacune.

Organisation : *Vous pouvez préparer tous les éléments d'avance à condition de les conserver séparément au réfrigérateur. Au dernier moment seulement vous ferez le mélange et garnirez les écorces de pamplemousses.*

Solution express : *2 tubes de mayonnaise toute préparée vous épargneront la préparation — aventureuse parfois — d'une mayonnaise.*

Panaché d'avocat pamplemousse

Très facile / raisonnable
Printemps-Automne-Hiver

Préparation :
20 mn

Pour 4, il faut :
2 avocats,
1 pamplemousse,
1 tomate,
1/2 citron, laitue.

Citronnette :
1 cuil. à soupe de jus de citron,
2 ou 3 cuil. à soupe d'huile,
1 gousse d'ail, sel, poivre.

1. Préparez la citronnette et laissez macérer un moment avec l'ail écrasé.

2. Pelez le pamplemousse « à vif » en mordant légèrement sur la pulpe. Découpez de fines tranches de pulpe de part et d'autre des lamelles de peau que vous n'utiliserez pas.

3. Pelez l'avocat et la tomate. Coupez-les en lamelles. Aspergez de citron.

4. Déposez les tranches d'avocat, de tomate et de pamplemousse intercalées sur un lit de feuilles de laitue. Arrosez de citronnette.

Le secret *d'une salade croquante* : Une fois assaisonnée — mais non mélangée — remettez-la dans le réfrigérateur jusqu'au moment de consommer.

Poulet au citron vert et à l'orange

Très facile / raisonnable
Toutes saisons

Préparation et cuisson : 1 heure
Marinade : la veille

Pour 4, il faut :
1 poulet de 1,400 kg environ,
50 g de beurre,
sel, poivre.

Marinade :
1/2 orange (jus),
1/2 citron vert (jus),
1 petit oignon ou 1 échalote en rondelles,
1 cuillerée à café d'huile,
quelques gouttes de tabasco,

1 sachet de pommes chips.

1. La veille : aplatissez complètement le poulet après l'avoir ouvert par le dos à l'aide d'un grand couteau (c'est facile, mais vous pouvez demander au marchand de le faire à votre place).
Mettez le poulet à mariner, bien à plat, dans un large récipient, avec le jus d'orange et de citron, rondelles d'oignon ou d'échalote, huile et tabasco. Couvrez d'une feuille d'aluminium et laissez macérer dans le réfrigérateur jusqu'au lendemain.

2. Le jour même : chauffez le four (th. 7/8) 1 heure avant le repas. Égouttez le poulet. Placez-le à plat (peau dessus) dans un grand plat creux. Parsemez de sel, poivre et tartinez de beurre. Glissez dans le four très chaud (th. 7/8) pendant 40 minutes environ. Arrosez souvent avec un peu de marinade.

3. Placez le poulet cuit à plat sur la planche à découper. Coupez-le en 4 portions. Mettez-les sur les assiettes de service. Tenez au chaud dans le four éteint.

4. Videz l'excès de gras resté dans le plat de cuisson. Puis délayez, sur feu doux, le reste de marinade et un peu d'eau (3 cuillerées à soupe en tout). Laissez bouillir quelques instants. Versez sur le poulet dans les assiettes. Garnissez de pommes chips et présentez à table.

Tartelettes aux fruits exotiques

Facile / bon marché / petites réceptions
Toutes saisons

Préparation et cuisson : 30 mn + 1 h au froid

Pour une dizaine de tartelettes préalablement cuites, il faut :

Crème pâtissière :
1/4 de litre de lait,
2 œufs,
4 cuil. à soupe de sucre en poudre,
1 sachet de sucre vanillé
(ou 1 gousse de vanille),
1 cuil. à café bombée de farine,
1 pincée de sel.

Bananes,
ananas en boîte,
fruits confits etc.

1. Crème pâtissière : mettez le lait à bouillir avec 1 pincée de sel et le sucre vanillé. Travaillez au fouet le sucre et les œufs entiers dans un saladier jusqu'à ce que le mélange blanchisse. Incorporez-y la farine, puis le lait bouillant, peu à peu. Reversez dans la casserole. Faites cuire doucement sans cesser de remuer jusqu'à ce que la crème épaississe. Laissez bouillir quelques instants et retirez du feu. Mettez au froid.

2. Garniture des tartelettes : une cuillerée de crème refroidie au fond de chaque tartelette.
Puis, au choix :
— une tranche d'ananas avec une cerise confite au milieu ;
— plusieurs demi-tranches d'ananas, très minces, se chevauchant en dégradé. A la base, cerise et brins d'angélique ;
— de fines rondelles de bananes, en collerette (frottez-les de citron pour les garder blanches).

Raffinement : *Un coup de pinceau final, à la confiture tiédie, vernira joliment la surface.*

Grape-fruits grillés

Très facile / bon marché / petites réceptions (jeunes)
Toutes saisons

Préparation et cuisson : 30 mn

Pour 4, il faut :
2 pamplemousses,
4 cuil. à soupe de sucre,
1 cuil. de cannelle,
4 cerises confites ou à l'alcool.

Tomates farcies d'avocat

Très facile / raisonnable / petites réceptions
Printemps-Automne-Hiver

Préparation : 10 mn

Pour 4, il faut :
4 tomates moyennes,
1 avocat à point,
1 tube de mayonnaise,
1 cuil. à café de moutarde forte,
sel, poivre.

1. Épluchez et videz les tomates crues. Salez l'intérieur. Retournez-les pour les égoutter.

2. Délayez la mayonnaise avec la moutarde. Poivrez-la un peu, pour bien la relever. Mélangez avec la chair de l'avocat (épluché) coupée en dés ou écrasée en purée. Emplissez les tomates de ce mélange, au moment de servir.

Velouté d'avocat

Très facile / raisonnable / petites réceptions
Printemps-Automne-Hiver

Préparation et cuisson : 15 mn

Pour 4, il faut :
1 avocat à point,
1 consommé de poulet (sachet ou boîte),
1 jaune d'œuf,
sel, poivre.

1. Préparez le potage selon le mode d'emploi.

2. Passez la chair de l'avocat à la moulinette ou au mixer. Mélangez-y, aussitôt, un jaune d'œuf. Incorporez peu à peu au potage très chaud, hors du feu, en fouettant vivement. Salez et poivrez légèrement.

Raffinement : *Présenter en tasses, avec de petits dés de pain de mie sautés au beurre.*

Index général des recettes

Index par catégorie de plats

SOUPES ET POTAGES

CRUDITÉS - SALADES ENTRÉES

1. Crudités - Salades

2. Entrées froides

3. Entrées chaudes

ŒUFS

POISSONS - CRUSTACÉS COQUILLAGES

1. Poissons

2. Crustacés

3. Coquillages

VIANDES

1. Agneau - Mouton

2. Bœuf

3. Porc

4. Veau

5. Charcuterie - Triperie - Abats

VOLAILLES - GIBIER LAPIN

1. Volailles

2. Lapin

3. Gibier à plume

4. Gibier à poil

LÉGUMES
POMMES DE TERRE
PATES - SEMOULE - RIZ

1. Légumes frais

2. Pommes de terre

3. Légumes secs

4. Pâtes et semoules

5. Riz

SAUCES

DESSERTS

Index par ordre alphabétique

Index par ordre alphabétique

A

B

C

H

I

J

K

L

M

T

V

W

Composition réalisée par C.M.L., Montrouge.

IMPRIMÉ EN FRANCE PAR BRODARD ET TAUPIN
Usine de La Flèche (Sarthe).
LIBRAIRIE GÉNÉRALE FRANÇAISE - 43, quai de Grenelle - 75015 Paris.
ISBN : 2 - 253 - 03145 - 3

30/7837/5